ÉPITOMÉ
DES INSTITUTIONS DIVINES

SOURCES CHRÉTIENNES

N° 335

LACTANCE

ÉPITOMÉ
DES INSTITUTIONS DIVINES

*INTRODUCTION, TEXTE CRITIQUE
TRADUCTION, NOTES ET INDEX*

PAR

Michel PERRIN
Professeur à l'Université de Picardie

*Ouvrage publié avec le concours
du Centre National des Lettres*

LES ÉDITIONS DU CERF, 29, Bd de Latour-Maubourg, PARIS 7ᵉ
1987

*La publication de cet ouvrage a été préparée avec le concours
de l'Institut des « Sources Chrétiennes »
(U.A. 993 du Centre National de la Recherche Scientifique)*

© Les Éditions du Cerf, 1987.
   ISBN : 2-204-02813-4
   ISSN : 0750-1978
   N° éditeur : 8457

INTRODUCTION [1]

I. AUTHENTICITÉ

A la différence des autres œuvres de Lactance (si l'on excepte toutefois le *De mortibus persecutorum*), l'*Épitomé* pose un problème d'authenticité que nous devons aborder au début de cette édition [2]. La démonstration de S. Brandt avait semblé jadis emporter la décision en faveur de l'authenticité lactancienne de l'ouvrage [3], mais la thèse de P. Monat sur *Lactance et l'Écriture* [4] ayant tout récemment apporté des raisons

1. On trouvera dans l'index bibliographique (p. 295-297) les références complètes des ouvrages cités en note sous forme abrégée.

2. Premier exposé partiel sur cette question dans PERRIN, « Ch. 24 ». Sur la question d'une utilisation possible d'Arnobe dans l'*Epit.*, voir PERRIN, « Arnobe ».

3. Voir BRANDT, *Prosaschriften*. Les p. 2-10 sont intitulées « Ueber die Echtheit der Epitome der Institutionen ».

4. Nous remercions vivement ici P. Monat de nous avoir offert, dès la soutenance de sa thèse d'État (24 novembre 1979), un exemplaire dactylographié de son travail. Nous reprenons en détail la critique des soupçons de P. Monat dans notre article « L'authenticité lactancienne de l'*Épitomé* des *Institutions Divines* : à propos d'un livre récent », *REAug* 32, 1986, p. 22-40. P. Monat nous autorise à faire état de son accord général avec cet article.

de la mettre en doute, il convient de revenir sur cette question.

S. Brandt avait avancé quatre arguments pour défendre la thèse de l'authenticité. En premier lieu, Jérôme[1] connaissait l'*Épitomé*, mais mutilé. Il ne disposait en effet que de la dernière partie de l'œuvre (du chapitre 51 à la fin), celle que nous conservent le *Bononiensis 701*, la seconde partie du *Taurinensis*, et le modèle du *Parisinus 1662*[2]. En somme, Jérôme a connu une situation qui a duré jusqu'en 1711, date de la découverte, par S. Maffei et C.M. Pfaff, du *Taurinensis*, seul manuscrit à nous procurer la totalité de l'œuvre. Il semble donc que ce fait vienne renforcer la créance à accorder à la notice de Jérôme, qui cite l'*Épitomé* dans la liste des œuvres de Lactance.

En second lieu, l'*Épitomé* porte sur l'identité de son auteur un témoignage interne qui est en faveur de la thèse de l'authenticité. La page du *prooemium* n'a rien qui puisse laisser soupçonner qu'un faussaire se soit ici dissimulé sous le nom de Lactance. Tout y est parfaitement naturel : le retour sur les *Institutions* et leur réussite auprès des lecteurs ; la justification du traité par le désir de Pentadius – il n'est pas exclu que ce soit un trait d'humour[3] ; mais c'est bien plus vraisemblablement un souvenir littéraire de Cicéron[4] ; la remarque selon laquelle il est difficile d'abréger une si grande œuvre. En dehors de l'introduction, la personne de Lactance apparaît plusieurs fois encore, ainsi que

---

1. Hier., *Vir. ill.*, 80 : *librum unum* ἀκέφαλον.
2. Description des manuscrits, *infra*, p. 36-38.
3. Voir Gerhardt, p. 26 s.
4. Cic., *Fam.*, 5, 12, 1 (= *Ép.*, 112 = *CUF*, t. 2, p. 158 Constans) comme l'a justement remarqué Dammig, p. 33.

celle du dédicataire ; les *Institutions* sont aussi expressément mentionnées [1].

Troisième argument : le style de l'*Épitomé* ne peut constituer un argument contre l'authenticité. Il est certes beaucoup plus concis que celui des autres écrits de Lactance, comme on l'a remarqué depuis bien longtemps [2]. L'œuvre, avec ses membres de phrase très courts, qui se succèdent rapidement, avec ses énumérations souvent dépourvues de liaisons, peut donner l'impression d'avoir été rédigée à la hâte, sans beaucoup de travail stylistique. Mais des passages comme l'introduction permettent de retrouver la « griffe » de Lactance [3]. De plus, le style rapide de l'*Épitomé* convient au genre littéraire de cet écrit et ne doit donc pas nous entraîner à des conclusions sur l'identité de l'auteur. Il en irait autrement si l'on démontrait qu'il existe des différences décisives en matière grammaticale et lexicale avec la langue des autres œuvres sûrement authentiques de Lactance, en particulier des *Institutions*, mais personne n'y a encore réussi.

Enfin, le contenu de l'œuvre ne contredit pas non plus l'authenticité lactancienne, étant bien entendu qu'il ne s'agit pas d'un résumé servile, mais, d'une certaine manière, d'un livre neuf [4]. S. Brandt, aussi bien que J. Dammig et P. Monat, insiste beaucoup sur l'autonomie de l'*Épitomé* à l'égard des *Institutions*. Elle se manifeste non seulement par bien des détails, mais même par des modifications dans la disposition de la matière. Compte tenu de ce que nous savons sur le

---

1. On trouvera les références dans BRANDT, *Prosaschriften*, p. 4.
2. I.G. WALCH à la p. 39 de son édition (Leipzig 1715).
3. Il faudrait y ajouter un certain nombre de passages de l'*Épit.* qui sont des additions par rapport aux *Inst.*
4. La remarque figure à la p. 64 de l'édition HEUMANN (Göttingen 1736).

genre littéraire de l'épitomé dans l'Antiquité [1], cette
grande liberté dans la reprise des *Institutions* dépasse
largement ce qu'un ami ou un admirateur se serait
permis. Un faussaire se serait soucié de calquer de son
mieux les *Institutions*. D'autre part, les modifications
apportées au plan des *Institutions* représentent souvent
des améliorations dans la présentation de l'exposé. On
conçoit dès lors facilement l'idée que Lactance a trouvé
là une occasion de donner au public une seconde
édition, améliorée et abrégée, des *Institutions*.

Telle était la position de S. Brandt, et J. Dammig
observait en 1957 que personne ne l'avait valablement
contredite [2]. Mais P. Monat, en 1979, dans sa thèse
sur *Lactance et l'Écriture* [3] a relevé un certain nombre
de faits qui l'amènent finalement à mettre en question
l'authenticité lactancienne de l'*Épitomé* et à suggérer d'y
voir une œuvre postérieure au concile de Nicée [4].

P. Monat part de données statistiques fondées sur les
relevés de la *Biblia Patristica* (t. 2). Ces données
concernent le nombre des allusions et réminiscences à
l'Ancien et au Nouveau Testament dans les œuvres de
Lactance [5]. On constate que les *Institutions* contiennent
300 allusions et réminiscences à l'A.T. et 408 au N.T.
tandis que l'*Épitomé* en contient 67 à l'A.T. et 128 au
N.T. L'*Épitomé* contient donc proportionnellement plus
d'allusions et réminiscences au N.T. qu'à l'A.T. (environ
2 pour 1) que les *Institutions* (environ 4 pour 3). En
outre, dans l'*Épitomé*, 13 des 67 allusions ou réminis-

1. Voir *infra*, p. 20-22.
2. DAMMIG, p. 39.
3. Ce travail a paru ensuite sous le titre *Lactance et la Bible*,
t. 1-2, Paris 1982. Nous nous référerons désormais à l'édition de
1982.
4. MONAT, t. 1, p. 266 s.
5. MONAT, t. 1, p. 20 s. ; 279.

cences à l'A.T. n'ont pas de correspondant dans les
Institutions tandis que pour le N.T., il y en a 50 sur
128 : proportion elle aussi beaucoup plus forte. L'*Épitomé* présente une affinité beaucoup plus grande avec
le N.T. que les *Institutions*.

Si l'on considère maintenant l'ensemble des allusions
et réminiscences à l'Écriture, Ancien et Nouveau Testament réunis, l'*Épitomé* en présente 195 (67 + 128)
et les *Institutions* 708 (300 + 408) ; soit une proportion
d'*Épitomé* à *Institutions* d'environ 2 à 7, alors qu'à ne
tenir compte que de la longueur respective des deux
ouvrages, celle-ci devrait être de 1 à 7. Même si la
Biblia Patristica a une conception assez large de l'allusion et de la réminiscence, ces chiffres fournissent un
indice significatif qui corrobore l'impression ressentie à
la lecture : l'*Épitomé* a une allure plus chrétienne que
les *Institutions*. Nous essaierons plus loin d'expliquer ce
phénomène.

P. Monat relève ensuite dans l'*Épitomé* un grand
nombre de suppressions[1], notamment celles des explications ou des commentaires[2]. Il note également des
modifications, à la fois dans les perspectives et dans la
disposition de la matière[3], des « translations » de
textes[4], des différences touchant le vocabulaire[5] et
surtout le dogme[6]. L'attitude de l'auteur à l'égard des
Juifs a changé[7] ; un certain « triomphalisme ecclésias-
tique », absent des *Institutions*, se fait jour[8].

1. MONAT, t. 1, p. 126 ; 141-149 ; 153-157 ; 163 ; 173 ; 177 ;
189 ; 195 ; 214 ; 217 ; 223-226 ; 266.
2. *Ibid.*, p. 65-66 ; 115-117.
3. *Ibid.*, p. 110 ; 183 ; 187 ; 211 ; 214 ; 221 ; 245.
4. *Ibid.*, p. 187 ; 221.
5. *Ibid.*, p. 222.
6. *Ibid.*, p. 170-173 ; 197 et 267 ; 222.
7. *Ibid.*, p. 180 ; 198 ; 237 ; 266-267.
8. *Ibid.*, p. 59-61 ; 267.

Toutes ces observations de P. Monat montrent que les différences entre les *Institutions* et l'*Épitomé* sont sensiblement plus importantes qu'on ne le pensait jusqu'ici. Faut-il pour autant en conclure à l'inauthenticité de l'*Épitomé* ?

Les arguments apportés par S. Brandt peuvent toujours expliquer nombre de différences, incontestables, entre ces deux œuvres. Les suppressions vont de soi dans un abrégé. Pour pouvoir vraiment convaincre S. Brandt d'erreur, il faudrait trouver, dans les parties de l'*Épitomé* qui n'ont pas leur correspondant dans les *Institutions*, des éléments *positifs* incompatibles avec le *De opificio*, la rédaction courte des *Institutions* et le *De ira*. Les arguments d'ordre négatif (comme les suppressions) restent *a silentio*, donc d'interprétation délicate, et ils nous semblent en définitive pratiquement inopérants en l'espèce : ils pourraient appuyer une thèse, ils peuvent difficilement la démontrer.

Ensuite d'autres observations ne vont pas dans le sens de l'hypothèse de P. Monat. Ainsi E. Heck note-t-il que Lactance évolue vers un dualisme de plus en plus poussé des *Institutions* à l'*Épitomé* et à la rédaction longue[1] des *Institutions*[2]. De notre côté[3], nous avons essayé de montrer que rien ne permettait de penser que le passage « dualiste » d'*Épitomé* 24 n'était pas de Lactance. Quant à V. Loi[4], il signale que l'*Épitomé* (**38**, 9) emploie à propos du Christ un vocabulaire plus subordinatianiste que celui des *Institutions* (4, 13, 2-4), vocabulaire en désaccord avec celui de Nicée : « ... in

1. Celle qui contient les passages dualistes et les dédicaces à Constantin.
2. Heck, *DZ*, p. 70-71. Il faudrait naturellement se mettre d'accord sur ce que l'on entend par « dualisme ».
3. Perrin, « Ch. 24 ».
4. Loi, p. 206.

prima natiuitate creatus... ex solo Deo sanctus spiritus factus... » Certes, comme le pense P. Monat[1], il y a peut-être dans cette phrase de l'*Épitomé* davantage de rhétorique que de précision théologique, mais il est douteux qu'un éventuel réviseur soucieux d'orthodoxie ait laissé passer après Nicée cette approximation, au minimum bien équivoque. En un mot, je ne pense pas qu'il soit possible d'affirmer que, dans l'*Épitomé*, on perçoive un travail de révision qui ait systématiquement tout ramené à la théologie d'après Nicée.

En troisième lieu, il est normal que, lorsque la Bible sert de canevas dans les *Institutions*, celui-ci soit plus visible dans un abrégé : l'ossature y apparaît au grand jour alors qu'elle était masquée auparavant dans des structures adventices. Vu la méthode suivie par Lactance dans les *Institutions*[2], ce phénomène est surtout sensible pour les livres des *Institutions* qui utilisent davantage l'Écriture, les livres 4 et 7.

Bref, les faits relevés par P. Monat sont incontestables. L'auteur de l'*Épitomé* tend effectivement à supprimer les raisonnements faibles des *Institutions*, les témoins accessoires. C'est ce qui accentue, par exemple, la tendance anti-juive : cette accentuation tient plus à un équilibre nouveau, consécutif aux suppressions opérées, qu'à des ajouts allant dans ce sens. L'auteur tend aussi à supprimer tout ce qui paraîtra difficile après 325. Il pressent des problèmes qui ne sont pas encore totalement décantés, ce qui explique les oscillations, les maladresses et les incertitudes[3]. Mais rien n'interdit de penser que cet auteur soit Lactance lui-même. Par

1. MONAT, t. 2, p. 89, n. 97.
2. Cf. vg. la préface du livre 5.
3. « C'est précautionneux », disait Monsieur Charles Pietri lors de la soutenance de thèse de P. Monat ; et telle est bien aussi notre impression devant l'*Épitomé*.

contre tout cela invite à donner à l'*Épitomé* une date sensiblement plus tardive que celle de S. Brandt (milieu 313-début 315). Du point de vue de l'histoire des idées, la « fourchette » 320-325 est sûrement meilleure.

II. DATATION

La date proposée par S. Brandt est donc sans doute trop haute et il vaut mieux rapprocher l'*Épitomé* de l'époque de Nicée. Vu le peu que nous savons sur la datation des œuvres de Lactance, il serait illusoire de vouloir obtenir une datation absolue et précise de l'*Épitomé*, nous pouvons tout au plus espérer apporter quelques précisions sur la datation relative et resserrer quelque peu la « fourchette » de la datation absolue.

Lorsque paraît l'*Épitomé*, les *Institutions* sont déjà publiées depuis quelques années[1], elles ont nécessairement eu un écho et c'est même leur succès qui justifie, dans une certaine mesure, la parution de l'abrégé.

J. Dammig[2] adopte la chronologie relative *Institutions*, *De ira*, *De mortibus*, *Épitomé*[3]. Ses raisons sont les suivantes : Lactance pense au *De ira* dès les *Institutions*[4] ; et le *De mortibus* est encore placé sous

1. Le *iampridem* de la préface ne permet pas de préciser davantage. Le mot est très vague chez Lactance (*Inst.*, 4, 11, 8 ; 4, 15, 4 ; *Épit.*, 42, 4 ; *Mort. pers.*, 18, 10 ; 50, 5). Il autorise aussi bien la datation de DAMMIG (p. 43 : 315/316) que celle de HECK (*DZ*, p. 53, n. 34 : 315/321).
2. DAMMIG, p. 35-38.
3. BRANDT, *Prosaschriften*, p. 99 s. adoptait l'ordre *Épitomé*, *De mortibus*.
4. *Inst.*, 2, 17, 4 s.

l'influence de la persécution. Dans l'*Épitomé*, la persécution fait partie du passé et l'Église est en paix (**48**, 4s. ; **61**, 3.5), bien que la persécution ne soit pas si éloignée dans le passé qu'elle en devienne impensable à l'avenir (**68**, 4). Par ailleurs, dans l'*Épitomé* (**48**, 4s.), Lactance semble regarder en arrière vers le *De mortibus* qu'il résume en quelques phrases. Le *De mortibus* aurait donc été écrit immédiatement après la persécution et l'*Épitomé* peu après, tous deux dans les années 315-316, environ cinq ans après la publication des *Institutions*[1]. Pour E. Heck, le *De ira* a bien précédé l'*Épitomé*[2], mais il n'est pas sûr que le *De mortibus* soit à placer avant l'*Épitomé*[3].

Or la datation absolue du *De mortibus* peut être assez bien précisée[4]. L'œuvre est postérieure à l'exécution de Prisca et de Valeria durant l'été 314. Par ailleurs le silence de Lactance sur le conflit entre Constantin et Licinius et la sympathie qu'il montre, lui, partisan de Constantin, pour Licinius, conduisent à placer l'œuvre avant le premier conflit entre les deux empereurs. Or, selon la documentation papyrologique actuelle, Licinius se prépare à ce conflit en décembre 315. Le *De mortibus* se situe donc entre l'été 314 et décembre 315.

La date absolue de l'*Épitomé* est plus difficile à préciser. Pour E. Heck, elle se situe entre 315 et 321.

1. C'est aussi la datation choisie par O. BARDENHEWER, *Geschichte der altkirchlichen Literatur*, t. 2, Fribourg i.B 1914[2], p. 536, et par GERHARDT, p. 208.

2. HECK, *DZ*, p. 115, n. 17 ; cf. PERRIN, « Ch. 24 ». C. INGREMEAU signale justement, dans l'Introduction à son édition du *De ira* (*SC* 289, p. 32) que l'*Épit.* est plus proche du *De ira* que des *Inst.*

3. HECK, *DZ*, p. 53 s.

4. Cf. L. DE SALVO, « A proposito della datazione del *De mortibus persecutorum* di Lattanzio », *Rivista di Storia della Chiesa in Italia* 31, 1977, p. 482-484.

Après 315, parce que l'*Épitomé* suit le *De ira* et parce qu'il tient compte de l'ignorance du grec chez ses lecteurs escomptés et cherche à atteindre un public païen et pas seulement chrétien, ce qui veut dire que l'œuvre a été composée en Occident[1]. Au plus tard en 321, car il est écrit avant le début du second conflit entre Constantin et Licinius – puisque l'on est encore en paix.

Pour les raisons d'histoire des idées évoquées plus haut, nous sommes tentés de choisir, à l'intérieur de la « fourchette » proposée par E. Heck, les dernières années avant la seconde guerre entre Constantin et Licinius, soit autour de 320. A cette date, les débats qui vont conduire au concile de Nicée sont sans doute déjà « dans l'air ». L'*Épitomé* se situerait donc une dizaine d'années après les *Institutions* (304-311) et serait postérieur au *De mortibus* (314-315). Le pamphlet de Lactance serait donc beaucoup plus proche de la grande persécution que l'*Épitomé*, ce qui peut expliquer – si tant est que la différence des genres littéraires n'y suffise pas – son ton beaucoup plus enflammé[2].

1. HECK, *DZ*, p. 71, n. 64.
2. HECK, *DZ*, p. 53, n. 34 (contre DAMMIG, p. 36) propose comme datation 315/321. Selon J. BELSER, « Ueber den Verfasser des Buches *De mortibus persecutorum* », *Theologisches Quartalschrift* 74, 1892, p. 252 s., l'*Épit.* a été terminé en 315 ou 316, en tout cas après le *De mortibus*. Mais les arguments qu'il avance ne sont pas décisifs : les parallèles textuels montrent que les œuvres ont été conçues proches l'une de l'autre. On ne peut pas dire non plus que la différence de ton entre le *De mortibus* et l'*Épit.* est inexplicable si les deux œuvres ont été composées au même moment, et négliger ainsi la différence de genre littéraire : on n'écrit pas un pamphlet comme un ouvrage apologétique. Chronologiquement donc, le *De mortibus* et l'*Épit.* pourraient être beaucoup plus proches qu'ils n'en ont l'air à première vue.

III. ANALYSE

Préface : Lactance entreprend de résumer en un seul livre les *Institutions divines*.

1. *Résumé du livre 1 : de la fausse religion.*

L'existence de la Providence ne fait de doute pour personne (**1**) ; la raison impose de penser qu'il n'y a qu'un Dieu (**2**). Dieu est supérieur à toute définition humaine. Mais prophètes, poètes, philosophes et devins lui rendent témoignage. Exemples des poètes (**3**), des philosophes (**4**), des Sibylles (**5**). L'apparition des dieux multiples du paganisme s'explique par l'evhémérisme (**6**). Leurs vies et leurs actes vicieux montrent qu'ils ne sont que des hommes. Exemples divers (**7-12**). Lactance cite sa source principale, Evhémère (**13**). L'origine de toute l'erreur remonte à Saturne (**14**). Lactance traite alors des dieux spécifiques des Romains. Exemples divers (**15-17**). En outre, rites, sacrifices et cultes sont cruels ou grotesques (**18**). Les religions sont récentes : moins de 1800 ans (**19**).

2. *Résumé du livre 2 : de l'origine de l'erreur.*

Sous Saturne, les hommes honoraient un dieu unique. Mais advint le siècle de fer, et les hommes honorèrent des objets matériels. L'adoration des statues est absurde (**20**). Les éléments du monde ne sont pas non plus des dieux (**21**). Critique des augures, des songes et des oracles. Dieu a fait le monde et l'homme. Ce dernier, tenté par le serpent, devient mortel. Dieu envoie ses anges pour contrecarrer le diable, mais ceux-ci deviennent les démons (**22**). Ils ont fait croire aux hommes qu'ils étaient des dieux, et institué de nouvelles religions. Ils sont aussi à l'origine des cauchemars et même de certains songes (**23**). Dieu a permis leur existence et celle de leur chef parce que le bien et le mal sont indissociables (**24**).

3. *Résumé du livre 3 : de la fausse sagesse des philosophes.*

La philosophie n'est pas la sagesse (**25**). L'homme a besoin de Dieu pour être sage ; les philosophes ne le sont pas (**26**).

La philosophie se discrédite par le désaccord des philosophes. Examen de la morale des philosophes (**27**). Le souverain bien doit écarter ce qui concerne l'animal et le corps, et être inaccessible sans vertu. Les philosophes sont incapables de répondre à ces critères (**28**). Les hommes sont nés en vue de la justice. Ils doivent donc à Dieu la religion et aux autres hommes l'amour. Le juste, en conséquence, pratiquera la vertu et rendra le bien pour le mal (**29**). Mais le fruit de sa justice et de sa vertu ne peut être que dans l'Au-delà. L'immortalité est donc le souverain bien. Les philosophes se sont trompés sur ce point encore (**30**). Les épicuriens ont tort d'affirmer que la Providence n'existe pas, mais que les dieux existent, et que les âmes sont mortelles. Exemple des erreurs commises par les philosophes (**31-34**). Il faut donc recourir à la seule sagesse divine (**35**).

4. Résumé du livre 4 : de la vraie sagesse et religion.

La vérité est une sagesse religieuse ou une religion sage (**36**). Explication du monde : au commencement du monde, Dieu s'engendre un fils parfait, Jésus-Christ (**37**). La seconde naissance de Jésus, selon la chair, a pour fin de libérer de la mort la chair soumise au péché (**38**). Le Christ est Dieu et homme (**39**). Malgré les miracles qu'il avait accomplis, les Juifs le crucifièrent, la veille de la Pâque (**40**). Les prophètes avaient prédit tout cela (**41**). Le Christ ressuscita le troisième jour, conformément au témoignage des prophètes, puis il organisa la proclamation de l'Évangile, et rejoignit son père le cinquantième jour (**42**). Il siège maintenant à la droite de Dieu. Les Juifs doivent faire pénitence et se convertir, les Gentils ayant été adoptés à leur place (**43**). Le Père et le Fils sont fondamentalement un (**44**) . Il a été raisonnable que Dieu revête un corps mortel, car l'Incarnation ôte aux hommes l'excuse de la fragilité de la chair (**45**). La croix était aussi nécessaire (**46**).

5. Résumé du livre 5 : de la justice.

Les persécuteurs sont des criminels (**47**). Leurs dieux ne valent rien. Le sacrifice auquel les persécuteurs veulent contraindre les chrétiens, n'étant pas libre, n'est pas acceptable par les dieux (**48**). La religion est la seule activité humaine qui soit libre. Aussi les chrétiens qui ont cédé devant les violences des persécuteurs reviennent-ils vers l'Église (**49**). Les païens affirment défendre la religion de leurs ancêtres. Mais leur attitude est incohérente, car ils ignorent ce qu'est la justice (**50**). Elle est le culte du vrai Dieu. Les philosophes ont donc ignoré la justice (**51**). A cause de la vie éternelle, les hommes justes et sages doivent pratiquer la justice et mépriser jusqu'à leur propre vie. La mort véritable consiste à abandonner le Dieu vivant (**52**). Le vrai culte de Dieu est purement spirituel : la justice (**53**). Les chrétiens placent sur terre les deux voies proposées à l'homme : celle de la vie et celle de la mort. Le premier devoir de la justice consiste à honorer Dieu comme un père et un maître, le second, reconnaître chaque homme comme un frère. Dès les débuts du polythéisme, la communauté humaine fut déchirée (**54**).

6. *Résumé du livre 6 : du vrai culte.*

Dieu se révéla alors aux hommes. La loi divine nous prescrit nos devoirs envers les hommes (**55**). La colère, la cupidité et la sensualité sont trois passions que l'homme doit particulièrement dominer. Mais il ne faut ni les supprimer ni même les affaiblir et Dieu a eu raison de nous les donner (**56**). Nous devons nous abstenir des plaisirs attachés aux sens (**57**). Exemple des spectacles (**58**). La morale chrétienne va plus loin que la morale « civile » (**59**). Nous sommes tous frères, et notre véritable trésor est au ciel (**60**). Nous devons rester fidèles à Dieu (**61**). Mais la fragilité de l'homme ne permet à personne d'être sans péché. La pénitence est donc le remède suprême pour recevoir l'immortalité (**62**, début).

7. *Résumé du livre 7 : de la vie bienheureuse.*

Critique de ceux qui pensent que l'âme est mortelle, et de ceux qui ont été dans le vrai sur ce point, sans concevoir les causes, la rationalité et les résultats de l'œuvre de Dieu (**62**, fin). Critique de Platon et des stoïciens (**63**). Dieu a fait le monde pour les hommes, les hommes naissent pour honorer Dieu, pratiquer la justice et recevoir le salaire de l'immortalité (**64**). Arguments permettant de conclure à l'immortalité des âmes. La fin du monde se produira quand 6000 ans auront été consommés (**65**). A ce moment-là, la dégradation morale sera à son comble. S'y ajouteront diverses catastrophes et des prodiges célestes. Un roi impie apparaîtra alors, persécutera les survivants et se fera passer pour Dieu. Finalement, il assiègera les justes (**66**). Dieu enverra alors le Christ pour les libérer. Avec les anges, ce dernier anéantira les impies et fera prisonnier le chef des démons. Les justes ressuscités règneront avec le Christ. Mais, après 1000 ans de paix, les nations se révolteront et le prince des démons sera délié. Pendant la guerre, les justes se cacheront sous terre en attendant que les méchants s'exterminent mutuellement. Le règne de Dieu commencera alors. Les justes prendront forme d'anges et les impies ressusciteront pour subir leur châtiment (**67**).

Conclusion : tous ces événements sont certains. Les hommes doivent donc au plus vite se convertir au culte du vrai Dieu et pratiquer la justice (**68**).

IV. GENRE LITTÉRAIRE : MÉTHODE ET PRATIQUE DE LACTANCE

Tout en distinguant les épitomés païens des épitomés chrétiens, I. Opelt[1] montre que les uns et les autres sont en fait très proches : l'épitomé est un produit de

---

1. I. OPELT, Art. « Epitome », *RAC* 5, 1962, c.944-973 (c.968 s. sur Lactance). Voir aussi E. WŒLFFLIN, art. « Epitome », *Archiv für lat. Lexikographie und Grammatik*, t. 12, 1902, p. 333-344 (p. 338 s. sur Lactance) ; DAMMIG, p. 18 s. Ce qui suit doit beaucoup à ce dernier ouvrage.

la concurrence littéraire. L'auteur s'abrège lui-même pour ne pas l'être par un autre. L'idéal recherché est celui de la brièveté, ce qui peut entraîner des bévues et des maladresses, en raison d'une simplification excessive. Quand on compare l'ouvrage à son original, des accords textuels marquent un souci de littéralité. Mais quand l'original et l'abrégé sont de la même plume, l'auteur ne se sent pas toujours esclave de sa première édition : il améliore et présente certains points sous un autre éclairage. C'est le cas de l'*Épitomé* et des *Institutions*.

En 1967, dans son édition de Florus[1] et surtout en 1984, dans son édition des *Periochae* de l'*Histoire Romaine* de Tite-Live, P. Jal[2] a précisé le point de vue exprimé par I. Opelt. Après avoir rappelé que l'habitude de composer des *epitomae* remonte au moins au 1ᵉʳ siècle avant notre ère et qu'un écrivain peut publier séparément ou en même temps un abrégé de son propre ouvrage[3], il caractérise la méthode suivie par l'auteur des *Periochae* en des termes qui pourraient pratiquement être repris mot pour mot à propos de l'auteur de l'*Épitomé des Institutions divines* :

1. L'abréviateur écrit à une époque donnée, dans un milieu, des circonstances et un but particuliers ; il se fait donc plus ou moins inconsciemment l'écho des goûts et des idées de son époque. Il infléchit, privilégie ou élimine certaines indications de sa source[4]. A propos de la datation de l'*Épitomé*, nous venons de montrer

---

1. FLORUS, *Œuvres*, t. 1-2, Introduction, texte et traduction par P. JAL, *CUF*, Paris 1967.
2. *Abrégés des livres de l'Histoire romaine de Tite-Live*, t. 34[1-2], Introduction, texte et traduction par P. JAL, *CUF*, Paris 1984.
3. P. JAL, Introduction aux *Abrégés des livres de l'Histoire romaine de Tite-Live*, t. 34[1], p. XXVIII.
4. *Ibid.*, p. LIII.

que des considérations de ce genre pouvaient amener à penser qu'une dizaine d'années environ s'étaient écoulées entre la rédaction des *Institutions* et celle de l'*Épitomé*.

2. Les modifications et les divergences doivent s'expliquer par une intention délibérée de l'abréviateur. Il simplifie, banalise et clarifie. En sens inverse, dans un dessein de *uariatio*, il cherche à rendre son expression plus frappante, ajoute des phrases de liaison ou insère ses réflexions personnelles[1].

3. Tout cela a des conséquences sur les procédés utilisés par l'abréviateur. Il ajoute pour préciser, il interprète, il élimine et il choisit. Il regroupe des faits de même nature, sans se sentir tenu à suivre littéralement son modèle, ni même l'ordre des paragraphes, des chapitres, voire des livres. Surtout il condense, souvent pour clarifier ce qui est complexe dans son texte de départ[2].

Toutes ces caractéristiques se retrouvent, à des degrés divers, dans l'*Épitomé des Institutions divines*.

Méthode

Dans sa préface, Lactance explique lui-même comment il a conçu sa tâche : il élague et il resserre[3], ou, si l'on veut, il coupe (*diffusa substringere*) et il condense (*prolixa breuiare*). Le problème est de savoir ce que veulent dire exactement ces deux expressions[4].

1. *Ibid.*, p. LXVIII-LXX.
2. *Ibid.*, p. LXX-LXXVIII.
3. **Pr.**, 3 ; DAMMIG, p. 41 s.
4. Cf. A.J. WOODMAN, « Questions of date, genre, and style in Velleius. Some literary answers », *Classical Quarterly* 25,1975, p. 272-306. Nous résumons ici plusieurs passages de son article.

A propos de Salluste, Quintilien parle de sa *uelocitas* et de sa *breuitas*[1] comme si ces deux termes étaient interchangeables. La brièveté de Salluste consiste dans sa capacité à dire tout ce qui est nécessaire en aussi peu de mots que possible. Même chose pour Thucydide que Quintilien considère comme le modèle de Salluste. Mais la définition de Quintilien n'est pas la seule. Cicéron[2] distingue la *breuitas* d'un autre procédé qui consiste à élaguer : la *uelocitas*[3] est un moyen technique de décrire une matière sélectionnée en élaguant son sujet. Comme Lactance prétend écrire un épitomé, il n'est pas étonnant qu'il affirme vouloir traiter la totalité de sa matière avec brièveté. Cela étant, pas plus chez Lactance que chez un autre auteur, les mots n'ont un sens absolument constant et précis[4], même s'ils font visiblement partie du vocabulaire de la rhétorique[5]. Cependant nous ne croyons pas que les deux expressions de la préface soient synonymes : leur juxtaposition invite à donner aux termes qui les composent leur sens précis, ce qui ne serait pas le cas si elles se trouvaient éloignées l'une de l'autre.

Les préoccupations de Lactance, qui veut écrire une somme religieuse pour son époque, rejoignent celles de Velleius écrivant une histoire universelle[6] : ce dernier élague non seulement les éléments disparates, mais

1. QVINT., 10, 1, 102 ; 4, 2, 45.
2. CIC., *Inu.*, 1, 28.
3. C'est le grec τάχος (LUCIEN, *Hist. conscr.*, 43 ; 56).
4. *Épit.*, 45, 2 : *rem substringere* = condenser sa matière (= QVINT., 4, 2, 128 : *rem stringere*) ; cf. *Inst.*, 7, 4, 12.
5. *Diffusa substringere* : QVINT., 10, 5, 4 ; TERT., *Nat.*, 2, 12, 2 ; *prolixa* : FRO., *Aur.*, 1 (p. 84, 6N Haines) ; *breuiare* : cf. *TLL* 2,2171,13 s.
6. Cf. A.J. WOODMAN (*supra*, p. 22, n. 4), p. 284.

aussi, à des degrés divers, un récit aussi important que celui de la bataille de Pharsale ; plus le sujet à traiter est vaste, plus la manière de le traiter doit être concise. De même Orose, écrivant son histoire universelle depuis la création du monde jusqu'en 417, s'exprime ainsi dans sa préface : *Praeterire plurima, cuncta breuiare*[1].

Cette préoccupation constante de Lactance explique les difficultés qu'il rencontre pour être clair et pour donner une certaine ampleur à son style, d'autant que les *Institutions* étaient déjà présentées comme un résumé[2]. L'*Épitomé* est donc un résumé de résumé et les conséquences sur la forme de l'œuvre en sont évidentes : le style large et périodique des *Institutions* fait place à un style bref et sec. Le chapitre 4, sur les philosophes, prend ainsi l'allure d'une juxtaposition d'articles de dictionnaire. Mais, de temps à autre, comme dans sa préface qui commence par une période soignée, la « patte » de Lactance se laisse reconnaître[3].

Rien n'indique par ailleurs dans cette même préface que le public visé soit différent de celui des *Institutions*. Lactance y résume ainsi le propos des *Institutions* : « Éclairer la vérité et la religion » (**Pr.**, 1), et conclut sa préface en disant à son « frère[4] » Pentadius

---

1. OROS., *Hist.*, 1,12,1.
2. Voir *Inst.*, 1, 1, 20-21 ; DAMMIG, p. 47.
3. Cf. BRANDT, *Prosaschriften*, p. 5 ; DAMMIG, p. 47.
4. **Pr.**, 4 : frère par le sang ou frère par la foi ? DAMMIG (p. 32-35) reprend la question après Brandt et Gerhardt. Il n'est pas exclu qu'il s'agisse d'un frère par le sang, mais Lactance sait que les chrétiens s'appellent frères et il en explique même la raison (*Inst.*, 5, 15, 2-3 ; *Mort. pers.*, 1, 1). Troisième hypothèse : *frater* au sens d'ami (*TLL*, 6,c.1256,22s.). A la limite, Pentadius pourrait n'être qu'un ami de Lactance. Dans ces conditions, il faut se résigner à avouer que la signification exacte de ce terme nous échappe irrémédiablement.

que l'*Épitomé* est destiné à « tirer la vérité au grand jour » (**Pr.**, 4). Les deux projets sont donc similaires[1].

Pratique[2]

L'*Épitomé* équivaut à environ 1/8 du volume des *Institutions*, mais le résumé du livre 1 des *Institutions* occupe 1/5 de l'*Épitomé* et celui des livres 2 et 5, environ 1/10 chacun. La raison de cette disparité n'est pas évidente. J. Stevenson[3] se contente de remarquer que le livre 5 contient un long préambule historique – où Lactance se compare à ses prédécesseurs – qui n'est pas repris dans l'*Épitomé*. Mais pourquoi le résumé du livre 1 est-il si long, celui du livre 2 si court ? De son côté, J. Dammig[4] note que l'auteur de l'*Épitomé* n'a repris que rarement mot à mot les citations du premier livre, tandis qu'à partir du second livre, les citations sont presque toutes des reprises littérales, en particulier les citations bibliques provenant d'*Institutions*, 4. De plus, à la différence de ce qui se passe pour les autres livres, on ne relève pas de modifications de structure dans le résumé du livre 1. Cela signifie, à mon sens,

---

1. L'*Épit.* ne résume pas le passage des *Inst.* (1, 1) ou Lactance présentait son « programme ». Les préfaces des autres livres des *Inst.* sont également supprimées dans l'*Épit.* Nécessité de faire bref probablement, qui donne l'impression que le livre est écrit d'une seule coulée.

2. BRANDT, *Prosaschriften*, p. 6 s. et DAMMIG, p. 48 s. ont réuni pratiquement toute la documentation souhaitable. Nous les résumons ici. J. Dammig a fait une étude très fouillée de la manière dont le livre 1 des *Inst.* est résumé dans l'*Épit.*

3. J. STEVENSON, « The *Epitome* of Lactantius, *Divinae Institutiones* », *Studia Patristica* 7 (*TU* 92), 1966, p. 291-298.

4. DAMMIG, p. 190.

que l'auteur de l'*Épitomé* a sensiblement modifié sa pratique en cours de rédaction : je penserais que Lactance, après avoir fait un résumé d'*Institutions*, 1 un peu trop long à son gré, a considéré que celui d'*Institutions*, 2 était, lui, un peu court. Il y aurait ainsi progrès de la méthode au cours du livre[1] : le résumé du livre 1 est un épitomé, au sens français de ce mot ; le reste est autre chose.

La comparaison entre les deux ouvrages fait donc apparaître des correspondances, des suppressions, des modifications et des additions.

a. Correspondances

Elles sont fondamentales[2]. Il ne faut pas l'oublier même si nous sommes naturellement amené à insister plus longuement sur ce qui distingue les deux œuvres. Des *Institutions* à l'*Épitomé*, le propos apologétique est le même, la matière est la même, et elle est répartie grosso modo de la même façon. Personne à ce jour n'a prouvé l'existence de différences décisives d'ordre lexical ou grammatical entre les deux œuvres.

Comme J. Dammig[3] l'a démontré, les citations bibliques de l'*Épitomé* présentent un texte plus proche de la *Vulgate* que celles des *Institutions*. Si l'on admet avec P. Monat que le texte biblique d'*Institutions*, 4

---

1. Cette remarque rejoint un peu ce que MONAT (t. 2, p. 125, n. 7) a noté en préparant l'édition d'*Inst.*, 1. J'ai aussi l'impression de quelqu'un qui se sent gêné, mal à l'aise, mais est-il invraisemblable qu'un auteur éprouve des difficultés à se résumer et que son œuvre en porte la trace ?

2. *Épit.*, 1-19 = *Inst.*, 1 ; *Épit.*, 20-24 = *Inst.*, 2 ; *Épit.*, 25-35 = *Inst.*, 3 ; *Épit.*, 36-47 = *Inst.*, 4 ; *Épit.*, 48-52 = *Inst.*, 5 ; *Épit.*, 53-62 = *Inst.*, 6 ; *Épit.*, 63-68 = *Inst.*, 7.

3. DAMMIG, p. 191-193. Sur les citations bibliques, on doit maintenant se reporter à MONAT.

provient d'une *Vetus Latina*, sous forme de dossiers bibliques (*Testimonia*), on expliquera cette divergence par une contamination, dans le *Taurinensis*, de leçons en provenance d'une *Vetus Latina* par des leçons en provenance de la *Vulgate*. Il est par ailleurs remarquable que le *Taurinensis* présente côte à côte des leçons de l'*Itala* et de la *Vulgate*, mais ce phénomène ne remonte pas nécessairement à l'auteur de l'*Épitomé* : les scribes ont eu généralement tendance à aligner le texte de l'Écriture sur celui de la *Vulgate*.

b. *Suppressions*

Elles sont nombreuses, et liées à la forme d'expression littéraire choisie par Lactance. Il a dit lui-même (**Pr.**, 3) qu'il supprimait *argumenta et exempla*. Beaucoup d'informations données par les *Institutions* sont omises : mythologie, histoire, littérature. J. Dammig[1] relève encore une autre catégorie de suppressions : celle des informations accessoires. Au total, le second livre et la première partie du sixième livre des *Institutions* donnent lieu à des coupures particulièrement nombreuses[2]. Cette disparité dans la répartition des suppressions dénote un travail d'écriture et de réflexion réalisé en partie à nouveaux frais : Lactance a réélaboré sa matière, éliminé ce qu'il jugeait moins intéressant, redondant et mal composé.

1. DAMMIG, p. 194-195.
2. Voir BRANDT, *Prosaschriften*, p. 7. Manquent pratiquement *Inst.*, 2, 11 ; 3, 25-27 ; 3, 9-29 ; 4, 13, 11-14 ; 4, 13, 20-30 ; 5, 1, 8 – 5, 4, 8 ; 6, 5 – 8, 6 ; 7, 10-12 et 7, 20-23.

c. Modifications

– *modifications de composition*

Depuis S. Brandt, tous ceux qui ont étudié la composition de l'*Épitomé* ont remarqué qu'elle était en général meilleure que celle des *Institutions*[1]. Ainsi, de temps à autre, on constate que l'*Épitomé* présente la synthèse de plusieurs passages des *Institutions*, ce qui permet d'éviter des redites, ou encore, de remettre à une place plus logique certains éléments[2].

Deux passages montrent ainsi une nette amélioration de la composition. *Épitomé*, 29 est un remaniement d'*Institutions*, 3, 9-12 et 4, 25 : dans l'*Épitomé*, le concept de justice est mis au premier plan dans une discussion sur la vertu, alors que, dans les *Institutions*, le débat portait sur la vertu en général, la justice n'étant nommée qu'occasionnellement. Dans l'*Épitomé*, Lactance met au centre la notion de justice, parce qu'il veut, beaucoup plus que dans les *Institutions*, préparer au contenu du passage auquel il donne le titre de *De iustitia*.

Le second passage où l'amélioration est évidente est *Épitomé*, 57-62 : la division, au sixième livre des *Institutions*, de la morale chrétienne en devoirs à l'égard de Dieu et devoirs à l'égard de l'homme est abandonnée ici au profit d'une division entre interdits moraux (**57-59**) et commandements positifs (**60-62**) : Lactance s'est rendu compte, après relecture, que la première division n'était pas entièrement pertinente[3].

---

1. BRANDT, *Prosaschriften*, p. 6 s. ; PICHON, p. 153 ; DAMMIG, p. 196 s. (que nous traduisons librement ici).

2. On trouvera la liste de ces passages dans DAMMIG, p. 196 s.

3. Voir l'amorce de cette réflexion dans *Inst.*, 6, 10, 1 : *Quanquam id ipsum quod homini tribueris deo tribuitur, quia homo dei simulacrum est* : Lactance n'était donc pas entièrement satisfait de son texte.

La conclusion tirée par S. Brandt et J. Dammig[1] de ces diverses modifications est que Lactance a procédé à des changements qui lui semblaient souhaitables à divers titres. Elle nous semble s'imposer : la rédaction courte (*Épitomé*) est à la fois plus cohérente et plus claire que la longue (*Institutions*).

– *modifications touchant la forme de l'exposé*

L'une est évidente au lecteur : la brièveté[2]. Les phrases sont concises, et se suivent souvent sans transition. La vigueur expressive et la force de conviction sont traduites par des phrases aux membres courts et par des énumérations : l'*Épitomé* est plus facile à lire et à comprendre que les *Institutions*. C'est un « manuel », pour un lecteur censé plus pressé et moins cultivé que celui des *Institutions*[3].

– *modifications dans le traitement des sources*

Le traitement des sources n'est pas non plus exactement le même que dans les *Institutions*. Les citations en grec sont traduites (Hermès Trismégiste, *Orphica* et oracles d'Apollon). Il ne reste plus en grec que deux titres de livres : ἐξηγήσεως πινδαρικῆς (**19**, 2) et περὶ προνοίας (**24**, 6), et des mots grecs très connus. On peut expliquer cette volonté de donner au public un livre exclusivement latin par un souci de commodité et

---

1. Brandt, *Prosaschriften*, p. 7 ; Dammig, p. 199 s.

2. Nous reprenons ici Dammig, p. 200 s.

3. Dammig, p. 200 s. reprend Pichon, p. 152-153 : certaines idées trouvent une expression plus efficace dans l'*Épit.* La volonté de simplification pourrait ainsi expliquer certains faits relevés par Monat (t. 1, p. 65 s.) et considérés par lui comme s'opposant à l'authenticité de l'*Épit.* Ainsi la justification nuancée de la méthode apologétique employée (*Inst.*, 3, 1, 10-12) fait place dans l'*Épit.* (25, 3) à une affirmation simpliste. Le raccourcissement conduit inéluctablement à un certain schématisme.

de simplification : les lecteurs de la partie occidentale de l'Empire connaissent peu ou mal le grec.

On décèle aussi parfois le souci d'une plus grande exactitude. Lactance, en reprenant les *Institutions*, a recouru à sa documentation initiale. Cela est clair dans le cas de Minucius[1] : la rédaction de l'*Épitomé* a été pour lui l'occasion de jeter un nouveau coup d'œil sur l'*Octavius*. Ainsi, non seulement on peut trouver des passages de l'*Épitomé* plus exactement cités que ceux, correspondants, des *Institutions*, mais encore certains passages de Minucius repris dans l'*Épitomé* font écho, non pas aux *Institutions*, mais au *De ira* ; d'autres, enfin, ne se trouvent que dans l'*Épitomé*[2].

Le second exemple donné par J. Dammig est celui de la *Didachè* latine, qui serait plus largement utilisée dans l'*Épitomé* que dans les *Institutions*[3]. Mais les parallèles qu'il relève n'emportent pas l'adhésion. Comme V. Loi l'a rappelé[4], la tradition véhiculée par la *Doctrina XII apostolorum* l'est aussi par l'*Épître* du Pseudo-Barnabé, et par la littérature pseudo-clémentine et judéo-chrétienne[5]. Il ne suffit donc pas qu'une idée soit commune à la *Didachè* et à l'*Épitomé*, ou que l'on y relève des similitudes dans l'utilisation d'un vocabulaire banal (ainsi l'antithèse *uita/mors*), ou encore que l'expression *duae uiae* apparaisse dans l'*Épitomé*, pour que la première œuvre ait inspiré la seconde.

1. J.G.P. BORLEFFS, « *De Lactantio in Epitome Minucii imitatore* », *Mnemosyne* 57,1959, p. 415-426.

2. Références dans DAMMIG, p. 202-203 (résumant J.G.P. Borleffs).

3. DAMMIG, p. 204-205.

4. LOI, p. 190-191.

5. Cf. J. DANIÉLOU, *Histoire des doctrines chrétiennes avant Nicée*, t. 1. *Théologie du judéo-christianisme*, Paris 1958, p. 71-80 (sur les ébionites).

Cela n'est évidemment pas impossible, mais cela est loin d'être prouvé. Au demeurant, nous rejoignons sur ce point les conclusions de P. Monat[1]. Lactance formule un certain nombre de préceptes qui se rencontrent également dans la *Didachè*. Mais ces mêmes commandements se trouvent aussi ailleurs : soit dans l'Écriture, soit dans l'enseignement des philosophes anciens ; et aucun parallèle textuel rigoureux ne permet d'établir un lien préférentiel entre l'*Épitomé* et la *Didachè*. En conséquence, même si Lactance a pu effectivement connaître cet ouvrage, cela ne signifie nullement qu'il ait tenté de l'adapter et de le développer à la lumière de la philosophie chrétienne qui était la sienne. P. Monat[2] a montré qu'*Institutions*, 6, 3-4 est avant tout fondé sur l'héritage classique. On ne voit donc pas de raison de supposer que le passage correspondant de l'*Épitomé* (**54**, 1s.) ait d'autres sources : vocabulaire et thématique sont ici identiques dans les deux œuvres.

d. Additions

Les additions sont ce qu'il y a de plus important dans les modifications de l'*Épitomé* par rapport aux *Institutions* : elles vont en sens inverse de la démarche abréviative et revêtent donc une signification éminente. Elles peuvent permettre de mieux saisir en quoi l'auteur jugeait insuffisante ou elliptique sa première œuvre, les points sur lesquels il a complété son information, et ceux sur lesquels il a changé d'avis. Le relevé de ces addi-

---

1. MONAT, t. 1, p. 249-252. On s'y reportera pour avoir le détail de la réfutation de M. Gerhardt et de J. Dammig. Malgré DAMMIG, p. 204 (reprenant M. Gerhardt sur ce point), on ne retrouve pas les *angeli duo, unus aequitatis, alter iniquitatis* de la *Doctrina*, 1, 1 en *Épit.*, 54-60.
2. MONAT, t. 1, p. 249-252.

tions a déjà été fait par S. Brandt et J. Dammig[1] : sept citations d'auteurs profanes, huit allusions à ces derniers, dix citations et réminiscences de l'Écriture, et quinze additions diverses. Cette liste[2] montre que l'*Épitomé*, plus qu'un simple *excerptum*, est vraiment, suivant le mot de S. Brandt, une seconde édition des *Institutions*, remaniée et améliorée, malgré le raccourcissement de l'œuvre[3].

L'*Épitomé* n'est donc pas un simple abrégé. Lactance adapte librement son *magnum opus*. Même si le vœu exprimé par Pentadius dans la préface n'est qu'un prétexte littéraire, et si le but poursuivi dans l'*Épitomé* et dans les *Institutions* est le même[4], l'équilibre de l'ensemble des deux œuvres n'est pas exactement le même. L'*Épitomé* donne l'impression d'être un livre plus chrétien que les *Institutions*, sans que le dessein de l'auteur soit pour autant bien différent. La raison pourrait bien en être la suivante : dans les *Institutions*, Lactance utilise une méthode d'exposé apologétique qui réduit au minimum la présence visible de la Bible, au profit des développements de type philosophique ou littéraire. Cela n'exclut pas que la Bible serve assez souvent de canevas, de guide, mais Lactance veut qu'on la voie le moins possible. Dans l'*Épitomé*, les témoins annexes, les développements qui n'étaient pas essentiels tombent. L'ossature de l'œuvre apparaît donc mieux. Si cette hypothèse est juste, on peut dire, non pas que l'*Épitomé* est plus chrétien que les *Institutions*, mais que le christianisme y est plus visible.

Cela étant, y a-t-il une évolution de Lactance d'une œuvre à l'autre ? J. Dammig ne le croit pas vraiment :

---

1. BRANDT, *Prosaschriften*, p. 7 s. ; DAMMIG, p. 206 s.
2. Voir DAMMIG, p. 209.
3. Voir *ibid.*, p. 211 s. : l'*Épit.* comme seconde édition des *Inst.*
4. Malgré PICHON, p. 154 s.

l'*Épitomé* nous renverrait, pour l'essentiel, la même image de Lactance que les *Institutions*[1]. Cette affirmation est à nuancer par les réserves de P. Monat[2]. Les suppressions opérées dans l'*Épitomé* pourraient s'expliquer par une certaine maturation, à la fois des problèmes et de l'homme. Une remarque de S. Brandt[3] va dans la même direction. Parmi les passages de l'*Épitomé* dont le texte diffère particulièrement de celui des *Institutions*, beaucoup se rencontrent déjà dans le *De ira*. S. Brandt en relevait huit ; il en tirait la conclusion que le *De ira* et l'*Épitomé* n'étaient pas éloignés chronologiquement. C'est assez probable, même si, dans le domaine des idées, il n'y a pas nécessairement progression linéaire et régulière. Cela montre en tout cas un progrès de la culture de Lactance. Il a dû continuer à lire après avoir rédigé les *Institutions*, et donc à amasser des notes. L'*Épitomé* a été pour lui l'occasion d'intégrer cette moisson dix ans environ après les *Institutions*, si cette hypothèse de datation est exacte. Le plus bel exemple en est la citation d'Aulu-Gelle en *Épitomé*, 24[4]. Il reste à savoir s'il s'agit d'un véritable changement de cap ou seulement d'une meilleure appréhension de l'étendue des problèmes à traiter et de leur difficulté. Parmi ces nouvelles lectures de Lactance, il

1. DAMMIG, p. 220, en tire la conclusion que les *Inst.* et l'*Épit.* sont chronologiquement proches. C'est possible. Mais c'est concevoir un auteur qui évoluerait de manière prévisible, linéaire et entièrement rationnelle. En un mot, le possible n'est pas nécessairement vrai.

2. Voir *supra*, p. 7-14.

3. BRANDT, *Prosaschriften*, p. 10.

4. HECK, *DZ*, p. 78. Lactance a sûrement trouvé le passage d'AULU-GELLE (7, 1, 1-6) après la rédaction courte des *Inst.*. Mais cette trouvaille n'est pas un pur hasard (Lactance s'intéressait à la question). La *diuersitas* est un grand problème dès *Inst.*, 5, 7, 3 et *Ira*, 24, 10.

faudrait peut-être placer l'œuvre d'Arnobe ; certains parallèles textuels entre l'*Aduersus nationes* et l'*Épitomé* trouveraient ainsi une explication plausible, mais nullement certaine [1].

Second point : E. Heck constate que la discussion avec Platon est plus serrée dans l'*Épitomé* que dans les *Institutions* [2]. Peut-être Lactance avait-il l'intention de refondre sa critique de Platon du troisième livre des *Institutions,* critique qu'il estimait ne pas avoir parfaitement réussie.

Troisième point : le problème du mal. Selon E. Heck [3], Lactance part – dans le *De opificio* (2, 10 – 4, 21) – d'un dualisme éthique que l'on suit dans les *Institutions* (5, 7, 3) et le *De ira* (13, 15). D'où la question inévitable : pourquoi y a-t-il du mal dans le monde créé ? C'est un problème essentiel pour lui [4]. De là il passe à l'idée que l'opposition entre le bien et le mal est nécessaire au développement du bien. La conséquence de cette opposition, c'est-à-dire que le mal est lui aussi créé par Dieu, est évitée dans l'édition courte des *Institutions* par un retour à Cyprien : c'est la jalousie du diable qui est à l'origine du mal. Mais dans l'*Épitomé*, le bien et le mal ne sont plus seulement acceptés et tolérés, ils sont aussi créés. Le rôle de la jalousie est donc réduit dans l'*Épitomé*. Enfin, dans la rédaction longue des *Institutions*, la liberté du second

1. Voir PERRIN, « Arnobe ».
2. HECK, *DZ*, p. 78, n. 32 (et PERRIN, « Platon », p. 205 s.). Selon E. HECK, Lactance a eu directement connaissance de la littérature platonicienne grecque. Il est même vraisemblable que, sur ce point aussi, Lactance ait amélioré sa culture ; dans le cas contraire, on ne voit pas pourquoi on peut suivre une progression du platonisme dans son œuvre. Nous avons, quant à nous, évoqué la possibilité d'une utilisation de dossiers latins ou grecs.
3. HECK, *DZ, passim*, et surtout p. 78-90 que nous résumons.
4. *Inst.*, 5, 7, 3-10 ; 5, 22, 11-17.

esprit est supprimée[1]. La création du mal par Dieu est affirmée plus fortement dans la rédaction longue des *Institutions* que dans l'*Épitomé*.

Telle est la thèse d'E. Heck. Très séduisante, parce que cohérente, elle permet de concevoir une évolution continue de Lactance. Nous la nuancerions cependant ainsi[2] : il n'y a pas de véritable dualisme dans l'*Épitomé*, mais tout au plus un dualisme subordonné à un monisme. Le chapitre 24, avec sa longue citation de Chrysippe, un des stoïciens les plus connus, peut-il vraiment être qualifié de dualiste ? Il expose la thèse stoïcienne très vulgarisée que le mal est comme le revers du bien. Il est remarquable que, dans l'*Épitomé*, Lactance ne dise pas positivement que Dieu a créé le mal comme tel[3], alors que les « passages dualistes[4] » contiennent des phrases qui affirment que Dieu a créé le mal – encore faudrait-il être sûr de bien les comprendre. Si ces derniers sont bien de Lactance, ils traduisent une évolution, au moins dans l'expression formelle des idées, sinon dans les idées elles-mêmes[5].

1. *Inst.*, 2, 8, 6, add. 6.
2. Nous résumons ici la conclusion de notre article « Ch. 24 ».
3. En **24**, 11, Lactance affirme positivement seulement deux points : le bien et le mal sont « ontologiquement » inséparables. Et Dieu, avec une sagesse suprême, a placé la matière de la vertu dans les maux. En quelque sorte, Dieu permet que du mal jaillisse un bien pour l'homme.
4. Ces passages (un dans le *De opificio* et deux dans les *Inst.*) ne sont transmis que par une partie de la tradition manuscrite. Ils présentent l'opposition entre le bien et le mal dans le monde – la *diuersitas* – selon un mode de pensée dualiste qui confine parfois, selon certains, au manichéisme.
5. Cf. PERRIN, « Ch. 24 ». Resterait à savoir si l'opposition est de fond, ou s'il ne faudrait pas distinguer plusieurs niveaux de compréhension, suivant que l'on considère l'intention divine (bonne) ou le résultat (mélange de bien et de mal, dû à la mauvaise volonté du diable, des démons et des hommes ; inconvénient ou contrepartie de la liberté).

On peut estimer – grâce à la citation de Chrysippe par l'intermédiaire d'Aulu-Gelle (**24**, 5-9) que l'*Épitomé* démontre la thèse de Lactance avec une technique philosophique plus rigoureuse que les *Institutions*. Il est non moins remarquable que la Bible n'apparaisse pas du tout ici [1] : Lactance veut fonder sa thèse uniquement en termes de raison.

En un mot, si nous laissons de côté la question de l'authenticité des « passages dualistes », on peut dire qu'il n'y a pas eu de véritable mutation dans la pensée de Lactance entre les *Institutions* et l'*Épitomé*, mais progrès et approfondissement. Ses convictions n'ont pas fondamentalement changé, mais il les met mieux en valeur, par une argumentation rationnelle plus affirmée. Tout cela concorde avec les caractéristiques des *epitomae* antiques, telles que P. Jal les a répertoriées dans son édition des *Periochae*.

V. MANUSCRITS ET ÉTABLISSEMENT DU TEXTE

L'étude fondamentale reste celle de S. Brandt dans l'introduction à son édition du *CSEL* [2]. L'éditeur moderne dispose de trois manuscrits très anciens. L'un donne la totalité du texte ; les deux autres n'en ont que la fin. Nous sommes donc dans une meilleure situation que Jérôme, qui ne connaissait l'*Épitomé* que

1. Même chose en *Épit.*, 63, 1-5.
2. *CSEL* 19[1], p. LXXIV-XCI (apparemment ignoré par l'édition E.H. BLAKENEY). Les fichiers de l'I.R.H.T. ne signalent pas d'autres manuscrits anciens. Étude des manuscrits *B*, *T* et *P* dans HECK, *DZ*, p. 12-13 ; de *B* et *P* dans *SC* 213, p. 63-65.

dans un texte tronqué[1]. Ces trois manuscrits sont – dans l'ordre chronologique – les suivants :

B = *Bononiensis 701*[2], fol. 269^v-282^v (contient **51**, 1 – **68**, 5), manuscrit en onciales de la seconde moitié du Ve siècle (Italie du Nord ou centrale), actuellement à la Bibliothèque Universitaire de Bologne. L'*Épitomé* y figure dans les œuvres de Lactance comme un dixième livre qui suit le *De opificio*.

T = *Taurinensis I B.II.27*[3], fol. 2^r-61^v. Ce manuscrit en onciales du VI-VIIe siècle, actuellement aux Archives d'État de Turin, a sûrement été écrit en Italie, et vient sans doute de Bobbio. Il donne la totalité du texte, sauf une lacune entre les ch. 14 et 15. La présence de l'*Épitomé des Institutions* de Lactance dans ce manuscrit – qui contient en outre des œuvres d'Hilarianus, Origène, Hegemonius, des *Acta Archelai*, etc. – a été découverte à la même époque (1711) par S. Maffei et C.M. Pfaff, qui en a procuré la première édition complète à Paris en 1712[4].

Nous souscrivons en général à la présentation et à l'analyse faite par S. Brandt :

1. HIER., *Vir. ill.*, 80 : *librum unum* ἀκέφαλον.
2. Description dans *SC* 213, p. 53 ; *CSEL* 19^1, p. LXXV ; *CLA* 3, p. 280 ; HECK, *DZ*, p. 12. Notre collation a été faite sur un microfilm aimablement confectionné par la Bibliothèque Universitaire de Bologne.
3. Ancienne cote du manuscrit : I. B. VI. 28. Description dans *CSEL* 19^1, p. LXXVI-LXXVIII (avec l'histoire de la découverte du manuscrit) ; *CLA* 4, p. 438. Le manuscrit a été collationné sur un microfilm confectionné par les Archives de Turin.
4. Dans la collation de *T* par S. Brandt (faite en réalité par G. Studemund, A. Holder et C. Cippola), nous n'avons relevé que très peu d'erreurs. Quelques-unes dépassent la simple graphie : **19**, l. 9 *poeta* : *-tae* Br ; **36**, l. 5 *uerum* : *uere* Br ; **52**, l. 40 *heuetes et caeci* : *stultissimi-hebetes* Br ; **59**, l. 11 *suoque* : *tuoque* Br ; **62**, l. 25 *atque* om. T : lemme omis par Br ; **63**, l. 10 *tanta* : add. Br.

– La seconde main de *T* est ancienne.

– Le manuscrit est composé de deux parties de provenances diverses (**1-50** d'une part, et **51-58** d'autre part). En effet, là précisément où commencent *B* et *P*, on lit en *T* : « Explicit de opificio dei, incipit epitomae. » Et l'en-tête de *T* est ainsi rédigé : « Continentur in hoc corpore diuersa id est de opificio dei epitomae firmiani lactanti de finē saeculi de diuina prouidentia de origine humani generis ... » Comme l'a dit S. Brandt, « de diuina prouidentia » renvoie au *De opificio* et « de fine saeculi » à la partie de l'*Épitomé* qui résume le livre 7 des *Institutions*.

– La seconde partie de *T* (**51-68**) remonte au même archétype que *B* et *P*[1], un manuscrit qui contenait un corpus de Lactance : les 7 livres des *Institutions*, le *De ira* (= 8e livre), le *De opificio* (= 9e livre) et l'*Épitomé* (= 10e livre).

P = Parisinus 1662[2], fol. 191r-195r (contient **51**, 1 – **61**, 6), manuscrit du troisième quart du IXe siècle, sans doute copié à Corbie, actuellement à Paris, Bibliothèque Nationale. Comme dans *B*, l'*Épitomé* est le livre X des œuvres de Lactance et suit le *De opificio*.

Établissement du texte

Nous sommes en substance d'accord avec S. Brandt. Il est facile de constater avec lui que, dans la partie où l'on dispose de *BTP* (**51**, 1 – **61**, 6), il arrive qu'un manuscrit ait visiblement la bonne leçon contre les

---

1. S. BRANDT relève quelques fautes communes (*CSEL* 19[1], p. LXXXV).
2. Description dans *SC* 213, p. 65 ; *CSEL* 19[1], p. LXXV-LXXVI ; HECK, *DZ*, p. 12. Nous avons consulté le manuscrit sur place, à la Bibliothèque Nationale.

deux autres. On ne peut donc donner systématiquement la préférence à aucun d'entre eux. Le relevé des fautes communes que nous avons effectué dans la partie où l'on dispose des 3 manuscrits donne le résultat suivant : 1 faute commune *BT*, 6 *TP*, 9 *BP*[1]. Il y a donc peu de fautes communes, dans un espace à vrai dire fort restreint. Cela ne permet pas d'aboutir à des certitudes, sinon que *B* et *P* sont un peu plus proches l'un de l'autre que *B* et *T*, et que *T* et *P*. De plus, les fautes sont souvent mineures :

– dans le groupe *BT* : la variante tient à une lettre : *punire/munire* ;

– dans le groupe *TP* : 1 « translation de mots » ; 3 omissions de mots-outils, 2 variantes qui tiennent à 1 lettre. Aucune variante majeure ;

– dans le groupe *BP* : 1 « translation de mots » ; 1 mot-outil omis ; 5 variantes très mineures. Il ne reste que 2 variantes fautives importantes : en **54**, l. 47 *remuneratione* au lieu de *remissione*, et en **55**, l. 26 *inmortalitatis* au lieu de *uirtutis*.

Dresser un stemma et le justifier nous semble dans ces conditions impossible. Ajoutons, après S. Brandt[2], que le scribe de *T* a parfois dû corriger son texte, dans les ch. 51-68, à l'aide de la tradition manuscrite

1. Nous n'avons relevé ni les *orthographica* ni les fautes mineures comme la confusion *i/e*.

BT : **54**, l. 44 *munire* (*punire*[2] P).

TP : **52**, l. 4 *stultitia est* (*e. s.* B) ; **52**, l. 7 *uel* (*et*[1] B) ; **54**, l. 45 om. (*quae* B) ; **56**, l. 1 om. (*ita* B) ; **56**, l. 3 *scient* (*cient* B) ; **60**, l. 15 *concors* (*consors* B).

BP : **54**, l. 33 *consulere* (*consulens* T) ; **54**, l. 47 *remuneratione* (*remissione* T) ; **55**, l. 26 *inmortalitatis* (*uirtutis* T) ; **56**, l. 7 *seri* (*inseri* T) ; **56**, l. 10-11 *habent certam* (*c. h.* T) ; **56**, l. 23-24 *ignorat... irascitur* (*-rant...-cuntur* T) ; **56**, l. 32 om. (*in* T) ; **56**, l. 37 *possint* (*-sunt* T) ; **60**, l. 1 *de his* (*de iis* T[pc]).

2. *CSEL* 19[1], p. LXXXVI-LXXXVII.

représentée aujourd'hui par *B* et *P*. En outre, dans les ch. 51-68, on relève, grâce à *BP*, presque 40 lacunes de *T*. Or, dans les ch. 1 à 50, l'édition de S. Brandt en relève moins de 50, alors qu'en tenant compte des longueurs respectives des deux sections (**1-50** ; **51-68**) on devrait en relever environ 80 dans les ch. 1-50. Il est évident, dans ces conditions, que beaucoup de choses nous échappent irrémédiablement.

On peut constater que, en général, *T* donne de meilleures leçons que *BP* ; on peut donc lui donner la préférence quand les leçons de *T* et de *BP* divergent véritablement. En revanche, s'il y a plutôt négligence, on admettra de corriger *T* par *BP*.

Autre principe sur lequel nous rejoignons S. Brandt : pour établir le texte de l'*Épitomé*, il faut avoir sous les yeux le ou les passages correspondants des *Institutions*[1]. Mais il faut opérer avec précaution, car les copistes de l'*Épitomé* (dans l'ancêtre de *T*, *T* lui-même, *B* et *P*) ont déjà pu en faire autant, et tendre à rapprocher artificiellement les *Institutions* et l'*Épitomé*. Un autre point extrêmement délicat est celui du texte biblique de l'*Épitomé*. On a constaté dans bien des cas qu'il s'écarte de celui des *Institutions* pour se rapprocher de celui de la *Vulgate*[2]. Dans son apparat critique, S. Brandt[3] est tenté de corriger pour aligner le texte biblique de l'*Épitomé* sur celui des *Institutions* ; le scribe de *T*, au VI-VIIe siècle, aurait eu tendance à corriger l'*Épitomé* en fonction du texte biblique qu'il connaissait : processus fort courant. D'un autre côté,

---

1. Quel que soit l'auteur de l'*Épit.*, il a en effet pris pour point de départ les *Inst.* En sens inverse, l'*Épit.* peut parfois servir à améliorer le texte des *Inst.*

2. Voir l'apparat critique de l'édition S. BRANDT, et MONAT.

3. Un seul exemple : *CSEL* 19[2], p. 713, l. 1. On peut lire : « ipsum *et* ipso *suspecta ut ex Vulgata* ; *cf. ad Inst.* 4, 8, 16 ».

et également avec raison, P. Monat[1] pense qu'il vaut mieux se garder d'aligner une œuvre sur l'autre. Même si nous ne partageons pas sa suspicion envers l'authenticité de l'*Épitomé*, nous pensons qu'il est plus sage, dans ce cas, d'adopter un parti conservateur. En effet, on peut penser que les scribes ont corrigé l'*Épitomé* par les *Institutions* aussi bien que par la *Vulgate*. En fait, nous rejoignons la pratique de S. Brandt, qui a imprimé le texte de *T* et signalé, dans l'apparat critique, quand le texte des *Institutions* était différent.

Le texte auquel nous aboutissons est donc, à peu de chose près, celui de l'édition S. Brandt. Mais il est souvent plus proche de *T* car nous avons corrigé quelques mélectures ou fautes d'impression de S. Brandt, et conservé quelques tournures qui avaient paru à ce dernier trop tardives pour être dignes de la prose de Lactance.

VI. ÉDITIONS[2] ET TRADUCTIONS

Il faut rappeler d'abord que, jusqu'au XVIIIe siècle, on n'a connu, et donc édité, l'*Épitomé* que dans sa forme tronquée, celle que connaissait Jérôme.

Jusqu'en 1712, les éditeurs de Lactance n'ont procuré à leurs lecteurs que les ch. 51 à 68 de l'*Épitomé des Institutions*. Parmi ces éditions, les principales sont les suivantes :

– éd. *Veneta altera :* Vendelin de Spire, Venise 1472. C'est l'*editio princeps* de l'*Épitomé* ;

1. MONAT, p. 103-105.
2. Voir l'historique fait par S. BRANDT (*CSEL* 27¹, p. XXXIX-LXXI). Nous en donnons ici l'essentiel.

- éd. J. Parrhasius, Venise 1509, et A. Delphius, Paris, 1513 ;
- éd. H. Fasitelius (= *Aldina altera*), Venise 1535 ; elle est à la base d'une « vulgate » du texte de Lactance ;
- éd. P. Quentelus, Cologne 1544 ;
- éd. X. Betuleius, Bâle 1563 ;
- éd. M. Thomasius, Anvers 1570. Elle utilise pour la première fois le *Bononiensis 701* ;
- éd. J. Isaeus, Cesena 1646.

Viennent ensuite les éditions qui utilisent le *Taurinensis* :
- à l'époque où S. Maffei découvrait *T* à Turin, C.M. Pfaff vit le manuscrit et décida de l'éditer. L'*editio princeps* de la totalité de l'*Épitomé* fut publiée à Paris en 1712. Malheureusement Pfaff n'a pas été sans reproche : S. Brandt[1] relève dans son travail des erreurs concernant les *orthographica*, des omissions, des additions, des modifications ;
- éd. I.G. Walch, Leipzig 1715 ;
- éd. J. Davisius, Cambridge 1718 ;
- éd. C.A. Heumann, Göttingen 1736 ;
- éd. I.L. Bünemann, Leipzig 1739 ;
- éd. N. Lenglet-Dufresnoy, Paris 1748, reprise par Migne, *PL* 6-7, Paris 1844 ;
- éd. F. Eduardus, Rome 1751 ;
- éd. O.F. Fritzsche, Leipzig 1842-1844 ;
- éd. S. Brandt (*CSEL* 19, Vienne 1890, p. 673-761) : c'est la seule édition vraiment scientifique de l'*Épitomé* dont nous disposons à ce jour. Elle fait partie de l'édition complète du corpus lactancien. S. Brandt

---

1. *CSEL* 19[1], p. LXXVII : « Hanc editionem principem ab ea fide diligentiaque quam expectaueris procul abesse dicendum est. » S. Maffei a publié les cinq premiers chapitres de l'*Épit.* dans le *Giornale dei letterati d'Italia* 6, Venise 1711, p. 449 s.

a pu améliorer le travail de ses prédécesseurs de deux manières : une collation plus précise du *Taurinensis*, et une meilleure connaissance de l'usage lactancien ;

- éd. E.H. Blakeney : *Lactantius' Epitome of the Divine Institutes, edited and translated, with a commentary*, Londres 1950. C'est la seule édition qui soit postérieure à celle de S. Brandt. E.H. Blakeney a malheureusement repris le texte de l'édition Pfaff, en y ajoutant quelques conjectures personnelles[1].

Les traductions sont peu nombreuses :
- *en allemand* :
A. HARTL et A. KNAPPITSCH, dans *Bibliothek der Kirchenväter*, t. 36, Munich 1898 (1919²).

- *en anglais* :
W. FLETCHER, dans *Ante-Nicene Christian Library*, t. 22, Édimbourg 1871, et dans *Ante-Nicene Fathers*, t. 7, New York 1871 (reprint 1975).

E.H. BLAKENEY, *Lactantius' Epitome of the Divine Institutes, edited and translated, with a commentary*, Londres 1950.

M.F. McDONALD, *Lactantius. The minor works* (*Fathers of the Church* 54), Washington 1965.

- A notre connaissance, il n'existe pas de traduction française de l'*Épitomé*, ni d'édition commentée.

---

1. J.G.P. BORLEFFS, dans sa recension de l'édition Blakeney (*VChr* 7, 1953, p. 253-256), stigmatise le fait avec vigueur ; il relève que le commentaire reste étrangement élémentaire et qu'il n'est dépourvu ni de lacunes ni d'erreurs (voir aussi le compte-rendu de M.L.W. LAISTNER dans *Speculum* 25, 1950, p. 594-597).

VII. ÉTUDE CRITIQUE
DES PASSAGES LITIGIEUX

Pr., 4, l. 16 : *ue<rum>*. Conjecture suggérée par S. Brandt dans son apparat critique. *Ve<rum>* correspond pour la longueur à la lacune de *T* ; en outre, en *Inst.*, 7, 1, 16, *uerum* et *apertum* sont associés : *Quaecumque dicimus aperta... uera... uidebuntur.*

2, 7, l. 31 : *<qui> facilius.* Avec Heumann, nous ajoutons *qui*. La phrase ne vise en effet que le seul Asclépios, dernier nommé.

9, 1, l. 3 : *dum regnat*. *T* a la leçon *cum regnat*, difficile en raison de la non-concordance des temps avec *imperauit*. Nous adoptons *dum regnat*, suggéré par S. Brandt dans son apparat critique, correction plus économique que *cum regnaret* imprimé dans son texte.

11, 2, l. 7. S. Brandt imprime : *In imbrem se aureum uertisse dixerunt Iouem.* STANGL (p. 249) préfère ajouter *<Iouem>* au tout début de la phrase, ce qui nous semble préférable. La succession de nasales *in imbrem* a pu donner lieu à confusion et abrègement. D'autre part, dans la suite du chapitre, les divinités ou héros attaqués sont nommés en tête de phrase (**11**, 3 : *Catamitum, Europam*).

13, 3 l. 8 : *in latinam <linguam>.* Nous suivons S. Brandt avec hésitation. Certes la correction de Davisius, suivi par Brandt, coule de source, mais on peut envisager d'autres solutions. L'ellipse de *lingua* en *T* n'est en effet pas plus choquante que celles relevées par LEUMANN (p. 823[4]) ou E. LÖFSTEDT (*Late Latin*, Oslo 1959, p. 24-26 ; 133-135 ; *Vermischte Studien*, Lund 1936, p. 107-109 : ellipse de *terra*. Voir aussi le grec ἡ ἑλληνικὴ en *Apoc.* 9,11 = ἡ ἑ.<γλῶσσα>). Néanmoins ni le *TLL*, ni Leumann, ni Löfstedt ne présentent d'exemples de cette ellipse. Autre solution, corriger en *in latinum*, avec Heumann. En tout état de cause, le sens ne fait pas de doute, et toutes ces solutions sont très proches.

18, 2, l. 6 : *ex persona Apollinis*. Le texte de *T* fait difficulté comme le montre l'apparat critique de S. Brandt. Dans son édition de 1718, Davisius, suivi par Blakeney, corrige en *ex responso Apollinis* (appuyé sur *Inst.*, 1, 21, 7), peut-être parce qu'il méconnaissait le sens de l'expression *ex persona*. Mais *ex persona* est défendable. Le sens est le même que chez AUGUSTIN (*Retract.*, 1,3,2 = Knöll, p. 19, 16 – 20, 9 = *PL* 32, 588-589), à propos du *De ordine* : *Non ex Platonis uel ex Platonicorum persona, sed ex mea commendaui*. R. BRAUN (p. 210-216) fait l'historique de cette expression, courante sous la plume des grammairiens et des rhéteurs. Lactance n'emploie ce tour que dans l'*Épitomé* (ici et en **43**, 7), sans doute pour ne pas paraître pédant en abusant d'un vocabulaire technique.

18, 3, l. 8 : *prosecrabant* et **32**, 5, l. 17 : *prosecrare*. Nous rejetons, non sans hésitation, la correction de S. Brandt : *prosecabant* et *prosecare*. Les deux seules autres attestations du verbe en *Inst.*, 3, 20, 16 et 4, 27, 5, montrent l'hésitation de la tradition manuscrite : en 3, 20, 16 : *prosecarent BH* (*secarent H*) contre *RSPV* ; en 4, 27, 5 : *prosecant RH* contre *BSPV*. Le *DLAC* choisit *prosecrare*, mais ne donne de référence qu'au seul Lactance. En définitive, nous arbitrons ici en faveur de la *lectio difficilior*.

19, 3, l. 9 : *poeta* de *T* est meilleur à tous égards que *poetae* imprimé par S. Brandt. Simple *lapsus calami* ?

20, 5, l. 16 : *quare <simulacrum se> d<e>dunt*. La leçon du *Taurinensis* (*qua reddunt*) est visiblement défectueuse. La conjecture de S. Brandt offre un sens plausible et s'appuie sur *Inst.*, 2, 3, 9 qui présente un parallèle convenable : *Colunt simulacra ... de corporalibus dediderunt*.

20, 5, l. 17 et **63**, 7, l. 34. Il faut conserver le *his* de *T* malgré le *iis* de S. Brandt. Cf. STANGL, p. 467 s. ; HECK, « Bemerkungen », p. 276 (à propos de *Opif.*, 1, 13).

22, 2, l. 13. Le datif *ei* peut et doit être conservé, malgré S. Brandt (cf. STANGL, p. 249). Combien de datifs analogues faudrait-il supprimer chez Plaute et dans le latin tardif ?

28, 3, l. 12. Il est inutile de corriger – avec S. Brandt – *qui* en *quia*, car, comme le fait remarquer STANGL (p. 250), on trouve dans toute la latinité des relatives causales à l'indicatif. Le même argument vaut en **47**, 4, l. 23.

30, 1, l. 4 : *sapientissime*. Nous conservons le texte de *T*, qui offre un sens malgré tout plausible. Mais on peut, comme S. Brandt, être tenté de lire *patientissime* pour deux raisons. La séquence des syllabes a pu être perturbée par leur ressemblance : « uniuer*sa sa*pientissime » dans une hypothèse et « uniuer*sa pati*entis*s*ime » dans l'autre (*T* présenterait une dittographie). De plus, on trouve deux fois chez Lactance une *iunctura* semblable : *Inst.*, 4, 27, 7 (« patienter perferre ») ; *Épit.*, 48, 4 (« patientes perferimus »). Le dernier éditeur de l'*Épitomé*, Blakeney, imprime ici *patientissime*.

30, 4, l. 15 : *inmortalitate*. On pourrait peut-être conserver le texte de *T* (*non mortalitate*) en s'appuyant sur CIC., *Acad.*, 1, 11, 39 : *non corpus*. Selon LEUMANN (p. 452[4]) on trouve ce tour imité du grec dans la littérature philosophique, rhétorique et grammaticale.

31, 7, l. 28. S. Brandt ajoute *dixit* après *esse*. C'est inutile : le sens est évident pour le lecteur antique. STANGL (p. 251), cite l'exemple de CIC., *Nat. deor.*, 1, 38 (= Pease, t. 1, p. 262, note *eos esse habitos deos*) et 3, 89.

32, 5, l. 17. Voir *supra*, ad **18**, 3, l. 8.

36, 2, l. 5. La leçon de *T* (*uerum*) est corrigée sans explications par S. Brandt en *uere*. Mais *uerum* offre à notre avis un très bon sens : Dieu est vrai, comme la sagesse est vraie. Lactance ne vient-il pas de dire (**38**, 1) : *Ad ueram religionem sapientiamque ueniamus* ?

36, 3, l. 6 : *nec aliud quidquam quam sapientia* est la leçon de *T*, que S. Brandt corrige en *n. a. quidquam sapientia*. Nous pensons qu'il est possible de conserver le texte de *T*. Les occurrences des expressions avec *aliud* utilisées par Lactance sont en effet les suivantes : *nihil aliud nisi* (18 fois) *nihil aliud quam* (43 fois) ; 6 occurrences de variantes diverses avec *nisi* (*n. a. nisi ut, n. a. nisi quod, quid aliud nisi ut, quid aliud nisi*) ; 11 occurrences avec *quam* (*n. a. quam ut, nec aliud quam ut, n. a. quam quod, quid aliud quam*) ; enfin, *nihil aliud praeter* (1 fois). LEUMANN (p. 595 s.) signale l'expression *nec quicquam quam* chez Cyprien. L'usage de Lactance est donc varié, mais les expressions avec *quam* (54 fois) l'emportent sur celle avec *nisi* (24 fois). Rien de décisif n'empêche de conserver le texte de *T*.

37, 2, 1. 8. S. Brandt imprime [*et*][1] sans raison apparente.

37, 6, 1. 12 : <*Erythreaea*>, ajouté d'après *Inst.*, 4, 6, 5 (déjà chez S. Brandt). On pourrait considérer que *Sibylla* suffit, l'*Épitomé* étant résumé et simplifié par rapport aux *Institutions*.

38, 1, 1. 2. Après Pfaff, S. Brandt imprime *Iesum* <*Christum*>, à cause de **37**, 9 : « Les hommes l'appellent de deux noms : *Iesus, quod est saluator, et Christus, quod est rex.* » Mais il est d'abord question dans le ch. 38, du Fils en tant qu'homme ayant réellement vécu dans le temps, en tant que sauveur, et non pas en tant que roi. Il ne semble donc pas indispensable d'ajouter ici *Christum*.

39, 4, 1. 11 s. Nous suivons, non sans hésiter, *T* et S. Brandt, pour éviter d'aligner le texte de l'*Épitomé* sur celui des *Institutions*. Il s'agit d'une citation d'*Is.* 45, 14-16. En *Inst.*, 4, 13, 7, les manuscrits *BRSPV* ont le texte suivant : *Quoniam in te deus est, <et non est deus alius praeter te. Tu enim deus es,> et nos nesciebamus, deus Israel <saluator>* (nous avons placé entre crochets obliques le texte manquant dans *T*). Le sens du passage est meilleur dans les *Institutions* et une confusion par saut du même au même est paléographiquement possible en *T* : de *deus est* à *deus es*, et de *et non* à *et nos*. Enfin, c'est précisément dans le passage d'*Isaïe* qui manque dans *T* que l'on trouve l'affirmation positive de la divinité du Christ, ce qui correspond bien au *quod deus fuerit* de **39**, 4. Nous estimons cependant que ces raisons ne suffisent pas à contrebalancer le principe qui veut que l'on n'aligne pas le texte biblique de l'*Épitomé* sur celui des *Institutions*.

40, 5, l. 34 : *Tormenta*, nous suivons ici S. Brandt non sans hésiter. En effet, nous sommes convaincu avec P. MONAT (*Lactance et l'Écriture*, Thèse dact., t. IV, *Corpus*, n° 42, p. 34-35 et 58) qu'en *Inst.*, 4, 16, 9, il faut écrire *tormentis* avec *BRHSP* et non pas *tormenta* avec *V* et S. Brandt ; la tradition nous semble l'imposer. Mais ici, faut-il corriger *T* sans nécessité impérieuse ? Et doit-on aligner systématiquement le texte de l'*Épitomé* sur celui des *Institutions* ? Nous avons scrupule à le faire.

40, 8, l. 46 : *in Syriam*. On attend un ablatif. Mais la confusion de *in* + acc. et de *in* + abl. n'est pas sans exemple (LEUMANN, p. 276³⁻⁴-277¹ ; *TLL, s.u. in* = 7,1,794,81 s.). La faute de copiste, en tout état de cause, est minime : *Syriā* ou *Syria*. Dans le doute, nous avons conservé le texte du manuscrit.

42, 2, l. 12. Nous choisissons *uiuificauit* avec *T* contre la correction de S. Brandt (*uiuificabit*). Mais il faut reconnaître que le problème est particulièrement délicat. *T* hésite visiblement souvent entre *b* et *u*. Parfois, l'erreur est évidente, mais parfois aussi, quand il s'agit d'un futur ou d'un parfait, rien ne s'impose vraiment. P. Monat (*Corpus* dact. de sa thèse, n° 55 et 68, à propos d'*Épit.*, 42, 2 et 43, 2) fait remarquer que l'on pourrait parfois conserver le texte de *T*, d'autant que Lactance explique que « les prophètes hésitaient sur l'emploi des temps, car ils ne savaient pas toujours si leurs visions se situaient dans le passé ou dans le futur » (*Inst.*, 7, 24, 9, non repris dans l'*Épitomé*). Le relevé des *orthographica* de *T* montre 11 cas où *b* = *u* (outre les passages où cela implique un changement de temps) : *brebe* : **41**, l. 30 ; *brebiare* : **pr.** l. 18 ; **22**, l. 31 ; **66**, l. 36 ; *brebis* : **61**, l. 22 ; *brebitas* : **pr.** l. 12 ; *brebiter* : **24**, l. 5 ; **31**, l. 1 ; **38**, l. 4 ; **60**, l. 1 ; *reberor, -ari* : **39**, l. 13. Aucun exemple en sens inverse. Dans 7 cas, S. Brandt a corrigé *b* en *u* : *repudiabit* : **32**, l. 14 ; *probabit* : **32**, l. 21 ; *rebelabit* : **35**, l. 16 ; *uocabi* : **43**, l. 23 ; *reseruabit* : **46**,14 ; *cognobimus* : **48**,

l. 20 ; *uindicabit* : **58**, l. 13. *Vocabi* et *cognobimus* seraient d'ailleurs des barbarismes. Mais, surtout, ces verbes sont dans des contextes au futur, et la correction est sans problème. En sens inverse, dans 17 cas, S. Brandt a corrigé *u* en *b* : *uindicauit* : **2**, l. 28 ; *iudicauit* : **29**, l. 35 ; *putauit* : **33**, l. 18 ; *uiuificauit* : **42**, l. 12 ; *sperauimus* : **43**, l. 9 ; *derogauit* : **45**, l. 9 ; *dissimulauit* : **51**, l. 20 ; *indicauit* : **51**, l. 21 ; *sperauit* : **59**, l. 5 ; *peierauit* : **59**, l. 6 ; *iurauit* : **59**, l. 6 ; *abnegauit* : **59**, l. 9 ; *immolauit* : **60**, l. 31 ; *praeualeuit* (*T*^{uc}) : **66**, l. 6 ; *reparauit* : **66**, l. 34 ; *suscitauit* : **67**, l. 15 ; *regnauit* : **67**, l. 15 ; *procreauit* : **67**, l. 21 ; *errauit* : **67**, l. 23. 15 de ces 17 cas ne nous semblent pas douteux. En effet, ne pas corriger *T* contraindrait à procéder à d'autres corrections (moins économiques) dans le contexte. Corriger *u* en *b* est alors la solution la plus économique pour aboutir à un texte lisible. En revanche, *uiuificauit* (**42**, l. 12) et *sperauimus* (**43**, l. 9) posent des problèmes plus délicats, car ce sont des verbes situés dans des citations bibliques que l'on hésite d'autant plus à corriger qu'un parfait est dans ce cas la *lectio difficilior*. Nous suivons malgré tout S. Brandt en **43**, l. 9, car (comme en *Inst.*, 4, 18, 22) le maintien du parfait nous paraît très incohérent avec le contexte. En revanche, en **42**, 2, *uiuificauit* pourrait être conservé, car la citation, comme en *Inst.*, 4, 19, 9, est réduite à une seule ligne et ne contient qu'un verbe. Le contexte n'est donc pas déterminant ici. En outre, dans le texte parallèle des *Inst.*, *RHP*[1] *V* présentent la leçon *uiuificauit* (contre *BSP*[3]). Comme rien de décisif ne contraint à corriger *T*, nous conservons son texte.

42, 3, l. 20 : *quinquagesimo die* de *T* doit être conservé. En effet, comme la célébration de l'Ascension en tant que fête séparée de la Pentecôte, 40 jours après Pâques, est postérieure à Lactance (cf. vg. H. LECLERCQ, art. « Pentecôte », *DACL* 14[1], 1939, c. 261 s.), la leçon de *T* (tout comme celle de *R*, en *Inst.* 4, 21, 1) a valeur de *lectio difficilior*. On conçoit mal que le scribe de *T* ait corrigé 40 en 50, alors que l'opération inverse coule presque de source. Nous nous rallions donc pleinement à l'opinion développée par MONAT (t. 1, p. 104).

47, 4, l. 23. Voir *supra*, *ad* **23**, 3, l. 12.

48, 5, l. 20 : *uidimus*. Davisius, suivi par S. Brandt, corrige ainsi le présent *uidemus* de *T*. La correction est très vraisemblable : tout le contexte est au parfait, et, d'autre part, *habuit inpune* et *didicit* ne se comprennent pas bien si les persécuteurs n'ont pas déjà payé de leur vie le sacrilège qu'ils ont commis (au moins certains d'entre eux) : les parfaits remplacent ici les futurs d'*Inst.*, 5, 23, sans doute parce que la situation politique a évolué au détriment des persécuteurs. Il est enfin remarquable que cet alinéa exprime la thèse du *De mortibus persecutorum* (mort ignominieuse des θεομάχοι).

54, 7, l. 38 : *qua*. C'est le texte des trois manuscrits (mais *P* corrige en *quarum* et omet *furor*). Il donne un sens acceptable et nous l'avons conservé à la suite de S. Brandt. Mais il est dur, et l'on pourrait songer à lui apporter une correction minime : *quo* (suggéré par S. Brandt dans son apparat critique) ou *quaqua*.

57, 6, l. 27 : *rapitur* est la leçon commune à *BTP*. Cet emploi du verbe est cicéronien (*Pis.*, 57 : *Rapinarum cupiditas ... rapiebat* ; *Off.*, 1, 28, 101 : *Vna pars in appetitu posita est quae est* ὁρμή *graece, quae hominem huc et illuc rapit* ; *Tusc.*, 4, 6, 12 : *... libido ad id quod uidetur bonum inlecta et inflammata rapiatur*). La correction de S. Brandt (*capitur*) affaiblit donc inutilement le texte, en le banalisant.

58, 9, l. 36. Nous proposons d'écrire, comme S. Brandt le suggère dans son apparat, *laqueos et plagas*. En effet, il n'y a aucune raison de choisir *laqueos* (avec *BP* et S. Brandt) plutôt que *plagas* (avec *T*). En revanche, on peut s'inspirer d'*Inst.*, 6, 22, 5 : « Cauenda sunt igitur oblectamenta ista tamquam *laquei et plagae*, ne suauitudinum mollitie capti sub dicionem mortis cum ipso corpore regidamur, cui nos manciparimus. »

59, 1, l. 4. Nous suivons *B* et S. Brandt contre *TP*, qui omettent *ei qui sit*. Le balancement de la phrase qui suit – *Non maledicet... non peierabit...* – nous semble ainsi être mieux mis en valeur. Mais on pourrait aussi suivre *TP*, et considérer *ei qui sit* comme une glose marginale, que l'on peut supprimer sans rien changer au sens du texte. De plus, l'accord *TP* est, en règle générale, supérieur à *B*.

61, 10, l. 45. Nous imprimons *inlustret* avec *B* et *T* contre *inlustrat* de S. Brandt. Comme ce dernier ne signale pas les leçons de *B* et de *T* dans son apparat critique, il est probable qu'il y a là une lacune de son information. Nous rétablissons donc le texte des manuscrits.

62, 4, l. 25 : *eique* de *B* donne un sens satisfaisant. S. Brandt imprime *atque* et note dans son apparat critique : « *Vt uidetur* B^1 ». Le microfilm de *B* ne permet de lire que *eique* : comme *T* omet tout mot de liaison entre les deux propositions, nous adoptons la leçon de *B*.

63, 2, l. 10. S. Brandt imprime *unde igitur tanta mala eruperunt*, et signale dans son apparat critique : « Tanta *om. B* », ce qui laisse croire à tort que *tanta* est la leçon de *T*. Mais *T* omet également *tanta*. La correction du texte paraissant inutile, nous revenons purement et simplement au texte des manuscrits.

63, 5, l. 25 : *fiet*. Futur « gnomique » (Leumann, p. 310^2), que nous conservons, en vertu du principe de la *lectio difficilior*. Mais on peut se demander s'il ne faut pas corriger en *fit*, avec *Inst.*, 7, 4, 4, comme le pensait Davisius en 1718, ou adopter le texte de *B* : *fecit*.

63, 7, l. 34. Voir *supra, ad* **20**, 5, l. 17.

*
**

Tout en revendiquant pour nous même la paternité des erreurs qui peuvent se trouver dans cette édition, nous avons le plaisir de remercier MM. Jacques FONTAINE, Louis HOLTZ et Jean ROUGÉ, qui ont révisé notre travail et contribué à l'améliorer. Qu'ils trouvent ici l'expression de notre gratitude.

CONSPECTVS SIGLORVM

CODICES

B : *Bononiensis 701*   s. V.
T : *Taurinensis I. B. II. 27*   s. VI-VII.
P : *Parisinus 1662*   s. IX.

EDITIONES

Pf : Pfaffius (1712)
Da : Davisius (1718)
He : Heumannus (1736)
Bu : Buenemannus (1739)
Br : Brandtius (1890)

VARIA

Bre : CICÉRON, *La République*, éd. E. Bréguet,
      CUF, t. 1-2, Paris 1980.
Mar : AULU-GELLE, *Les Nuits Attiques*, éd.
      R. Marache, *CUF*, t. 1-2, Paris 1967-1978.
Sta : T. STANGL, « Lactantiana », *Rheinisches
      Museum* 70, 1915, p. 224-252 ; 441-471.

ac : ante correctionem.
pc : post correctionem siue ipsius scribae siue ali-
     cuius emendatoris manu.
1,2,3 : 1ª, 2ª, 3ª manu.

TEXTE
ET
TRADUCTION

L. CAECILI FIRMIANI LACTANTI

EPITOME

DIVINARVM INSTITVTIONVM

Pr., 1. Quamquam Diuinarum Institutionum libri, quos iam pridem ad inlustrandam ueritatem religionemque conscripsimus, ita legentium mentes instruant, ita informent, ut nec prolixitas pariat fastidium nec
5 oneret ubertas, tamen horum tibi epitomen fieri, Pentadi frater, desideras, credo, ut ad te aliquid scribam tuumque nomen in nostro qualicumque opere celebre-

---

T

Tit. : continent̄.in hoccorp.diuēr̄.id/deopificiodīepitomaefirmiani /lactantidefinēsaeculidediui/<napro>uidentiadeorigo[ine]humani/<generisdera>tione paschǫetmenš. *T*
Pr., 2 religionem   *Pf Br* : regionem *T*

---

1. L'annotation vise essentiellement à éclairer ce qui ne figure pas dans les *Institutions*. Nous souhaitons ainsi ne pas faire double emploi avec l'édition des *Institutions* dans la collection, et rendre plus sensible au lecteur l'évolution de Lactance entre les *Institutions* et l'*Épitomé*. Beaucoup de choses ne sont donc pas immédiatement compréhensibles sans les *Institutions*. L'édition des *Institutions* et de l'*Épitomé* forme un ensemble qui ne trouvera sa cohérence que lorsque tout sera publié.
2. La préface est courte. En fait, Lactance se contente d'expliquer les motifs de sa nouvelle édition abrégée (1) et les moyens qu'il a adoptés (2-4). La partie « méthodologique » est relativement

L'ÉPITOMÉ DES INSTITUTIONS DIVINES

DE

LUCIVS CAECILIVS FIRMIANVS

LACTANTIVS[1]

Pr., 1[2]. Quoique les livres des *Institutions divines*, que nous avions jadis[3] rédigés pour éclairer la vérité et la religion, édifient et forment l'esprit de leurs lecteurs sans que la prolixité[4] engendre le dégoût ni que l'abondance leur pèse, tu n'en désires pas moins, Pentadius mon frère, un abrégé, sans doute pour que je te dédie un ouvrage, et que ton nom soit célébré dans notre œuvre[5], quelle qu'en soit la valeur. 2. Je

abondante. Le style est large, comme dans les *Inst.*, car on ne se trouve pas encore dans l'*Épit.* proprement dit. La première phrase et la dernière sont des périodes oratoires où l'on reconnaît tout à fait la « patte » de Lactance.

3. *iam pridem* : voir Introd., p. 14-16. Ce mot vague autorise toutes les datations.

4. Cf. PERRIN, « Arnobe ». Le terme *prolixitas* est post-classique, tout comme *prolixus* en ce sens.

5. Souvenir de CIC., *Fam.*, 5, 12, 1. Plus qu'un véritable désir de se voir dédier une œuvre de Lactance, c'est une coquetterie de rhéteur, une raillerie délicate à l'égard de Pentadius, un motif feint qui permet à Lactance de se situer dans l'atmosphère de la littérature classique, ce qui expliquerait la référence à Cicéron, où le thème est le même.

tur. 2. Faciam quod postulas, etsi difficile uidetur ea
quae septem maximis uoluminibus explicata sunt, in
10 unum conferre. 3. Fit enim totum et minus plenum,
cum tanta rerum multitudo in angustum coartanda sit,
et breuitate ipsa minus clarum, maxime cum et argumenta plurima et exempla, in quibus lumen est pro-
bationum, necesse sit praeteriri, quoniam tanta eorum
15 copia est, ut uel sola librum conficere possint. 4.
Quibus sublatis quid poterit ue<rum>, | quid apertum   f. 2ᵇ
uideri ? Sed enitar quantum res sinit et diffusa substringere et prolixa breuiare, sic tamen, ut neque res
ad copiam neque claritas ad intellegentiam deesse uidea-
20 tur in hoc opere, quo in lucem ueritas protrahenda est.

1, 1. Prima incidit quaestio, sitne aliqua prouidentia,
quae aut fecerit aut regat mundum. Esse nemini dubium
est, siquidem omnium fere philosophorum praeter scho-
lam Epicuri una uox, una sententia est nec fieri sine
5 artifice deo potuisse mundum nec sine rectore constare.
2. Itaque non solum a doctissimis uiris, sed et omnium
mortalium testimoniis ac sensibus coarguitur Epicurus.
3. Quis enim de prouidentia dubitet, cum uideat caelos
terramque sic disposita, sic temperata esse, <ut>
10 uniuersa non modo ad pulchritudinem ornatumque mira-

T

Pr., 16 *post* poterit *angulo marginis abscisso litterae quae supersunt
euanidae* ue, *post quas* 3 *litterae cum margine interierunt T* ; ue<rum>
coni. Br in app.
1, 9 ut *Da Br* : *om. T* ‖ 10 pulcritudinem *Br* : -e *T*

---

1. Donner un chiffre rend la difficulté plus sensible au lecteur.
2. *Diffusa* : voir Introd., p. 22 s.

vais accéder à ta requête, même s'il paraît difficile de
resserrer en un seul ouvrage une matière développée
en sept[1] gros volumes. 3. Car l'ensemble est à la fois
moins complet, puisqu'il a fallu concentrer une matière
si abondante en un espace étroit, et moins clair par
suite de sa brièveté même ; d'autant qu'on y laisse
nécessairement de côté des arguments très nombreux
et des exemples – dans lesquels se trouvent des
éclaircissements qui emportent l'adhésion –, car leur
abondance est telle qu'à eux seuls ils pourraient constituer un livre. 4. Et si on les enlève, qu'est-ce qui
pourra paraître vrai et évident ? Mais je m'efforcerai,
autant que la matière le permet, d'élaguer les
longueurs[2] et de resserrer les développements, sans que
pour autant la matière paraisse faire défaut à l'abondance, ni la clarté à l'intelligence, dans cette œuvre
qui doit tirer la vérité au grand jour.

1, 1. Première question qui se présente : y a-t-il une
providence qui ait fait le monde ou qui le dirige ? Son
existence ne fait de doute pour personne. Car la quasi-
totalité des philosophes, à l'exception de la secte
d'Épicure, soutient unanimement que le monde n'a pu
être sans un Dieu créateur, et qu'il ne peut se maintenir
sans quelqu'un pour le diriger. 2. Aussi non seulement
les plus grands savants, mais aussi les témoignages
et les sens de tous les mortels réfutent-ils Épicure.
3. De fait, qui peut éprouver un doute au sujet de la
Providence, en voyant les cieux et la terre disposés si
harmonieusement et réglés de manière à ce que l'univers
est très exactement approprié non seulement à une
beauté et une parure admirables, mais aussi aux besoins
et aux commodités des hommes et de tous les autres

58   LACTANCE

bilem, | sed ad usum quoque hominum ceterorumque   f. 3ᵃ
uiuentium commoditatem aptissime conuenirent ?   4.
Non potest igitur quod ratione constat sine ratione
coepisse.

2, 1. Quoniam certum est esse prouidentiam, sequitur alia quaestio, utrumne deus unus an plures. Quae
quidem multum habet ambiguitatis. Dissentiunt enim
non modo singuli inter se, uerum etiam populi atque
5 gentes. 2. Sed qui rationem sequetur, intelleget nec
dominum esse posse nisi unum nec patrem nisi unum.
Nam si deus, qui omnia condidit, et idem dominus et
idem pater est, unus sit necesse est, ut idem sit caput
idemque fons rerum. 3. Nec potest aliter rerum summa
10 consistere, nisi ad unum cuncta referantur, nisi unus
teneat gubernaculum, nisi unus frena moderetur
regatque uniuersa membra tamquam mens una. | 4.   f. 3ᵇ
Si multi sint in examine apum reges, peribunt aut
dissipabuntur, dum

15   « regibus incessit magno discordia motu » ;

T
2, 3 ambiguitatis *Pf Br* : - tas *T*

êtres vivants ? 4. Il n'est donc pas possible que ce qui se trouve organisé si rationnellement ait commencé sans une raison.

2, 1. Puisque l'existence de la Providence est certaine, une autre question s'ensuit : y a-t-il un Dieu ou plusieurs ? Certes, voilà une question bien délicate. De fait, il y a désaccord sur ce point non seulement entre les individus, mais entre les peuples et les races. 2. Qui suivra la raison comprendra qu'un maître[1] ne peut être qu'unique et qu'il en est de même d'un père. Car si Dieu, qui a tout créé, est à la fois maître et père, il est nécessairement un, pour que le même être soit à la fois tête et source du monde[2]. 3. Or l'ensemble du monde ne peut subsister sans que la totalité se rapporte à l'unité, sans qu'un être unique tienne le gouvernail, sans qu'il tienne les rênes avec mesure et dirige l'ensemble des membres comme le fait un esprit unique. 4. S'il y a plus d'un roi dans un essaim d'abeilles, ils périront ou se disperseront, dès lors que

« souvent la discorde éclate entre
les rois, avec un grand tumulte[3] » ;

---

1. Les termes mêmes de *dominus* et *pater* ne figurent pas dans le passage correspondant des *Inst.* L'*Épit.* est plus net que les *Inst.* : les grands thèmes lactanciens sont proposés d'emblée.

2. Cf. PERRIN, « Lactance ».

3. Reprise de VERG., *Georg.*, 4, 68 (la citation ne figurait pas dans les *Inst.*), sans doute à partir de MIN. FEL., 18, 7. On notera également que les Anciens considéraient la « reine » des abeilles comme mâle. Lactance traite aussi le thème de l'unité nécessaire au pouvoir en *Ira*, 11, 4.

si plures in armento duces, tam diu proeliabuntur,
donec unus obtineat ; si multi in exercitu imperatores,
nec pareri poterit a milite, cum diuersa iubeantur, nec
ab iis ipsis unitas obtineri, cum sibi quisque pro moribus
20 consulat.   5. Sic in hac mundi re publica nisi unus
fuisset moderator, qui et conditor, aut soluta fuisset
omnis haec moles aut ne condi quidem omnino potuisset.   6. Praeterea in multis non potest esse totum, cum
singuli sua officia, suas obtineant potestates. Nullus
25 igitur eorum poterit omnipotens nuncupari, quod est
uerum cognomentum dei, quoniam id solum poterit,
quod in ipso est, quod autem in aliis, nec audebit
attingere.   7. Non Vulcanus sibi aquam uindicabit aut
Neptunus ignem, | non Ceres artium peritiam nec   f. 4ᵃ
30 Minerua frugum, non arma Mercurius nec Mars lyram,
non Iuppiter medicinam nec Asclepius fulmen : <qui>
facilius illud ab alio iactum suscipiet quam ipse torque-
bit.   8. Si ergo singuli non possunt omnia, minus
habent uirium, minus potestatis : is autem deus putandus
35 est qui potest totum, quam qui de toto minimum.

T

2, 22 ne *Da Br* : nec *T* ‖ 28 uindicabit *Br* : -cauit *T* ‖ 31 qui
He : om. *T*

---

1. Le « modérateur » (le capitaine, le pilote) est celui qui règne
sur le tout auquel le Créateur a donné l'existence. L'idée est
traditionnelle chez les moyens platoniciens. Lactance affirme en outre
ici que Dieu est en même temps roi et créateur (avec les moyens
platoniciens du IIᵉ s., mais contre Numénius) : voir H.C. PUECH,
« Numénius d'Apamée et les théologies orientales au second siècle »,
*Annuaire de l'Institut de philologie et d'histoires orientales (Mélanges
Bidez)*, t. 2, Bruxelles 1934, p. 745-778.

s'il y a plus d'un chef dans un troupeau, ils combattront aussi longtemps que l'un d'entre eux n'aura pas triomphé ; s'il y a plus d'un général dans une armée, le soldat ne pourra obéir à des ordres opposés, et eux-mêmes ne pourront arriver à l'unité, étant donné que chacun décide pour soi à sa guise. 5. De même, dans cette république du monde, s'il n'y avait pas un seul modérateur[1] qui est aussi son créateur, ou bien toute cette masse se serait désagrégée, ou bien elle n'aurait même pas pu se former du tout. 6. En outre, s'il y a une multitude de chefs, le tout ne peut exister puisque chacun de ses éléments conserve ses fonctions et ses pouvoirs. On ne pourra donc appeler aucun d'eux omnipotent, ce qui est la véritable appellation[2] de Dieu, puisque chacun aura un pouvoir limité à ce qui est de son ressort, et qu'il n'osera même pas toucher à ce qui est du ressort des autres. 7. Vulcain ne revendiquera pas pour lui l'eau ou Neptune le feu, Cérès la connaissance des arts ou Minerve celle des moissons, Mercure les armes ou Mars la lyre, Jupiter la médecine ou Asclépios la foudre : il sera plus facile à ce dernier de recevoir la foudre lancée par un autre que de la brandir lui-même. 8. Si donc chacun d'eux ne peut tout, leurs forces et leur pouvoir s'en trouvent diminués. Or on doit tenir pour Dieu celui qui peut tout plutôt que celui qui ne peut rien sur le tout.

2. *Cognomentum* : seulement ici chez Lactance.

3, 1. Vnus igitur deus est, perfectus, aeternus, incorruptibilis, impassibilis, nulli rei potestatiue subiectus, ipse omnia possidens, omnia regens, quem nec aestimare sensu ualeat humana mens nec eloqui lingua mortalis.
5 Sublimior enim ac maior est quam ut possit aut cogitatione hominis aut sermone conprehendi. 2. Denique, ut taceam de prophetis unius dei praedicatoribus, poetae quoque et philosophi et uates testimonium singulari deo perhibent. | 3. Orpheus f. 4ᵇ
10 « principalem deum » dicit, « qui caelum solemque cum ceteris astris, qui terram, qui maria condiderit ». 4. Item noster Maro summum deum modo « spiritum », modo « mentem » nuncupat « eamque uelut membris infusam totius mundi corpus agitare » ; item « deum
15 per profunda caeli, per tractus maris terrarumque discurrere atque ab eo uniuersas animantes trahere uitam ». 5. Ne Ouidius quidem ignorauit a deo instructum esse mundum : quem interdum « opificem rerum », interdum « mundi fabricatorem » uocat.

---

1. Deux améliorations par rapport aux *Inst. : Inst.*, 1, 4 n'est pas repris (Lactance y parlait des prophètes, médiocres cautions pour des païens) ; les exemples tirés d'Homère et d'Hésiode, qualifiés de peu probants en *Inst.*, 1, 1, 8-9, sont supprimés.

2. *Vnus* : sur cette terminologie divine, voir LOI, p. 48-50.

3. *Subiectus* : voir *Inst.*, 1, 3, 23 ; 1, 5, 24 ; 7, 2, 6. En 1, 5, 24, Lactance cite CIC., *Nat. deor.*, 2, 30, 77 (p. 747 Pease) qu'il résume en *Épit.*, 4, 3.

3, 1[1]. Dieu est donc un[2], parfait, éternel, incorruptible, impassible, il n'est soumis à rien ni à aucun pouvoir[3] ; donc il possède tout lui-même, il régit tout, lui qu'un esprit humain ne peut comprendre par son intelligence et qu'une langue mortelle ne peut exprimer[4]. De fait, il est trop élevé et trop grand pour que la pensée ou le discours humain puissent le saisir. **2.** Enfin, pour ne rien dire des prophètes, hérauts du Dieu unique, les poètes, les philosophes et les devins aussi rendent un témoignage au Dieu unique[5]. **3.** Orphée parle d'un « Dieu premier, créateur du ciel, du soleil et de tous les autres astres, de la terre et des mers ». **4.** De même, notre cher Maro appelle le Dieu souverain[6] tantôt un « souffle », tantôt un « esprit », qui, « répandu pour ainsi dire dans les membres, met en mouvement le corps du monde tout entier[7] ». Et encore : « Dieu parcourt en tous sens les profondeurs du ciel, les replis de la mer et des terres, et c'est de lui que l'ensemble des êtres animés tirent leur vie. » **5.** Même Ovide n'ignorait pas que le monde a été formé par un Dieu, car il l'appelle parfois « artisan de la nature », parfois « fabricateur du monde[8] ».

---

4. Voir MIN. FEL., 18, 8 ; LACT., *Ira*, 11, 6.

5. *Singulari* : cf. *Mort. pers.*, 5, 7 ; LOI, p. 49 et 51.

6. *Summum deum* : cf. LOI, p. 20.

7. VERG., *Aen.*, 6 ; 726-727, puis *Georg.*, 4, 221-224. Ces deux citations figuraient déjà dans les *Inst.* ; elles sont ici mises en prose et fortement résumées.

8. Les groupes de mots – et l'ordre des mots dans chaque groupe – sont inversés par rapport à l'ordre d'*Inst.*, 1, 5, 13. Or Ov., *Met.*, 1, 79 a *opifex rerum* et 1, 57, *mundi fabricator*. Lactance aurait-il vérifié pour l'*Épit.* une citation faite de mémoire dans les *Inst.* ?

4, 1. Sed ueniamus ad philosophos, quorum certior habetur auctoritas quam poetarum. <Plato> monarchian adserit unum deum dicens, a quo sit mundus instructus <et> mirabili ratione perfectus. 2. Aristoteles auditor
5 eius unam esse mentem quae mundo praesideat, confitetur. | Antisthenes unum esse dicit naturalem deum,   f. 5ᵃ
totius summae gubernatorem. 3. Longum est recensere quae de summo deo uel Thales uel Pythagoras et Anaximenes antea uel postmodum Stoici Cleanthes et
10 Chrysippus et Zenon, uel nostrorum Seneca Stoicos secutus et ipse Tullius praedicauerint, cum hi omnes et quid sit deus definire temptauerint et ab eo solo regi mundum adfirmauerint nec ulli subiectum esse naturae, cum ab ipso sit omnis natura generata. 4. Hermes,
15 qui ob uirtutem multarumque artium scientiam Trisme-

T

4, 2 Plato *Pf Br* : *om. T* ‖ 4 et *uir doctus apud Cleric. XXVII pag. 348 Br* : *om. T* ‖ 7 totius *Pf Br* : titius *T*

1. L'ordre de ce catalogue des philosophes s'accorde mal avec celui du passage correspondant des *Inst.* ; ici les Grecs viennent d'abord, puis les Latins, enfin Hermès. Les modifications obéissent à deux critères : d'abord, mieux respecter la chronologie (§ 1-2 : Aristote suit Platon ; § 3 : *antea uel postmodum*) ; ensuite et surtout, amorcer un regroupement par écoles. Dans l'*Épit.*, Cléanthe, Chrysippe et Zénon sont regroupés sous la rubrique *Stoici*. Et si, malgré la chronologie et à la différence des *Inst.*, Sénèque vient avant Cicéron dans l'*Épit.*, c'est qu'il fait partie des stoïciens et permet de jeter un pont entre Grecs et Latins.

4, 1 [1]. Mais venons-en aux philosophes, dont l'autorité est tenue [2] pour plus sûre que celle des poètes. Platon [3] tient pour une monarchie quand il parle d'un Dieu unique qui a formé le monde et l'a achevé avec une raison admirable. 2. Son disciple Aristote professe que préside au monde un esprit unique. Selon Antisthène, le Dieu naturel, qui gouverne tout l'univers, est unique. 3. Il serait trop long de recenser ce qu'ont proclamé antérieurement au sujet du Dieu souverain Thalès, Pythagore et Anaximène, ou ensuite les stoïciens Cléanthe, Chrysippe et Zénon, ou, parmi les nôtres, Sénèque, disciple des stoïciens, et Tullius lui-même [4] : tous ont essayé de définir ce qu'est Dieu, et ils ont affirmé que lui seul régissait le monde et qu'il n'était soumis à aucune nature, puisque lui-même avait engendré toute la nature. 4. Hermès, qui, pour sa valeur et sa connaissance de bien des arts, a mérité d'être appelé Trismégiste, lui qui a précédé les philo-

---

2. *Habetur* est très ironique. Pour Lactance, la philosophie n'est rien sans la religion. Même catalogue chez MIN. FEL., 19, où les philosophes succèdent aux poètes.

3. Renvoi au théisme platonicien. Même idée en *Inst.*, 2, 8, 49 ; 7, 3, 12 ; 7, 7, 8. Lactance (*Inst.*, 1, 5, 23 ; *Épit.* 4, 1) est apparemment le seul à employer *monarchia* à propos de Platon.

4. Selon toute vraisemblance, CICÉRON est – avec Minucius Félix – la source de tout le passage : *Nat. deor.*, 1, 10, 25 – 1, 15, 39 : la référence est placée à la fin du texte, conformément à une habitude chère à l'Antiquité tardive. LAUSBERG, p. 194-196, montre qu'*Épit.*, 4, 3 n'est pas un fragment authentique de Sénèque (*Frg.* 125 Haase). Dans la formulation, le rôle de Cicéron est déterminant, mais il faut aussi tenir compte de SEN., *Frg.* 26 et 16 (*Inst.*, 1, 5, 26-27).

gistus meruit nominari, qui et doctrina et uetustate
philosophos antecessit quique apud Aegyptios ut deus
colitur, maiestatem dei singularis infinitis adserens lau-
dibus « dominum et patrem » nuncupat « eumque esse
20 sine | nomine, quod proprio uocabulo non indigeat,   f. 5
quia solus sit, nec habere ullos parentes, quia ex se et
per se ipse sit ». 5. Huius ad filium scribentis exordium
tale est : « Deum quidem intellegere difficile est, eloqui
uero inpossibile, etiam cui intellegere possibile est :
25 perfectum enim ab inperfecto, inuisibile a uisibili non
potest conprehendi. »

5, 1. Superest de uatibus dicere. Varro decem Sibyl-
las fuisse tradit, « primam de Persis, secundam Libys-
sam, tertiam Delphida, quartam Cimmeriam, quintam
Erythraeam, sextam Samiam, septimam Cumanam,
5 octauam Hellespontiam, nonam Phrygiam, decimam
Tiburtem, cui sit nomen Albunea. 2. Ex his omnibus
Cumanae solius tres esse libros, qui Romanorum fata
contineant et habeantur arcani, ceterarum autem | fere   f. 6
omnium singulos extare haberique uulgo, sed eos Sibyl-
10 linos uelut uno nomine inscribi, nisi quod Erythraea,
quae Troici belli temporibus fuisse perhibetur, nomen
suum uerum posuit in libro ; aliarum confusi sunt ».
3. Hae omnes de quibus dixi Sibyllae praeter Cymaeam,

4, 19-22 *Ascl.*, 20 (*CH*, t. 2, p. 321) ‖ 23-26 *Frg. Stob.*, 1, 1
(*CH*, t. 3, p. 2)

T

4, 16 doctrina et *Da Br* : -nae *T*
5, 3 cimmeriam *Da Br* : cimmeam *T* ‖ 4 samian *Pf Br* : samaiam

sophes par sa doctrine et son ancienneté, lui qui est honoré comme un dieu par les Égyptiens, affirme la majesté du Dieu unique par d'infinies louanges, il l'appelle « seigneur et père », dit qu'« il est sans nom parce qu'il n'a pas besoin d'un terme spécifique, puisqu'il est seul et qu'il n'a pas de parents parce qu'il est lui-même de lui[1] et par lui ». 5. Voici l'exorde de ce qu'il écrit à son fils : « Concevoir Dieu est sans doute difficile, mais l'énoncer est impossible, même à qui est capable de le concevoir, car il est impossible à l'imparfait de comprendre le parfait et au visible, l'invisible. »

5, 1. Reste à parler des inspirés. Varron rapporte qu'il y a eu dix Sibylles, « la première perse, la deuxième libyenne, la troisième delphique, la quatrième cimmérienne, la cinquième d'Érythres, la sixième samienne, la septième de Cumes, la huitième hellespontienne, la neuvième phrygienne, la dixième tiburtine – son nom est Albunée. 2. D'elles toutes, il n'existe plus que trois livres de la seule Sibylle de Cumes ; ils contiennent les destins des Romains et sont tenus secrets ; des livres de presque toutes les autres Sibylles existent et circulent dans le public, mais ils sont intitulés " sibyllins ", comme s'ils étaient d'un seul auteur, à ceci près : celle d'Érythres qui, à ce qu'on rapporte, a vécu aux temps de la guerre de Troie, a placé son vrai nom sur le livre ; les livres des autres sont mélangés ». 3. Toutes les Sibylles dont j'ai parlé –

---

1. *Ex se* : rappelle *Rom.* 11, 36.

quam legi nisi a quindecimuiris non licet, « unum deum
15 esse » testantur, « principem conditorem parentem, non
ab ullo generatum, sed a se ipso satum, qui et fuerit
a saeculis et sit futurus in saecula, et idcirco solus coli
debeat, solus timeri, solus a cunctis uiuentibus hono-
rari ». 4. Quarum testimonia quia breuiare non pote-
20 ram, praetermisi : quae si desideras, ad ipsos tibi libros
reuertendum est. Nunc reliqua persequamur.

6, 1. Haec igitur tot ac tanta testimonia liquido
perdocent unum esse regimen in mundo, | unam potes-   f. 6ᵛ
tatem, cuius nec origo excogitari nec uis enarrari
potest. 2. Stulti ergo, qui de concubitu natos putant
5 deos esse, cum ipsi sexus et corporum copulatio idcirco
mortalibus a deo data sint, ut per subolis successionem
genus omne seruetur. 3. Inmortalibus uero quid opus
est aut sexu aut successione, quos nec uoluptas nec
interitus attingit ? 4. Illi ergo qui dii putantur, quoniam
10 et genitos esse tamquam homines et procreasse constat,
mortales utique fuerunt, sed dii crediti sunt, quod cum
essent reges magni ac potentes, ob ea beneficia quae
in homines contulerant diuinos post obitum honores
consequi meruerunt, positisque templis atque simulacris
15 memoria eorum tamquam inmortalium retenta est atque
celebrata.

T

6, 5 esse *Pf Br* : + se *T* ‖ 8 uoluptas *Pf Br* : -untas *T* ‖
14 positisque *Pf Br* : -tique *T*

---

1. *Quindecimuiris* : collège de magistrats chargés d'interpréter les
Livres sibyllins.
2. *Libros* (malgré Dammig, p. 98) ne vise pas les *Inst.*, mais les
Livres sibyllins, tout comme en *Inst.*, 1, 6, 17.
3. *Inst.*, 1, 7 est omis, et 1, 8, très résumé (des exemples sont
supprimés).

sauf celle de Cumes, que seuls les quindécimvirs[1]
peuvent lire – attestent « qu'il n'y a qu'un seul Dieu,
souverain, créateur, père, inengendré, né de lui-même,
qui a été depuis des siècles et qui sera dans les siècles,
et pour cette raison, il est seul à devoir être craint et
honoré par tous les vivants ». 4. Puisque je n'ai pu
abréger leurs témoignages, je les ai omis. Si tu désires
les lire, tu n'as qu'à te reporter aux livres mêmes[2].
Poursuivons maintenant le reste.

6, 1[3]. Ces témoignages, si nombreux et si importants,
montrent donc clairement que dans le monde il n'y a
qu'un seul gouvernement, un seul pouvoir, dont on ne
peut ni imaginer l'origine ni expliquer la puissance[4].
2. C'est donc une folie que de penser que les dieux
sont nés d'une union charnelle, alors que Dieu a donné
aux mortels les sexes mêmes et l'union des corps pour
que toute leur race se conserve par la succession des
générations. 3. Mais quel besoin des êtres immortels
ont-ils d'un sexe ou d'une succession, alors que ni la
volupté ni la mort ne les concernent ? 4. Par conséquent, puisque ceux que l'on tient pour des dieux ont
été à l'évidence engendrés et procréés comme des
hommes, ce furent à coup sûr des mortels, mais on
les a crus dieux pour la raison suivante : comme ils
étaient des rois grands et puissants, pour les services
qu'ils avaient rendus aux hommes, ils ont mérité
d'obtenir après leur mort des honneurs divins, et
l'érection de temples et de statues a sauvegardé et
célébré leur mémoire comme s'ils eussent été
immortels[5].

4. *Vis* : voir Loi, p. 74.
5. Claire expression de l'evhémérisme. Sur ce sujet, voir
K. Thräde, art. « Euemerismus », *RAC* 6, 1966, c. 877 s.

7, 1. Sed cum sit | omnibus fere gentibus persuasum f. 7ᵃ
deos esse, res tamen eorum gestae, quas tam poetae
quam historici tradiderunt, homines fuisse declarant.
2. Hercules per quae tempora fuerit, quis ignorat, cum
5 idem et inter Argonautas nauigauerit et expugnata Troia
Laomedontem Priami patrem ob periurium interfecerit ?
Ab eo tempore paulo amplius quam mille et quingenti
computantur anni. 3. Hic ne natus quidem honeste
traditur, sed Alcimenae adulterio genitus ; et ipse uitiis
10 genitoris addictus nec feminis umquam nec maribus
abstinuit orbemque totum non tam gloriae quam libidinis
causa nec tantum ad necandas beluas quantum ad
serendos liberos peragrauit. 4. Cumque esset inuictus,
ab una tamen Omphale trimphatus est, cui claua et
15 spolio | leonis tradito indutus ipse feminea ueste atque f. 7ᵇ
ad pedes mulieris abiectus pensa quae faceret accepit.
Idem postea instinctu furoris elatus paruos liberos et
uxorem Megaram trucidauit. 5. Postremo sumpta Deia-
nirae coniugis ueste, cum difflueret ulceribus, doloris
20 inpatiens rogum sibi in Oetaeo monte construxit eoque
se uiuum cremauit. Sic efficitur ut etiamsi ob uirtutem
deus credi potuisset, ob haec tamen homo fuisse cre-
datur.

---

1. En *Inst.*, 1, 9, il n'y a pas de précision chiffrée. En outre,
en *Inst.*, 1, 23, 4 et en *Épit.*, 19, 5, la durée est de 1470 ans. La
chronologie de Lactance est inutilisable d'un point de vue historique :
recours à des sources différentes sans souci de synthèse.

7, 1. Mais si à peu près tous les peuples ont été persuadés qu'ils sont des dieux, leurs actes cependant, transmis par les poètes aussi bien que par les historiens, montrent qu'ils n'ont été que des hommes. 2. Qui ignore à quelle époque a vécu Hercule, alors qu'il a navigué parmi les Argonautes, et qu'après la prise de Troie il a tué pour cause de parjure Laomédon, le père de Priam ? A partir de cette époque, on compte un peu plus de 1 500 ans [1]. 3. Et, selon la tradition, il n'a même pas eu une naissance honorable mais a été engendré par l'adultère d'Alcmène ; et lui-même, voué aux vices de son père, ne s'abstint jamais ni des femmes ni des hommes, et parcourut le monde entier moins pour conquérir la gloire que pour satisfaire sa luxure, et moins pour tuer des bêtes fauves que pour semer des enfants [2]. 4. Et alors qu'il était invaincu, une femme à elle seule, Omphale, triompha de lui. Alors que, selon la tradition, il portait une massue et qu'il s'était vêtu de la dépouille d'un lion, il s'habilla lui-même comme une femme, se prosterna aux pieds d'une femme et reçut son poids de laine à filer. C'est lui aussi qui, pris d'un accès de folie furieuse, massacra ses jeunes enfants ainsi que son épouse Mégare. 5. Enfin il prit le vêtement que lui offrait sa femme Déjanire, et, comme il était rongé d'ulcères, incapable de supporter la douleur, il se construisit un bûcher sur le mont Œta et s'y brûla tout vif. Il en résulta que l'on aurait pu, à cause de sa valeur, le croire dieu, mais que l'on croit, en raison de cette fin, qu'il n'a été qu'un homme.

2. Le passage vise Maximien Hercule.

8, 1. « Aesculapium » Tarquitius tradit « ex incertis
parentibus natum et ob id expositum atque a uenatoribus
collectum, caninis uberibus educatum, Chironi in disciplinam datum ». **2.** Hic Epidauri moratus est, « Cyno-
5 suris », ut Cicero ait, « sepultus », cum esset ictu
fulminis interemptus. Apollo autem pater eius non
dedignatus est alienum gregem pascere, ut acciperet |
uxorem ; et dilectum puerum cum peremisset inprudens,   f. 8ª
« gemitus suos inscripsit in flore ». **3.** Marti uiro
10 fortissimo adulterii crimen non defuit, siquidem catenis
cum adultera uinctus spectaculo fuit. Castor et Pollux
alienas sponsas non inpune rapuerunt, quos Homerus
non poetica, sed simplici fide mortuos sepultosque
testatur. **4.** Mercurius, qui de stupro Veneris genuit
15 androgynum, deus esse meruit, quia lyram repperit et
palaestram. **5.** Liber pater debellata India uictor cum
Cretam forte uenisset, Ariadnam conspexit in litore,
quam Theseus et uiolauerat et reliquerat. Tum amore
inflammatus eam sibi in coniugium sociauit et coronam

T

8, 6 fulminis *Da Br* : flum- *T*

---

1. Ce chapitre résume *Inst.*, 1, 10, 1-9 et un morceau de 1, 17
(**8**, 6 vient de ce dernier paragraphe). Six rubriques évoquent
Esculape, Apollon, Mars, Castor et Pollux, Mercure, la Mère des
dieux. Lactance concentre la rubrique concernant Jupiter en **10**.
2. Voir W. KROLL, art. « M. Tarquitius Priscus », *PW* 4A², 1932,
c. 2392-2394. Tarquitius est cité comme l'une de ses sources par
Pline l'Ancien pour les livres 2 et 11. La citation de l'*Épit.* est
modifiée (à la fois par élagage et résumé proprement dit) par rapport
à celle d'*Inst.*, 1, 10, 2, sans que l'on puisse dire si le texte des
Inst. est ou non plus proche que celui de l'*Épit.* du texte originel
de Tarquitius, et même si la citation est directe ou indirecte (ce qui
est le plus probable). Selon E. SCHWARTZ (« *De Varronis apud
sanctos patres uestigiis* », *Fleckeisens Jahrbücher* 16, *Suppl. bd*, 1888,
p. 426), l'intermédiaire serait Varron.

8, 1 [1]. Selon ce que rapporte Tarquitius [2], « Esculape naquit de parents inconnus, fut exposé pour cette raison, recueilli par des chasseurs, nourri aux mamelles d'une chienne, et son éducation fut confiée à Chiron ». 2. Il demeura à Épidaure, et « fut enterré à Cynosures [3] » – comme le dit Cicéron –, après avoir été tué d'un coup de foudre. Apollon, son père, ne dédaigna pas de faire paître le troupeau d'autrui pour prendre femme ; ayant tué par imprudence le jeune garçon qu'il aimait, « il inscrivit ses gémissements sur une fleur [4] ». 3. Mars, ce héros si brave, n'en fut pas moins convaincu du crime d'adultère : il fut donné en spectacle avec sa maîtresse, lié par des chaînes. Castor et Pollux n'enlevèrent pas impunément les fiancées d'autrui ; Homère atteste sans détours, avec une bonne foi qui n'a rien de poétique, qu'ils sont morts et enterrés. 4. Mercure, qui engendra un androgyne par sa débauche avec Vénus [5], mérita d'être un dieu pour avoir découvert la lyre et la palestre. 5. Après avoir triomphé de l'Inde, Liber Pater était venu par hasard en Crète quand il aperçut Ariane sur le rivage, Ariane que Thésée avait violée puis abandonnée. Alors, enflammé d'amour, il la prit pour femme et inscrivit

3. *Cynosuris* : ville d'Arcadie. *Cum esset ictu fulminis interemptus* est un rajout par rapport aux *Inst.* Est-ce un souvenir du *fulminis percussus* de Cɪᴄ., *Nat. deor.*, 3, 22, 57, relu pour l'occasion ?

4. Ov., *Met.*, 10, 215 (absent des *Inst.*).

5. Ne se trouve pas en *Inst.*, 1, 10, mais en 1, 17, 9 : la soudure entre les deux passages est très bien faite. Il s'agit d'Hermaphrodite.

20   eius, ut poetae ferunt, inter astra signauit.   6. Mater
     ipsa post fugam et obitum uiri cum in Phrygia mora-
     retur, uidua et anus formosum adulescentem in deliciis
     habuit et quia fidem non praestiterat, ademptis geni-
     talibus effeminauit. Ideo etiam nunc Gallis sacerdotibus
25   gaudet.

        9, 1. Ceres unde Proserpinam nisi de stupro genuit ?
     Vnde Latona geminos nisi ex crimine ? Venus deorum
     et hominum libidinibus exposita | dum regnat in Cypro,   f. 8ᵇ
     artem meretriciam repperit ac mulieribus imperauit ut
5   quæstum facerent, ne sola esset infamis.   2. Ipsae illae
     uirgines Minerua et Diana num castae ? Vnde igitur
     prosiliuit Erichthonius ? Num in terram Vulcanus effudit
     et inde homo tamquam fungus enatus est ?   3. Aut
     illa cur Hippolytum uel « ad secretas sedes uel ad
10   mulierem relegauit, ubi solus inter ignota nemora exi-
     geret aetatem et iam mutato nomine Virbius uocare-
     tur » ? Quid haec significant, nisi incestum quod poetae
     non audent confiteri ?

     T
        9, 3 dum regnat *coni. Br in app.* : cum regnat T cum regnaret
     Br ‖ 10 relegauit *Da Br* : relig- T

     ───────────

        1. Qui sont les *poetae* ? Voir Ov., *Met.*, 8, 181 s. : *Specie
     remanente coronae*. En l'occurrence, Lactance a-t-il repris son Ovide
     (les *Inst.* n'ont ni *corona*, ni *Ariadna*, ni *poetae*) ? Que le pluriel
     poetae soit dans la pratique réduit à l'unité ne serait pas non plus
     étonnant, quoiqu'il s'agisse d'un cliché poétique banal. Lactance
     explicite le texte des *Inst.* en donnant le nom d'Ariane.
        2. Rajouté à *Inst.*, 1, 17, 7, pour renforcer le caractère scandaleux
     de la conduite de la *Mater*, présentée ici comme une veuve (ce qui
     semble de l'invention de Lactance).

sa couronne, comme disent les poètes[1], parmi les astres. 6. La Mère des dieux elle-même, après la fuite et la mort de son mari[2], demeurait en Phrygie, quand, déjà veuve et avancée en âge, elle fit ses délices d'un beau jeune homme et, parce qu'il ne lui était pas resté fidèle, elle lui ôta les parties sexuelles et en fit une femme. Elle se complaît encore maintenant aux prêtres Galles pour cette raison.

9, 1. Comment Cérès a-t-elle engendré Proserpine, si ce n'est par ses débauches ? Et Latone ses jumeaux, sinon par des relations coupables ? Quand Vénus, livrée aux désirs amoureux des dieux et des hommes, régnait sur Chypre, elle inventa l'art des courtisanes et commanda aux femmes de se prostituer pour de l'argent afin de ne pas être seule infâme. 2. Ces vierges elles-mêmes, Minerve et Diane, ont-elles bien été chastes ? D'où Érichtonios surgit-il donc ? Vulcain a-t-il bien répandu sa semence sur la terre, et est-ce de là que l'homme est né comme un champignon[3] ? 3. Et pourquoi cette dernière « a-t-elle relégué Hippolyte dans des séjours écartés ou auprès d'une femme, pour que là, seul, au cœur de bois inconnus, il achevât sa vie et que désormais, changeant de nom, il s'appelât Virbius[4] » ? Que signifie tout cela, sinon une souillure que les poètes n'osent avouer ?

---

3. *Fungus* vient d'*Inst.*, 7, 4, 3.
4. VERG., *Aen.*, 7, 774-777, résumé et mis en prose.

10, 1. Horum autem omnium rex et pater Iuppiter,
quem tenere in caelo summam credunt potestatem, quid
habuit pietatis, qui Saturnum patrem regno expulit et
armis fugientem persecutus est ? Quid continentiae, qui
5 omnia libidinum genera exercuit ? 2. Nam idem Alcimenam Ledamque summis uiris nuptas adulterio fecit
infames, idem pulchritudine pueri captus uenantem ac
uirilia meditantem ad femineos usus uiolenter abripuit.
Quid uirginum stupra commemorem, quarum multitudo
10 quanta fuerit, filiorum nume|rus ostendit ? 3. In una   f. 9ᵃ
tamen Thetide abstinentior fuit. Erat enim praedictum
quod is quem paritura esset, maior patre suo futurus
esset. Pugnauit ergo cum amore, ne quis se maior
nasceretur. Sciebat ergo se non esse perfectae uirtutis
15 magnitudinis potestatis, qui quod ipse patri fecerat
timuit. 4. Cur igitur Optimus Maximus nominatur, cum
se et peccatis contaminauerit, quod est iniusti ac mali,
et maiorem timuerit, quod est inbecilli ac minoris ?

T

10, 3 pietatis *Da Bu Br* : potestatis *T* ‖ 5 alcimenam *Bu Br* :
almenam *T* ‖ 11 thetide *Tᵖᶜ* : thede *Tᵃᶜ* ‖ 16 optimus maximus *Da*
Br : ~ *T* ‖ 18 ac *Pf Br* : a *T*

---

1. *Alcimenam Ledamque* correspond à *Amphytrionem ac Tynda-*
rum d'*Inst.*, 1, 10, 11.

10, 1. Et Jupiter, leur roi et père à tous, qui, croit-on, possède le pouvoir suprême au ciel, quelle a été sa piété filiale, lui qui a détrôné son père Saturne, et, en armes, l'a poursuivi dans sa fuite ? Quelle a été sa continence, lui qui pratiqua tous les genres de débauche ? 2. Car le même Jupiter déshonora par ses adultères Alcmène et Léda[1], qui étaient mariées à des hommes du plus haut rang. Le même encore, captivé par la beauté d'un jeune garçon, l'enleva alors qu'il chassait et méditait des actions viriles[2], lui fit violence et en usa comme d'une femme. Pourquoi rappeler ses débauches avec des jeunes filles ? Car le nombre de ses fils montre combien elles ont été nombreuses. 3. Avec une seule, cependant, Thétis, il fut plus continent. Selon une prédiction en effet, celui qu'elle enfanterait serait plus puissant que son père. Il combattit donc son amour, pour que ne naquît personne de plus grand que lui. Il savait donc que son courage, sa grandeur et son pouvoir n'étaient pas parfaits, puisqu'il a craint ce que lui-même avait fait à son père. 4. Pourquoi donc l'appelle-t-on « Très-Bon Très-Grand », puisqu'il s'est souillé de vices, comme un homme injuste et mauvais, et qu'il a craint un supérieur, comme le fait un faible et un inférieur ?

---

2. Cette circonstance, qui aggrave le cas de Jupiter, ne figure pas en *Inst.*, 1, 10, 12. Est-ce un souvenir rapide de VERG., *Aen.*, 5, 252-255 ou d'Ov., *Met.*, 10, 155-160 ?

11, 1. Sed dicet aliquis ficta haec esse a poetis. Non
est hoc poeticum sic fingere, ut totum mentiare, sed
ut ea quae gesta sunt figura et quasi uelamine aliquo
uersicolore praetexas. Hunc habet poetica licentia
5 modum, non ut totum fingat, quod est mendacis et
inepti, sed ut aliquid cum ratione commutet. 2.
<Iouem> in imbrem se aureum uertisse dixerunt, ut
Danaen falleret : quis est imber aureus ? Vtique aurei
nummi, quorum magnam copiam offerens et in sinum
10 infudens fragilitatem uirginalis animi hac mercede cor-
rupit. Sic et « imbrem ferreum » dicunt, cum uolunt
multitudinem significare telorum. | 3. Catamitum in   f. 9ᵇ
aquila rapuit : quae est aquila ? Legio scilicet, quoniam
figura huius animalis insigne legionis est. Europam
15 transuexit in tauro : quis est taurus ? Vtique nauis,
quae tutelam habuit tauri <in> specie figuratam. 4.
Sic Inachi filia non utique bos facta transnauit, sed
eiusmodi nauigio iram Iunonis effugit, quod habebat
bouis formam. Denique cum in Aegyptum delata esset,
20 Isis est facta, cuius nauigium certo quodam die in
memoriam fugae celebratur.

T

   11, 2 ut *Pf Br* : aut *T* ‖ 7 iouem *Sta* : *om.* *T* ‖ dixerunt *T* : +
iouem *Br* ‖ 16 in *Br* : *om.* *T* ‖ 19 bouis *Tᵖᶜ* : uobis *Tᵘᶜ*

11, 1. Mais on dira qu'il n'y a là que fictions poétiques. L'invention poétique ne doit pas conduire à tromper en tout, mais à recouvrir les actions accomplies d'une figure et pour ainsi dire d'un voile aux couleurs changeantes. La licence poétique a cette limite, qui est de ne pas tout inventer comme un menteur et un sot, mais de procéder à des modifications raisonnées. 2. Selon les poètes, Jupiter se changea en pluie d'or pour tromper Danaé : que représente une pluie d'or ? Evidemment des pièces d'or, dont il offrit grande abondance, et qu'il versa dans son sein pour corrompre par ce salaire la fragilité de son âme virginale. C'est ainsi qu'ils parlent d'une « pluie de fer » quand ils veulent faire comprendre une « multitude de traits ». 3. Il enleva Catamitus[1] sur un aigle : qu'est-ce que l'aigle ? Évidemment une légion, puisque la représentation de cet animal est l'insigne de la légion. Il fit passer Europe sur un taureau : qu'est-ce qu'un taureau ? Un navire bien sûr, protégé par une figure de proue en forme de taureau. 4. Ainsi la fille d'Inachos ne fut certes pas métamorphosée en vache pour traverser la mer à la nage, mais elle fuit le courroux de Junon sur un navire de ce genre, dont la figure de proue figurait une vache. Finalement, quand elle fut déposée en Égypte, elle devint Isis, et l'on célèbre à date fixe sa traversée, en souvenir de sa fuite.

---

1. Nom ancien de Ganymède.

12, 1. Vides ergo non omnia poetas confinxisse, sed quædam praefigurasse, ut cum uera dicerent, aliquid tamen numinis adderent iis quos deos esse dicebant, sicut etiam de regnis. 2. Cum enim dicunt Iouem caeli
5 regnum sorte tenuisse, aut Olympum montem significant, in quo Saturnum et Iouem postmodum habitasse ueteres historiae produnt, aut partem Orientis, quae sit quasi superior, quod inde lux nascitur, Occidentis autem uelut inferior, et ideo Plutonem inferos esse sortitum ; mare
10 uero cessisse Neptuno, quod oram maritimam cum omnibus insulis | obtinuerit. 3. Multa sic poetae colo-   f. 10*
rant. Quod qui nesciunt, tamquam mendaces eos arguunt, uerbo dumtaxat : nam re quidem credunt, quoniam deorum simulacra sic fingunt, ut cum mares
15 ac feminas faciant et alios coniuges, alios parentes, alios liberos fateantur, poetis utique adsentiant : haec enim sine coitu et generatione esse non possunt.

13, 1. Sed omittamus sane poetas : ad historiam ueniamus, quae simul et rerum fide et temporum nititur uetustate. 2. Euhemerus fuit Messenius, antiquissimus scriptor, qui de sacris inscriptionibus ueterum templorum
5 et originem Iouis et res gestas omnemque progeniem collegit ; item ceterorum deorum parentes patrias actus

T

12, 1 confinxisse *Pf Br* : confix- *T* ‖ 2 praefigurasse *Br* : praefug-
T ‖ 3 tamen *Da Br* : tale *T* ‖ 16 adsentiant *Da Br* : -tiunt *T*

---

1. Le très long ch. 11 d'*Inst.*, 1 a été dispersé dans plusieurs chapitres de l'*Épit.* La composition y est plus serrée : Lactance regroupe en *Épit.*, 12, 3 tout ce qui concerne la fiction poétique, éparpillé en *Inst.*, 1, 11.

12, 1 [1]. Tu le vois donc, les poètes n'ont pas tout inventé, mais ils ont annoncé symboliquement certaines choses : ainsi, même quand ils disaient la vérité, ils ajoutaient une caractéristique divine à ceux qu'ils disaient être des dieux, aussi ont-ils fait de même à propos de leurs royautés. 2. De fait, quand ils disent que Jupiter a obtenu la royauté du ciel par tirage au sort, ils veulent dire soit le mont Olympe, sur lequel, selon les anciennes histoires, Saturne et Jupiter ont habité un jour, soit la région de l'Orient qui est pour ainsi dire supérieure – parce que c'est de là que naît la lumière, alors que celle de l'Occident est pour ainsi dire inférieure ; et voilà pourquoi Pluton a obtenu par tirage au sort les enfers ; la mer échut à Neptune, parce qu'il a obtenu le littoral avec toutes ses îles. 3. Les poètes colorent ainsi beaucoup de choses. Ceux qui ignorent cela les dénoncent comme des menteurs, du moins verbalement, car en réalité ils leur font assurément confiance, puisqu'ils façonnent des statues des dieux de telle manière que, quand ils les représentent hommes et femmes, et qu'ils déclarent les uns époux, les autres parents, les autres enfants, ils sont évidemment d'accord avec les poètes. Tout cela ne peut se produire, en effet, sans union et sans génération.

13, 1. Mais allons ! laissons de côté les poètes, et venons-en à l'histoire qui s'appuie tout ensemble sur la foi que l'on accorde aux faits et sur l'ancienneté des temps. 2. Evhémère était un écrivain messénien de la plus haute antiquité. Des inscriptions sacrées des anciens temples, il conclut à l'origine de Jupiter, à ses exploits et à toute sa descendance ; il rechercha de même les parents de tous les autres dieux, leurs patries, leurs actes, leurs commandements, leurs morts et même

imperia obitus, sepulcra etiam persecutus est. 3. Quam
historiam uertit Ennius in Latinam <linguam>, cuius
haec uerba sunt : « Haec, ut scripta sunt, Iouis fra-
10 trumque eius stirps atque cognatio : in hunc modum
nobis ex sacra scriptione traditum est. » 4. Idem igitur
Euhemerus « Iouem » tradit, « cum quinquies orbem
circumisset et amicis suis atque cognatis distribuisset
imperia, legesque hominibus | multaque alia bona fecis-   f. 10ᵇ
15 set, immortali gloria memoriaque adfectum sempiterna
in Creta uitam commutasse atque ad deos abisse ; et
sepulcrum eius esse in Creta, in oppido Gnosso, et in
eo scriptum antiquis litteris Graecis ZAN KPONOY,
quod est Iuppiter Saturni ». 5. Constat ergo ex iis
20 quae rettuli, hominem fuisse in terramque regnasse.

14, 1. Transeamus ad superiora, ut originem totius
erroris deprehendamus. Saturnus caelo et terra traditur
natus. 2. Hoc utique incredibile est, sed cur ita traditur,
ratio certa est : quam qui ignorat, tamquam fabulam
5 respuit. Saturni patrem Uranum fuisse uocitatum et
Hermes auctor est et Sacra Historia docet. 3. Trismegistus « paucos admodum fuisse » cum diceret « perfectae doctrinae uiros, in iis cognatos suos » enumerauit,
« Vranum Saturnum Mercurium ». 4. Euhemerus eun-

14, 7-9 *Poim.*, 10, 5 (*CH*, t. 1, p. 116)

T

13, 8 linguam *Da Br* : *om. T*

---

1. Mêmes considérations en *Ira*, 11, 8 ; Min. Fel., 21, 1.
2. Dans l'*Épit.*, le *frg.* 3 (p. 223-224 Vahlen) reprend littéralement
Inst., 1, 14, 6 (et non 1, 1), et le *frg.*, 11 (p. 228 Vahlen. Brandt
renvoie à tort au *frg.*, 12) reprend *Inst.*, 1, 11, 45-46 en l'abrégeant.

leurs tombeaux[1]. 3. Ennius[2] traduisit en latin cette histoire, et les paroles suivantes en sont tirées : « Voici, telles qu'elles ont été écrites, l'origine et la parenté de Jupiter et de ses frères : l'écriture sacrée nous les a transmises de cette manière. » 4. Evhémère rapporte aussi ceci : « Jupiter ayant fait le tour du monde pour la cinquième fois, distribué à ses amis et parents les empires, donné aux hommes les lois et beaucoup d'autres bienfaits, pourvu d'une gloire immortelle et d'un souvenir éternel, il changea de mode de vie en Crète, et s'en alla vers les dieux ; son tombeau se trouve en Crète, dans la ville de Cnossos, et il est inscrit dessus en antiques caractères grecs ZAN KRO-NOY, c'est-à-dire : Jupiter, fils de Saturne. » 5. De toute évidence, d'après ce que j'ai rapporté, il a donc été un homme et a régné sur terre.

14, 1[3]. Remontons plus haut pour prendre sur le fait l'origine de toute l'erreur. La tradition dit que Saturne est né du Ciel et de la Terre. 2. C'est évidemment incroyable, mais il y a une raison sûre qui explique cette tradition : celui qui ignore cette raison la refuse comme une fable. Ouranos a été habituellement appelé père de Saturne : Hermès en est le garant, et l'*Histoire sacrée* l'enseigne. 3. Quand Trismégiste dit que « les hommes doués d'une science parfaite ont été fort peu nombreux », il énuméra « parmi eux ses parents : Ouranos, Saturne, Mercure ». 4. Evhémère rappelle en ces

A nouveau, Lactance améliore donc la composition : le *frg.* 3 sert d'introduction au *frg.* 11.

3. La lacune de *T* gêne la compréhension de la suite des idées. En outre, entre *Épit.*, 13 et *Épit.*, 14, Lactance passe d'*Inst.*, 1, 11, 54 à 1, 11, 61 (les § 54-61 contiennent une citation de Minucius Felix sur laquelle Lactance argumentait).

10 dem Vranum primum in terram regnasse commemorat
his uerbis : « Initio primus in terris inperium summum
Caelus habuit : is id regnum una cum fratribus suis sibi
instituit atque para|<uit> » .... f. 11ᵃ
.... 5. Hominum stultam beneuolentiam et errorem
15 diuinitas attributa sit.

15, 1. Dixi de religionibus quae sunt communes
omnium gentium : dicam nunc de diis quos Romani
proprios habent. 2. Faustuli coniugem Romuli Remique
nutricem, cuius honori Larentinalia sunt dicata, uulgati
5 fuisse corporis quis ignorat ? et idcirco Lupa nuncupata
est et in ferae specie figurata. 3. Faula quoque et
Flora meretrices erant, quarum altera Herculis fuit
scortum, sicut Verrius tradit, altera cum magnas opes
corpore quaesiuisset, populum scripsit heredem et ideo
10 in honorem eius ludi Floralia celebrantur. 4. Tatius
muliebre simulacrum in Cloaca Maxima repertum conse-
crauit et deam Cloacinam nuncupauit. 5. Obsessi a

14, 11-13 ENN., *Sacra Hist., frg.* 1, p. 223 Vahlen

T

14, 13 parauit *Pf Br* : para *T* (*post para interciderunt folia ut uid.*
duo)
15, 3 remique *Pf Br* : rem. que *T* ‖ 4 honori *T*¹ : honohi *T*² ‖
larentinalia *Pf Br* : -ali *T*

---

1. Comme le montre **15,** 1, c'est ici la conclusion de toute la
partie de l'*Épit.* – commencée au ch. 7 – consacrée aux religions
communes à tous les peuples. Il faut reconnaître que ce morceau
de phrase ne correspond pas bien à *Inst.*, 1, 18, 1-6 et 18-25, mais
la lacune de *T* ne permet pas de comparer plus précisément les
Inst. et l'*Épit.*
2. A la différence des *Inst.*, Lactance sépare ici les dieux qui
sont des hommes ou des femmes divinisés, des dieux de fiction : il

termes que le même Ouranos a régné le premier sur
la terre : « Au début, le Ciel eut le premier le pouvoir
suprême sur la terre : il établit et prépara ce royaume
pour lui de concert avec ses frères... »................
.... 5. En sorte que
c'est par suite de la sotte bienveillance et de l'erreur
des hommes que la divinité a été attribuée à ces rois[1].

15, 1[2]. Je viens de parler des religions qui sont
communes à tous les peuples ; je vais parler maintenant
des dieux particuliers aux Romains. 2. L'épouse de
Faustulus, la nourrice de Romulus et de Rémus[3], en
l'honneur de qui ont été consacrées les *Larentinalia*,
qui ignore qu'elle était une prostituée ? Et voilà pourquoi elle a été appelée Louve – *Lupa* – et représentée
sous l'aspect de cette bête fauve. 3. Faula aussi, ainsi
que Flora, étaient des prostituées : la première fut la
catin d'Hercule, selon Verrius[4], l'autre, une fois qu'elle
se fut considérablement enrichie en faisant commerce
de son corps, constitua par testament le peuple pour
son héritier, et voilà pourquoi on célèbre en son
honneur des jeux appelés Floralies. 4[5]. Tatius consacra
une statue féminine trouvée dans le Grand Égout –
Cloaca Maxima – et l'appela la déesse Cloacine[6].

---

supprime l'anecdote de la Vénus Armée qui venait à la suite de
celle de la Vénus Chauve.

3. Romulus seul en *Inst.*, 1, 20, 1. En revanche, la référence à
Tite-Live des *Inst.* est absente de l'*Épit.*

4. V. Flaccus. Voir C.O. MÜLLER, Introduction à FESTVS, *Verb.
sign.*, Leipzig 1839, p. XIV, l. 4).

5. Selon LAUSBERG, p. 210, **15**, 4-6, combinerait (comme *Inst.*,
1, 20, 11) Sénèque et Minucius Felix.

6. Voir ROSCHER, I[1], c. 913.

Gallis Romani ex mulierum capillis tormenta fecerunt
et ob id Veneri Caluae aram templumque posuerunt ;
15 item Pistori Ioui, quod eos monuerat in quiete, ut ex
omni fruge panem facerent et supra hostes iacerent :
quo facto desperantes Galli posse inopia Romanos |
subigi ab obsidione discesserant. 6. Pauorem ac Pal- f. 11ᵛ
lorem Tullus Hostilius deos fecit. Colitur et Mens, quam
20 credo si habuissent, numquam colendam putassent.
Honorem atque Virtutem Marcellus inuenit.

16, 1. Sed et alios eiusmodi commenticios deos
senatus instituit, Spem Fidem Concordiam Pacem Pudicitiam Pietatem, quae omnia cum in animis hominum
esse uera deberent, intra parietes falsa posuerunt. 2.
5 Hos tamen, quamuis extra hominem in nulla sint omnino
substantia, mallem potius coli quam Robiginem, quam
Febrem, quae non sacranda sunt, sed execranda, quam
Fornacem cum suis fornacalibus sacris, quam Stercutum,
qui fimo pinguefacere terram primus ostendit, quam
10 deam Mutam, quae Lares genuit, quam Cuninam, quae
cunis infantium praeest, quam Cacam, quae ad Her-

T
15, 16 panem *Pf Br* : pacem *T*
16, 9 fimo *Da Br* : fumo *T* ‖ quam *Pf Br* : qua *T*

---

1. *Fruge* correspond à *frumento* d'*Inst.*, 1, 20, 33 (les autres
termes sont semblables), probablement parce que OVIDE (*Fast.*, 6,
379) écrit *fruges* et non *frumentum*.
2. Passage très sec, énumération pure et simple. Pourquoi Lactance a-t-il intercalé *mens* dans l'*Épit.*, alors que dans les *Inst.*, *mens*
se trouve à la fin du développement correspondant ?
3. L'ordre de l'énumération est très différent de celui des *Inst.*
Le regroupement évite les redites (rapprocher *Inst.*, 1, 20, 19 et 25).

5. Assiégés par les Gaulois, les Romains firent des machines de guerre avec les cheveux des femmes et pour cette raison érigèrent un autel et un temple à la Vénus Chauve ; ils firent de même pour le Jupiter Boulanger, parce qu'il les avait avertis dans leur sommeil de faire du pain avec toutes leurs céréales[1] et de les lancer sur les ennemis : cet acte fit désespérer les Gaulois de pouvoir réduire les Romains par la famine, et ils levèrent le siège. 6[2]. De l'Épouvante – *Pavor* –, de la Pâleur – *Pallor* –, Tullius Hostilius fit des dieux. On rend même un culte à l'Intelligence – *Mens* ; si on en avait eu, je crois que jamais on n'aurait pensé qu'il fallait l'honorer d'un culte ! Marcellus inventa l'Honneur – *Honos* – et la Vertu – *Virtus*.

16, 1. Et le Sénat institua aussi d'autres dieux imaginaires de ce genre, l'Espérance – *Spes* –, la Bonne Foi – *Fides* –, la Concorde – *Concordia* –, la Paix – *Pax* –, la Pudeur – *Pudicitia* –, la Piété – *Pietas*[3] ; alors que tous ces sentiments auraient dû être vrais dans les âmes des hommes, on a enfermé leurs faux-semblants entre des murs. 2. Bien que ces dieux n'aient absolument aucune réalité substantielle en dehors de l'homme, je préférerais cependant qu'on les honore plutôt que la Rouille des céréales – *Robigo* ; que la Fièvre – *Febris* –, que l'on ne doit pas consacrer, mais exécrer ; que le Four – *Fornax* –, avec ses fêtes des *Fornacalia* ; que Stercutus[4] qui montra le premier comment engraisser la terre avec du fumier – *stercus* –, que la déesse Muette – *Muta* – qui engendra les Lares ; que Cunina qui préside aux berceaux – *cunae*

4. Voir HECK, *DZ*, p. 178. C'est peut-être une trace de *retractatio*.

culem de furto boum detulit, ut occideret fratrem. 3.
Quam multa sunt alia portenta atque ludibria ! de
quibus piget dicere. Terminum tamen non libet prae-
15 terire, quia ne Ioui quidem Capitolino cessisse traditur,
cum lapis esset informis. 4. Hunc | finium putant   f. 12ᵃ
habere custodiam eique publice supplicatur, ut « Capitoli
immobile saxum » Romani imperii fines et conseruet
<et> proroget.

17, 1. Has omnes ineptias primus in Latio Faunus
induxit, qui et Saturno auo cruenta sacra constituit et
Picum patrem tamquam deum coli uoluit et Fentam
Faunam conjugem sororemque inter deos conlocauit ac
5 Bonam Deam nominauit, 2. Deinde Romae Numa,
qui agrestes illos ac rudes uiros superstitionibus nouis
onerauit, sacerdotia instituit, deos familiis gentibusque,
distribuit, ut animos ferocis populi ab armorum studiis
auocaret. 3. Ideo Lucilius deridens ineptias istorum
10 qui uanis superstitionibus seruiunt, hos uersus posuit :

> « Terriculas Lamias, Fauni quas Pompiliique
> Instituere Numae, tremit has, hic omnia ponit.
> Vt pueri infantes credunt signa omnia aena
> Viuere et esse homines, sic isti omnia ficta
15 Vera putant, credunt signis cor inesse in aenis.
> Pergula pictorum, ueri nihil, omnia ficta ! »

16, 17-18 *Verg., Aen.,* 9, 446
17, 11-16. LVCIL., *Sat.,* 15 *frg.* 2

___

T

16, 19 et *Pf Br :* om. *T*
17, 1 omnes *Br :* omnis *T* ‖ 6 nouis *Pf Br :* nobis *T* ‖ 16 ficta
Br : picta *T*

___

1. Reprise d'*Inst.,* 1, 22 dans un ordre différent. La traduction
de la citation de Lucilius est celle de P. Monat (*SC* 326, p. 235).

– des enfants, que Caca qui dénonça à Hercule le vol des bœufs afin que ce dernier tuât son frère. 3. Combien y a-t-il d'autres monstruosités et d'autres ridicules ! Il me coûte d'en parler. Je ne peux cependant laisser passer Terminus, parce qu'on rapporte qu'il ne s'est même pas retiré devant Jupiter Capitolin, alors qu'il n'est qu'une pierre informe. 4. On pense qu'il a la garde des frontières et on lui fait des supplications publiques pour qu'« une pierre immobile sur le Capitole » conserve et avance les frontières de l'Empire romain.

17, 1[1]. Faunus fut le premier à introduire toutes ces inepties dans le Latium ; il établit des sacrifices sanglants en l'honneur de son aïeul Saturne, voulut que son père Picus fût honoré comme un dieu, plaça parmi les dieux Fenta Fauna, son épouse-sœur, et l'appela la Bonne Déesse. 2. Ensuite à Rome vint Numa ; il chargea de nouvelles superstitions ces hommes rustiques et grossiers, institua les sacerdoces, répartit les dieux en familles et en races pour détourner du goût des armes les cœurs d'un peuple farouche. 3. Voilà pourquoi Lucilius, raillant les inepties de ceux qui servent de vaines superstitions, a écrit ces vers :

« Il tremble devant ces terrifiantes Lamies,
Inventions de Faunus, de Numa Pompilius ;
Tout son espoir réside en elles ;
Comme un enfant qui croit que toutes ces statues
Dans leur bronze ont la vie, et qu'elles sont des
hommes,
Ainsi prend-il pour vrai ce qui n'est que fiction.
Il croit qu'un cœur habite en la statue de bronze :
C'est l'atelier d'un peintre, où il n'est rien de vrai,
Où tout n'est que fiction. »

4. Tullius quoque de Natura deorum « commenticios ac fictos deos » queritur inductos et hinc extitisse | « falsas   f. 12ᵇ opiniones erroresque turbulentos et superstitiones paene
20 aniles ». Quae sententia eo debet grauior computari, quod haec disseruit et philosophus et sacerdos.

18, 1. Diximus de diis : nunc de ritibus sacrorum culturisque dicemus. Ioui Cyprio, sicut Teucrus institue-rat, humana hostia mactari solebat. **2.** Sic et Tauri Dianae hospites immolabant ; Latiaris quoque Iuppiter
5 humano sanguine propitiatus est. Etiam ante Saturno sexagenarii homines ex persona Apollinis de ponte in Tiberim deiciebantur. **3.** Et eidem Saturno Carthagi-nienses non modo infantes prosecrabant, sed uicti a Siculis ut piaculum soluerent ducentos nobilium filios
10 immolauerunt. **4.** Nec illa his humaniora sunt quae fiunt etiamnunc Matri Magnae atque Bellonae, in quibus antistites non alieno sanguine, sed suo litant, cum amputatis genitalibus a uiris migrant nec ad feminas transeunt aut sectis umeris detestabiles aras proprio

17, 17-20 Cic., *Nat. deor.*, 2, 28, 70

T

17, 20 computari *Da Bu Br* : comparari *T*
18, 3 hostia *Pf Br* : hospitia *T* ‖ 6 sexagenarii *Br* : -ri *T* ‖ 8 prosecrabant *T* : -cabant *Da Br* ‖ 13 amputatis *Pf Br* : iampu- *T* ‖ 14 sectis *Pf Br* : secutis *T*

1. Lactance supprime les Gaulois d'*Inst.*, 1, 21, 3, sans doute pour faire plus court.
2. *Ex persona Apollinis* : sur l'origine de l'attribution erronée à Apollon, voir Perrin, « Arnobe ». Lactance modifie plusieurs détails. Les *Inst.* précisent erronément *de ponte Muluio* qui manque dans l'*Épit.* (il s'agit en fait du pont Sublicius). En revanche, la mention

4. Dans son traité *De la nature des dieux*, Tullius lui aussi se plaint de ce que « des dieux imaginaires et inventés » aient été introduits et qu'il en soit sorti « des opinions fausses, des erreurs confuses et des superstitions presque dignes de vieilles femmes ». Cet avis doit être estimé d'autant plus sérieux que c'est un philosophe et un prêtre qui a tenu ces propos.

18, 1. Nous avons fini de parler des dieux ; maintenant nous allons parler des rites, des sacrifices et des cultes. On avait coutume de sacrifier une victime humaine au Jupiter Chypriote, comme l'avait institué Teucer. 2[1]. De même, aussi, les habitants de la Tauride immolaient leurs hôtes à Diane ; Jupiter Latial se laissait également fléchir par le sang humain. Même auparavant, en l'honneur de Saturne, on jetait dans le Tibre, du haut du pont, des sexagénaires, au nom d'Apollon[2]. 3. Toujours à Saturne, les Carthaginois offraient en sacrifice non seulement des petits enfants, mais, quand ils furent vaincus par les Siciliens, pour s'acquitter de leur sacrifice expiatoire, ils immolèrent deux cent fils de la noblesse. 4. Et ces sacrifices que l'on accomplit encore maintenant en l'honneur de la Grande Mère et de Bellone ne sont pas plus humains que les précédents : les célébrants n'y font pas un sacrifice avec le sang d'autrui, mais avec le leur propre, quand, par l'amputation de leurs parties sexuelles, ils abandonnent la virilité sans devenir des femmes, ou quand ils se déchirent les épaules pour asperger avec

sexagenarii de l'*Épit.* est absente des *Inst.* Ces deux détails qui ne figurent ni chez Arnobe ni chez Macrobe se trouvaient-ils chez Varron ? Sur la coutume évoquée par l'expression *sexagenarii... deiciebantur*, voir maintenant J.P. NÉRAUDAU, « *Sexagenarii de ponte* (réflexions sur la genèse d'un proverbe) », *REL* 46, 1978, p. 159-174.

15 cruore respergunt. 5. Sed haec crudelia : ueniamus ad
mitia. Isidis sacra nihil aliud .| ostendunt nisi quemad-   f. 13ᵛ
modum filium paruum qui dicitur Osiris perdiderit et
inuenerit. 6. Nam primo sacerdotes ac ministri derasis
omnibus membris tunsisque pectoribus plangunt dolent
20 quaerunt adfectum matris imitantes, postmodum puer
per Cynocephalum inuenitur. Sic luctuosa sacra laetitia
terminantur. 7. His etiam Cereris simile mysterium
est, in quo facibus accensis per noctem Proserpina
inquiritur et ea inuenta ritus omnis gratulatione ac
25 taedarum iactatione finitur. 8. Lampsaceni asellum
Priapo mactant. Ea enim uisa est aptior uictima, quae
ipsi cui mactatur magnitudine uirilis obsceni posset
aequari. 9. Lindos est oppidum Rhodi, ubi Herculis
sacra maledictis celebrantur. Hercules enim cum boues
30 aratori abstulisset atque immolasset, ille iniuriam suam
conuiciis ultus est eoque ipso sacerdote postmodum
constituto sanctum est, ut isdem maledictis et ipse et
alii postea sacerdotes sacra celebrarent. 10. Cretici
autem Iouis mysterium est quomodo infans aut sub- |
35 tractus sit patri aut educatus. Capella praesto est, cuius   f. 13ᵛ
uberibus puerum Amalthea nutriuit. 11. Idem etiam

T

    18, 22 cereris *Tᵘᶜ* : ceteris *Tᵖᶜ*

_____

    1. Ce texte, qui confirme les passages des *Inst.* (1, 17, 6 ; 1, 21,
20) et qui semble provenir de MIN. FEL., 22, 3, pourrait résulter
d'une confusion entre la légende classique d'Isis et Osiris et une
légende rapportée par DIODORE DE SICILE (*Bibl.,* 1, 25, 6) selon
laquelle Isis aurait, par un *pharmacon,* rappelé à la vie et rendu
immortel son fils Horus tué par les Titans.
    2. Cf. Ov., *Fast.*, 6, 309-348.

leur propre sang de détestables autels. 5. Mais tout cela est bien cruel, venons-en à des manifestations plus douces. Les cérémonies d'Isis ne montrent rien d'autre que la manière dont elle a perdu et retrouvé son petit garçon appelé Osiris[1]. 6. Car d'abord les prêtres et les ministres, tous les membres complètement rasés, se frappent la poitrine, se lamentent, se désolent, cherchent, en mimant les sentiments d'une mère ; et par la suite l'enfant est retrouvé grâce à Cynocéphale. Ainsi des cérémonies de deuil se terminent dans la liesse. 7. Le mystère de Cérès[2] leur est aussi semblable : on y enflamme des torches, on recherche dans la nuit Proserpine et, quand elle est retrouvée, tout le rite se termine par des manifestations de joie et une agitation de torches. 8[3]. Les gens de Lampsaque immolent un ânon à Priape. Cette victime leur a semblé la plus convenable, car, en raison de la taille de son obscène virilité, on peut l'égaler à celui-là même à qui on l'immole. 9. Lindos est une ville de Rhodes, où les cérémonies en l'honneur d'Hercule se célèbrent avec des injures. En effet, Hercule s'étant emparé des bœufs d'un laboureur et les ayant immolés, ce dernier se vengea, par ses invectives, du dommage qu'il avait subi ; il fut lui-même par la suite établi prêtre, et on prescrivit que lui-même et d'autres prêtres par la suite célébrassent les cérémonies en proférant les mêmes malédictions. 10. Et voici le mystère de Jupiter Crétois : comment un enfant a été soustrait à son père et élevé. On y dispose la chèvre dont les mamelles ont permis à Amalthée de nourrir l'enfant. 11. C'est ce

3. La citation de Germanicus à propos d'Amalthée (*Inst.*, 1, 21, 38) manque ici : suppression des citations secondaires.

Matris Deum sacra demonstrant. Nam quia tum Corybantes galearum tinnitibus et scutorum pulsibus uagitum
pueri texerant, nunc imago rei refertur in sacris, sed
40 pro galeis cymbala, pro scutis tympana feriuntur, ne
puerum uagientem Saturnus exaudiat.

19, 1. Haec sunt mysteria deorum. Nunc etiam
originem religionum requiramus, ut et a quibus et per
quae tempora institutae fuerint eruamus. 2. Didymus
in iis libris qui inscribuntur ἐξηγήσεως πινδαρικῆς
5 « Melissea fuisse » tradit « Cretensium regem, cuius
filiae fuerint Amalthea et Melissa, quae Iouem nutrierint
caprino lacte ac melle. 3. Hunc nouos ritus ac pompas
sacrorum introduxisse et primum diis sacrificasse, id est
Vestae », quae dicitur « Tellus », – unde poeta : « Pri-
10 mamque deorum Tellurem » – « et postmodum Deum
Matri ». 4. Euhemerus autem in Sacra Historia « ipsum
Iouem » dicit, « postquam imperium ceperit, sibi multis
in locis | fana posuisse ». Nam circuiens orbem ut   f. 14

T

18, 40 tympana *Br* : cymbala *T* ‖ feriuntur *Da Br* : feruntur *T*
19, 4 ΕΞΗΤΗΣΕωΣΠΙΝΑΑΡΙΚΗΣ *T* ‖ 6 melissa *Pf Br* : fellisa
T ‖ 9 poeta *T* : -tae *Br* ‖ 11 storia *T* ‖ 12 coeperit *T*

1. Résumé de la citation d'OVIDE (*Fast.*, 4, 207 s.) qui se trouve
en *Inst.*, 1, 21, 40.
2. Lactance coupe le début d'*Inst.*, 1, 22 (sur Numa Pompilius)
pour deux raisons : il en a déjà parlé, et il s'agit de dater les plus
anciens cultes païens (donc grecs).

que montrent aussi les cérémonies en l'honneur de la Mère des dieux[1]. Car jadis, les Corybantes, en faisant tinter leurs casques et en entrechoquant leurs boucliers, avaient couvert les vagissements d'un enfant, et maintenant, on met l'image du dieu parmi les objets sacrés, mais, à la place des casques, on frappe des cymbales ; à la place des boucliers, des tambourins ; cela, pour que Saturne n'entende pas vagir l'enfant.

19, 1[2]. Voilà les mystères des dieux. Et maintenant, faisons porter notre enquête aussi sur l'origine des religions, afin de tirer au clair qui les a instituées et quand. 2. Didyme, dans les livres intitulés *L'explication de Pindare*, rapporte « qu'il était un roi de Crète, Mélissos, qui eut pour filles Amalthée et Mélissée, et qu'elles nourrirent Jupiter de lait de chèvre et de miel. 3. Il institua de nouveaux rites et des processions d'objets sacrés, et il sacrifia pour la première fois aux dieux, c'est-à-dire à Vesta[3] », qui est appelée la Terre (*Tellus*) – et c'est pourquoi le poète dit : « Et la Terre est la première divinité » –, « et ensuite à la Mère des dieux[4] ». 4. Selon Evhémère, dans l'*Histoire sacrée*, « après avoir pris le pouvoir, Jupiter a établi en son honneur des sanctuaires en beaucoup d'endroits[5] ».

---

3. Citation reprise d'*Inst.*, 1, 22, 19, mais abrégée ; de plus, Lactance inverse les deux éléments de la phrase. En revanche, il ajoute, pour être plus clair, les références à Vesta et à la Mère des dieux qui ne figuraient pas dans les *Inst.*. Il s'agit de DIDYME D'ALEXANDRIE, Ὑπομνήματα Πινδάρου, *Frg.* 14 (p. 220 s. Schmidt, Leipzig 1854).

4. VERG., *Aen.*, 136-137 (absent des *Inst.*).

5. Citation reprise d'*Inst.*, 1, 22, 21, modifiée et abrégée (*Sacra Historia, Frg.* 10 = p. 227 Vahlen).

quemque in locum uenerat, principes populorum amicitia
15 sibi et hospitii iure sociabat. Cuius rei ut posset memoria
seruari, fanum sibi creari iubebat atque ab hospitibus
suis annua festa celebrari. Sic per omnes terras cultum
sui nominis seminauit. 5. Quando autem isti fuerint
facile colligi potest. Scribit enim Thallus in historia sua
20 « Belum regem Assyriorum, quem Babylonii colunt
quique Saturni fuerit aequalis et amicus, antiquiorem
fuisse Troico bello annis CCCXXII », et sunt ab Ilio
capto anni MCCCCLXX. Vnde apparet non amplius
quam MDCCC esse annos, ex quo nouis deorum
25 cultibus institutis humanum genus inciderit in errorem.

20, 1. Merito igitur poetae commutatum esse aureum
saeculum memorant, quod fuerit regnante Saturno. Nulli
enim tunc dii colebantur, sed unum et solum deum
nouerant. 2. Postquam se terrenis ac fragilibus subiu-
5 gauerunt colentes ligna et aera et lapides, commutatio
saeculi facta est usque ad ferrum. | 3. Amissa enim   f. 14
dei notitia et uno illo uinculo humanae societatis abrupto
uastare se inuicem, praedari ac debellare coeperunt.
4. Quodsi sursum oculos suos tollerent ac deum intue-

T
19, 16 iuuebat *T* ‖ 20 bellum *T* ‖ 23 MCCCCLXX *Pf Br* :
MCCCC.IXX *T* ‖ nouis *Pf Br* : nobis *T*

1. Lactance résume ici THEOPH., *Autol.*, 3, 29, en ne gardant
que l'essentiel.
2. Lactance traite ici le thème de l'âge d'or, à l'aide d'*Inst.*, 5,
5. Le thème est réduit à sa plus simple expression. Peut-être (cf.
LOI, p. 244, n. 42) a-t-il surtout une fonction polémique et apologétique dans les *Inst.* ? Il ne serait pas fondamental dans la conception
lactancienne de l'histoire du salut. En outre, un développement de
ce thème ferait double emploi avec l'histoire de l'humanité, telle
qu'elle est traitée à partir de la *Genèse* (*Épit.*, 22 s.). Vraisemblablement, Lactance élimine ici une quasi-redondance.

Car, en faisant le tour du monde, chaque fois qu'il venait quelque part, il se liait aux chefs des peuples par des liens d'amitié et par les droits de l'hospitalité. Pour que l'on en pût garder le souvenir, il se faisait édifier un sanctuaire et faisait célébrer par ses hôtes des fêtes annuelles. Il dissémina ainsi sur la terre entière le culte de son nom. 5. Or on peut facilement déterminer l'époque de la création de ces cultes. En effet, d'après ce qu'écrivit Thallus dans son histoire, « le roi des Assyriens Bélos, honoré par les Babyloniens, contemporain et ami de Saturne, précéda la guerre de Troie de 322 ans[1] », et la prise d'Ilion a eu lieu il y a 1 470 ans. 6. Il en ressort qu'il n'y a pas plus de 1 800 ans que l'institution de nouveaux cultes de dieux a fait tomber le genre humain dans l'erreur.

20, 1. Les poètes ont donc raison[2] de rappeler que l'âge d'or qui existait sous le règne de Saturne a subi une transformation. En effet, les hommes n'honoraient pas alors des dieux, mais ne connaissaient qu'un seul et unique Dieu. 2. Après qu'ils se furent soumis à des objets terrestres et fragiles, en honorant le bois, le bronze et la pierre[3], le siècle subit une transformation jusqu'à devenir de fer. 3. En effet, une fois que les hommes eurent perdu la connaissance de Dieu et rompu cet unique lien de la société humaine, ils commencèrent à se ravager mutuellement leurs territoires, à piller et à se soumettre par les armes. 4. Et s'ils avaient levé les yeux en haut et regardé vers le

3. Voir Perrin, « Lactance ».

10 rentur, qui eos ad aspectum caeli suique excitauit,
numquam se curuos et humiles facerent terrena uene-
rando. Quorum stultitiam Lucretius grauiter incusat
dicens :

« Et faciunt animos humiles formidine diuum
15   Depressosque premunt ad terram. »

5. Quare <simulacris se> d<e>dunt nec intellegunt
quam uanum sit ea timere quae feceris, aut ab his
aliquod sperare praesidium quae muta et insensibilia
nec uident nec audiunt supplicantem. 6. Quid ergo
20 maiestatis aut numinis habere possunt quae et fuerunt
in hominis potestate ne fierent aut <ut> aliud fierent,
et sunt etiamnunc ? 7. Nam et uiolari et furto sublabi
possunt, nisi illa et lex saepiat et humana custodia.
Num igitur mentis suae compos uideri potest qui talibus
25 opimas uictimas caedit, dona consecrat, pretiosas ues-
tes | offert, quasi uti possint qui motu carent ? 8.   f. 15
Merito ergo Dionysius Siciliae tyrannus deos Graeciae,
cum eam uictor occupasset, spoliauit atque derisit : et
post sacrilegia quae admiserat at Siciliam prospera
30 nauigatione remeauit regnumque tenuit usque ad senectutem nec eum dii uiolati punire potuerunt. 9. Quanto
satius est spretis inanibus ad deum se conuertere, tueri
statum quem a deo acceperis, tueri nomen : idcirco

20, 14-15 Lvcr., 6, 52-53

T

20, 16 quare simulacris se dedunt *coni. Br in app.* : qua reddunt
T ‖ 17 his *T* : iis *Br* ‖ 21 ut *Pf Br* : *om. T* ‖ 25 opimas *Da Br* :
optimas *T* ‖ 26 possint *Pf Br* : -sunt *T*

---

1. Le seul autre exemple de *compos* chez Lactance est en *Inst.*,

Dieu qui les a poussés à contempler le ciel et lui-
même, jamais ils ne se seraient courbés et abaissés à
vénérer des objets terrestres. Lucrèce dénonce sévère-
ment leur folie en disant :

« Et la crainte des dieux humilie leurs esprits,
Les courbe vers la terre et les écrase. »

5. Ainsi se vouent-ils à des simulacres sans comprendre
combien il est vain de craindre des objets que l'on a
fabriqués soi-même, ou d'espérer une protection de la
part d'objets qui, en raison de leur mutisme et de leur
insensibilité, ne voient ni n'entendent qui les supplie.
6. Par conséquent, quelle majesté ou quelle puissance
divine peuvent avoir ces objets que l'homme a eu le
pouvoir de ne pas faire ou de faire autrement et qui,
encore maintenant, lui sont soumis ? 7. Car ces objets
peuvent subir des violences et être dérobés, si la loi
et une garde humaine ne les protégeaient. Peut-il
paraître en pleine possession de ses facultés[1], celui qui
abat de grasses victimes en l'honneur de telles divinités,
qui leur consacre des dons et leur offre des vêtements
de prix, comme si des êtres privés de mouvement
pouvaient s'en servir ? 8. C'est donc à juste raison
que Denys, le tyran de Sicile, dépouilla et tourna en
ridicule les dieux de la Grèce, après s'en être emparé
par sa victoire ; et, après les sacrilèges qu'il avait
commis, il revint en Sicile par une traversée favorable,
il gouverna son royaume jusqu'à sa vieillesse, et les
dieux auxquels il avait fait violence furent incapables
de le punir. 9. Combien est-il préférable de repousser
des dieux qui ne sont que du vent pour se tourner
vers Dieu, pour conserver l'attitude reçue de Dieu, et
conserver ainsi la qualité d'homme : car si l'on appelle

6, 2, 5 ; il est lui aussi ironique. Sur l'expression *c. mentis*, voir
TLL, s.u. compos.

enim ἄνθρωπος, quia sursum spectet, nominatur. 10.
35 Sursum autem spectat qui deum uerum et uiuum, qui
est in caelo, suspicit, qui artificem, qui parentem animae
suae non modo sensu ac mente, uerum etiam uultu et
oculis sublimibus quaerit. 11. Qui autem se terrenis
humilibusque substernit, utique illud quod est inferius
40 sibi praefert. Nam cum ipse opus dei sit, simulacrum
autem opus hominis, non potest humanum opus diuino
anteponi, et sicut deus hominis parens est, ita simulacri
homo. | Stultus igitur et amens qui adorat quod ipse   f. 15ᵛ
fabricauit. 12. Cuius artificii detestabilis et inepti auctor
45 fuit Prometheus patruo Iouis Iapeto natus. Nam cum
primum Iuppiter summo potitus imperio tamquam deum
se constituere uellet ac templa condere et quaereret
aliquem qui humanam figuram posset exprimere, tunc
Prometheus extitit qui hominis effigiem de pingui luto
50 figuraret, ita ueri similiter, ut nouitas ac subtilitas artis
miraculo esset. 13. Denique illum et sui temporis
homines et postea poetae tamquam fictorem ueri ac
uiui hominis prodiderunt et nos, quotiens fabre facta
signa laudamus, uiuere illa et spirare dicimus. Et hic
55 quidem auctor fuit fictilium simulacrorum. 14.
Sequentes autem posteri et de marmore sculpserunt et
ex aere fuderunt, deinde processu temporum ex auro
et ebore accessit ornatus, ut non modo similitudines
oculos hominum, uerum etiam fulgor ipse praestringe-
60 ret. 15. Sic inlecti pulchritudine ac uerae maiestatis |

20, 46 s. Cf. Ov., *Met.*, 1, 82-86 ; Ivv., *Sat.*, 14, 35

T

20, 34 sursum *Pf Br* : susum *T* ‖ 60 ac *Pf Br* : ad *T*

1. Même étymologie qu'en *Inst.*, 2, 1, 16 (ἄνω ἀθρεῖν), mais
dépourvue de la citation d'Ov., *Met.*, 1, 84 s.
2. *De … ex.* : pure et simple variation de style.

l'homme *anthrôpos*[1], c'est parce qu'il regarde vers le haut. 10. Or regarde vers le haut celui qui élève ses regards vers le Dieu vrai et vivant qui est dans le ciel ; lève les yeux celui qui cherche son créateur, le père de son âme, non seulement avec la pensée et l'esprit, mais aussi avec le visage et les yeux tournés vers le haut. 11. Mais celui qui se soumet aux objets terrestres et bas préfère évidemment ce qui lui est inférieur. Car, l'homme étant lui-même l'œuvre de Dieu, et la statue n'étant que l'œuvre de l'homme, l'œuvre humaine ne peut être préférée à celle de Dieu, et, de même que Dieu est père de l'homme, l'homme l'est également de la statue. Il est donc un sot et un insensé celui qui adore ce qu'il a lui-même fabriqué. 12. L'instigateur de cet art détestable et inepte fut Prométhée, fils de Japet, l'oncle paternel de Jupiter. Car, dès que Jupiter, en possession du pouvoir suprême, voulut se constituer en dieu et fonder des temples, et dès qu'il chercha quelqu'un capable de représenter la forme humaine, alors Prométhée se présenta pour former une effigie humaine à partir d'une boue grasse, et il la fit si ressemblante que la nouveauté et la délicatesse de l'art tenaient du miracle. 13. Enfin les hommes de son temps, et par la suite les poètes, le présentèrent comme le modeleur d'un véritable homme vivant, et nous, quand nous louons des statues faites par un ouvrier, nous disons qu'elles vivent et qu'elles respirent. Lui fut sans doute l'auteur de statues d'argile. 14. Mais ses successeurs, suivant son exemple, sculptèrent le marbre, fondirent le bronze[2], et ensuite, avec le progrès des temps, s'ajouta la parure de l'or et de l'ivoire, pour que les hommes fussent éblouis non seulement par la ressemblance, mais par l'éclat de ces statues. 15. Ainsi séduits par la beauté et oublieux de la majesté authentique, des hommes doués de sens,

obliti insensibilia sentientes, inrationabilia rationabiles,   f. 16
exanima uiuentes colenda sibi ac ueneranda duxerunt.

21, 1. Nunc refellamus etiam eos qui elementa mundi
tamquam deos habent, id est caelum solem atque lunam,
quorum artificem non cognoscentes ipsa opera mirantur
et adorant. **2.** Qui error non inperitorum modo, uerum
5 etiam philosophorum est : siquidem Stoici uniuersa caelestia in deorum numero habenda censent, quia certos
et rationabiles motus habent, quibus succedentium sibi
temporum uicissitudines constantissime seruant. **3.** Non
est igitur in his uoluntarius motus, quia praestitutis
10 legibus seruiunt, non proprio utique sensu, sed opificio
summi conditoris, qui illa sic ordinauit, ut inerrabiles
cursus et certa spatia conficerent, quibus dierum ac
noctium, aestatis et hiemis alterna uariarent. **4.** Quodsi
effectus eorum, si meatus, si claritatem, si constantiam,
15 si pulchritudinem admirantur, intellegere debuerunt
quanto his pulchrior et | praeclarior et potentior sit   f. 16
ipse conditor atque artifex eorum deus. **5.** Sed illi
diuinitatem humanis uisibus aestimauerunt, ignorantes
nec aeternum esse posse quod ueniat sub aspectum,
20 nec quod sit aeternum posse oculis mortalibus conprehendi.

T

21, 1 etiam eos : ~ *T* ‖ 11 inerrabiles *Da Br* : inenarrabiles *T*

---

1. L'expression désigne en fait les astres. L'*Épit.* centre plus
nettement l'attaque sur la religion astrale. Mais l'essentiel de la
démonstration d'*Inst.*, 2, 5 vise bien aussi les tenants de la religion
astrale.

de raison et de vie ont pensé devoir honorer et vénérer des objets privés de sens, de raison et de souffle vital.

21, 1. Maintenant réfutons aussi ceux qui tiennent pour des dieux les « éléments du monde [1] », comme le ciel, le soleil et la lune : ignorants qu'ils sont de leur créateur, ils admirent ses œuvres mêmes et les adorent. 2. Cette erreur est partagée non seulement par les ignorants, mais aussi par les philosophes, car les stoïciens sont d'avis qu'il faut mettre au nombre des dieux tous les corps célestes, en raison du caractère déterminé et rationnel de leurs mouvements, qui leur fait conserver avec la plus grande stabilité l'alternance des saisons qui se suivent. 3. Il n'y a donc pas de mouvement volontaire en eux, parce qu'ils obéissent à des lois déterminées d'avance, non pas évidemment par une intelligence qui leur serait propre, mais par l'ouvrage du très-haut Créateur qui les a disposés de manière à leur faire accomplir des courses invariables et parcourir des espaces déterminés qui produisent l'alternance des jours et des nuits, de l'été et de l'hiver. 4. Et s'ils admirent leurs effets, leurs courses, leur luminosité, leur régularité, leur beauté, ils auraient dû comprendre combien Dieu, leur créateur et leur artisan en personne, est plus beau, plus brillant et plus puissant qu'eux [2]. 5. Mais les philosophes ont estimé la divinité à l'aune de leurs regards humains, ignorant que ce qui venait sous leur regard ne pouvait être éternel, et que l'éternel ne pouvait être compris par des yeux mortels.

2. La notion exprimée par *potentior* est rare chez Lactance. Voir LOI, p. 73 s (discussion des différents termes à valeur théologique de ce passage).

22, 1. Vnum et ultimum restat, ut quoniam plerumque accidit, sicut in historiis legimus, ut maiestatem
suam dii ostendisse uideantur per auguria, per somnia,
per oracula, tum etiam poenis eorum qui sacrilegia
5 commiserant, doceam quae ratio id effecerit, ne quis
etiamnunc in eosdem laqueos incidat quos illi ueteres
inciderunt. 2. Cum deus pro uirtute maiestatis suae
mundum de nihilo condidisset caelumque luminibus
adornasset, terram uero et mare conplesset animalibus,
10 tum hominem de limo ad imaginem similitudinis suae
figuratum inspirauit ad uitam posuitque eum in Paradiso,
quem conseuerat omni genere fructiferi ligni, et prae-
cepit ei ne una ex arbore, in qua posuerat ei scientiam
boni malique, gus|taret, fore interminatus ut uitam   f. 17
15 perderet, si fecisset, si uero mandatum seruaret, immortalis permaneret. 3. Tum serpens, qui erat unus ex
dei ministris, inuidens homini, quod esset immortalis

T

22, 13 ei² *T* : *om. Da Br*

---

1. Lactance condense dans ce ch. 22 la cosmogonie biblique
d'*Inst.*, 2, 9-12 en supprimant les références au paganisme (élagage
des *exempla*).
2. Lactance aime cette image à la fois païenne (*Phédon*) et
biblique.
3. Voir LOI, p. 124 ; 135.
4. Cf. *ibid.* On peut hésiter sur la manière dont Lactance conçoit
la « ressemblance » entre Dieu et l'homme. Voir *Ira*, 18, 13 et le
commentaire de C. Ingremeau (*SC* 289, p. 344 s.). Mais si ce mot
prête parfois à confusion, il ne faut pas en déduire que Lactance
imagine Dieu de manière anthropomorphique. Voir PERRIN, *L'homme*,
p. 422, n. 202.

22, 1 [1]. Il ne nous reste plus qu'une seule et dernière tâche. Puisqu'il arrive la plupart du temps, comme nous le lisons dans les histoires, que les dieux paraissent avoir montré leur majesté par des augures, des songes, des oracles, et parfois aussi par le châtiment des auteurs de sacrilèges, je dois montrer quelle raison a produit ce fait, pour que personne ne tombe maintenant encore dans les mêmes lacets [2] que les hommes de jadis. 2. Dieu ayant, selon la puissance de sa majesté, créé le monde à partir du néant [3], orné le ciel de ses luminaires, et rempli la terre et la mer d'êtres vivants, alors il façonna l'homme [4] avec du limon à l'image de sa ressemblance, lui insuffla [5] la vie, et le plaça dans le paradis, dans lequel il avait semé toutes sortes d'arbres fruitiers, et il lui interdit de goûter d'un seul arbre, dans lequel il avait placé la science du bien et du mal, avec cette menace : l'homme perdrait la vie s'il perpétrait cet acte ; mais s'il observait le précepte, il resterait immortel. 3. Alors le serpent, qui était l'un des ministres de Dieu [6], jalousa l'homme parce qu'il avait été fait immortel, et le séduisit par sa ruse

---

5. *Inspirauit* : cf. WLOSOK, p. 183. Lactance ne veut pas d'un traducianisme fataliste et penche en faveur d'une origine divine directe de l'âme. Voir PERRIN, *L'homme*, p. 273-276 ; 306-333 (sur la génération de l'âme).

6. Cf. LOI, p. 178, n. 66 (*minister* = ange). Dans l'*Épit.*, le diable jalouse le premier homme, parce que ce dernier a été fait immortel. Mais en *Inst.*, 2, 8, 5, le diable jalouse le premier esprit (= le Christ) ; ou bien, dans un autre passage (*Inst.*, 2, 12, 17), il est jaloux de la création, et sa méchanceté l'incite à faire en sorte que l'homme perde son immortalité. Un changement se produit donc. Voir HECK, *DZ*, p. 107-108 : Lactance se rapproche de CYPR., *Zelo*, 4, et de la Bible (*Sag.* 2, 24). Pour le reste, le texte des *Inst.* et celui de l'*Épit.* sont en gros parallèles, mais l'*Épit.* laisse de côté la découverte de leur nudité par Adam et Ève.

effectus, inlexit eum dolo ut mandatum dei legemque transcenderet. Et hoc modo scientiam quidem boni ac
20 mali accepit, sed uitam quam perpetuam deus tribuerat amisit. 4. Eiecit ergo peccatorem de sancto loco et in hunc orbem relegauit, ut uictum quaereret per laborem, ut difficultates et aerumnas pro merito sustineret, ipsumque Paradisum uallo igneo circumfudit, ne quis
25 hominum ad diem usque iudicii ad locum illum perpetuae beatitudinis conaretur inrepere. 5. Tum secuta est hominem mors ex dei sententia et tamen uita eius, licet temporalis esse coepisset, in mille annis terminum sumpsit et id fuit humanae uitae spatium usque ad
30 cataclysmi tempus. Nam post diluuium paulatim uita hominum breuiata et ad annos centum | uiginti redacta   f. 17
est. 6. Serpens uero ille, qui de factis diabolus id est criminator siue delator nomen accepit, non destitit semen hominis, quem a principio deceperat, persequi.
35 7. Denique eum qui primus in hoc orbe generatus est, inspirato liuore in caedem fratris armauit, ut de duobus primogenitis hominibus alterum extingueret, alterum faceret parricidam. 8. Nec quieuit deinceps quominus per singulas generationes pectoribus hominum malitiae
40 uirus infunderet, corrumperet deprauaret, tantis denique sceleribus obrueret, ut iustitiae iam rarum esset exemplum, sed uiuerent homines ritu beluarum. 9. Quod deus cum uideret, angelos suos misit, ut uitam hominum excolerent eosque ab omni malo tuerentur. His man-

T

22, 36 liuore *Pf Br* : libere *T* ‖ 41 rarum *Pf Br* : rerum *T*

1. L'histoire de Caïn et Abel n'était pas narrée dans les *Inst.* Selon HECK (*DZ*, p. 66, n. 50), ce passage a toute chance de venir de CYPR., *Zelo*, 5, mais les deux textes ne se ressemblent guère dans le détail.

pour lui faire transgresser le commandement et la loi de Dieu. Et c'est ainsi que l'homme reçut sans doute la science du bien et du mal, mais qu'il perdit la vie que Dieu lui avait attribuée à perpétuité. 4. Il expulsa donc le pécheur du saint lieu et le relégua en ce monde, pour qu'il cherchât péniblement sa nourriture et qu'il supportât difficultés et misères, comme il l'avait mérité, et il entoura le paradis même d'un retranchement de feu, pour que, jusqu'au jour du Jugement, aucun homme ne tentât de faire irruption en ce lieu de perpétuel bonheur. 5. Alors, en vertu de la sentence divine, la mort s'attacha aux pas de l'homme. Mais, bien que sa vie eût commencé à être temporelle, sa limite fut de mille ans, et ce fut la durée de la vie humaine jusqu'au temps du cataclysme. Car, après le déluge, la vie humaine fut peu à peu abrégée et ramenée à cent vingt ans. 6. Mais ce serpent, que ses actes firent appeler diable, c'est-à-dire « accusateur » ou « délateur », ne cessa de poursuivre la race humaine qu'il avait trompée dès le commencement. 7. Enfin, à celui qui avait été le premier engendré en ce monde, il inspira de la jalousie pour son frère et l'arma en vue de ce meurtre ; ainsi, des deux hommes premiers-nés, il supprima l'un, et rendit l'autre parricide[1]. 8[2]. Et il n'eut de cesse, ensuite, qu'il n'infusât le venin de la méchanceté dans le cœur des hommes, génération après génération, qu'il ne les corrompît, les dépravât, les accablât enfin de si grands crimes qu'un seul exemple de justice se fît dorénavant rare, et que les hommes vécurent comme des bêtes sauvages. 9. Quand Dieu vit cela, il envoya ses anges pour adoucir la vie des hommes et les garder de tout mal. Il leur enjoignit de

2. Le déluge est ici escamoté, à la différence d'*Inst.*, 2, 13.

45 datum dedit ut se terrenis abstinerent, ne qua labe
maculati honore angelico multarentur. 10. Sed eos
quoque idem ille subdolus criminator, dum inter homines
commorantur, inlexit ad uoluptates, ut se cum mulieribus
inquinarent. Tum damnati sententia dei et ob peccata
50 proiecti et nomen angelorum et substantiam perdide-
runt. 11. Ita diaboli | satellites facti, ut habeant   f. 18
solacium perditionis suae, ad perdendos homines conuer-
terunt, quos ut tuerentur aduenerant.

23, 1. Hi sunt daemones, de quibus poetae saepe in
carminibus suis loquuntur, quos « custodes hominum »
appellat Hesiodus. Ita enim persuaserunt hominibus
inlecebris atque fallaciis suis, ut eosdem deos esse
5 crederent. 2. Denique Socrates habere se a prima
pueritia custodem rectoremque uitae suae daemonem
praedicabat, sine cuius nutu et imperio nihil agere
posset. 3. Adhaerent ergo singulis et sub nomine
geniorum aut penatium domos occupant. His sacraria
10 constituuntur, his cottidie libatur ut laribus, his honos
datur tamquam malorum depulsoribus ; 4. Hi a principio, ut auerterent homines a dei ueri agnitione, nouas
religiones et cultus deorum introduxerunt, hi memorias

T

22, 48 uoluptates *Pf Br :* uolumtates T ‖ 49 sententia *Pf Br :*
-tiam T
23, 11 hi *Pf Br* : his T

---

1. *Nomen ... substantiam* : cf. LOI, p. 183 ; BRAUN, p. 180.
2. Les dieux du paganisme sont assimilés aux démons du judéo-
christianisme, conformément à *Ps.* 96 (95), 5 : « Tous les dieux des
païens sont des démons. »

se tenir à l'écart des choses terrestres ; car, s'ils étaient flétris de quelque souillure, ils se verraient privés de leur gloire angélique. 10. Mais, pendant qu'ils séjournaient parmi les hommes, ce même sournois accusateur les entraîna eux aussi aux voluptés, en sorte qu'ils se souillèrent avec des femmes. Alors, condamnés par le jugement de Dieu et bannis pour leurs péchés, ils perdirent à la fois leur titre et leur nature d'anges[1]. 11. Et, devenus les satellites du diable, pour se consoler de leur propre perte, ils se mirent à perdre les hommes, alors qu'ils étaient venus pour les protéger.

23, 1[2]. Ce sont eux les démons dont les poètes parlent souvent dans leurs poèmes ; Hésiode les appelle « gardiens des hommes[3] ». De fait, ils ont si bien persuadé les hommes par leurs séductions et leurs tromperies qu'ils leur ont fait croire qu'ils étaient aussi des dieux. 2. Enfin Socrate proclamait que, dès sa prime enfance, il avait pour protecteur et guide de sa vie un démon sans la volonté et l'ordre duquel il ne pouvait rien faire. 3. Ils sont donc attachés à chacun et, sous le nom de génies ou de Pénates, ils tiennent en leur possession les maisons. On leur établit des chapelles, on leur fait tous les jours des libations comme aux Lares, on les honore comme s'ils repoussaient les maux. 4. Dès le commencement, pour détourner les hommes de la vraie connaissance de Dieu, ils instituèrent de nouvelles religions et de nouveaux cultes des dieux, ils enseignèrent à consacrer la mémoire

3. Hes, *Op.*, 123. Par rapport aux *Inst.*, la citation est raccourcie et traduite.

regum mortuorum consecrari, templa constitui, simulacra
15 fieri docuerunt, non ut honorem dei minuerent aut
suum augerent, quem peccando amiserant, sed ut uitam
hominibus eriperent, spem uerae lucis auferrent, | ne   f. 18ᵛ
homines, unde illi exciderunt, ad immortalitatis caeleste
praemium peruenirent. 5. Idem astrologiam prodiderunt
20 et auguratum et aruspicinam : quae cum per se falsa
sint, tamen ipsi auctores malorum sic ea gubernant, sic
temperant, ut uera credantur. 6. Ipsi etiam magicae
artis praestigias ad circumscribendos oculos reppererunt
– illorum aspiratione fit ut quod sit, non esse et quod
25 non sit, esse uideatur –, 7. Ipsi necyomantias, ipsi
sortes et oracula, ut mentes hominum per ambiguos
exitus mentita diuinatione deludant. In templis uero et
sacrificiis omnibus praesentes adsunt et prodigiis qui-
busdam fallacibus editis ad miraculum praesentium sic
30 homines circumueniunt, ut inesse numen simulacris et
imaginibus credant. 8. Inrepunt etiam corporibus ut
spiritus tenues uitiatisque membris morbos conciunt,
quos sacrificiis uotisque placati postmodum relaxent,
somnia inmittunt aut plane terrores, ut ipsi rogentur,
35 aut quorum exitus responde|ant ueritati, ut uenerationem   f. 19ᵃ
sui augeant. 9. Nonnumquam etiam in sacrilegos edunt
aliquid ultionis, ut quisquis uiderit, timidior ac religiosior
fiat. Sic fraudibus suis obduxerunt humano generi tene-
bras, ut oppressa ueritate summi ac singularis dei nomen
40 in obliuionem ueniret.

T

    23, 16 amiserant *He Br* : -runt *T* ‖ 23 circumscribendos *Pf Br* : -
das *T* ‖ 33 placati *Pf Br* : -tis *T*

des rois morts, à construire des temples, à faire des statues, non pas pour diminuer la gloire rendue à Dieu ou pour augmenter la leur, qu'ils avaient perdue par leur péché, mais pour arracher la vie aux hommes, leur enlever l'espoir de la vraie lumière, et les empêcher de parvenir à la récompense céleste de l'immortalité, d'où eux étaient tombés. 5. Ils firent aussi connaître l'astrologie, l'augurat, l'haruspicine : ces pratiques ont beau être fausses en soi, ces fauteurs de maux les règlent, les organisent de telle manière qu'on les croie vraies. 6. Eux-mêmes imaginèrent aussi les illusions de l'art magique pour tromper les yeux – leurs suggestions font que ce qui est paraît ne pas être et que ce qui n'est pas paraît être. 7. Eux-mêmes imaginèrent les nécromancies, les sorts et les oracles, pour abuser l'esprit des hommes par des résultats ambigus, car la divination est mensongère. Mais par leur présence dans tous les temples et tous les sacrifices, ils sont là, et par des prodiges fallacieux produits pour étonner les assistants, ils circonviennent les hommes, pour leur faire croire que la divinité se trouve dans des statues et des images. 8. Ils s'insinuent même dans les corps comme des esprits ténus, et corrompent les organes pour causer des maladies et les en soulager ensuite, quand ils ont été apaisés par des sacrifices et des vœux. Ils envoient des songes qui sont soit de purs cauchemars, afin qu'on leur adresse des prières, soit des rêves dont l'issue correspond à la réalité, afin d'augmenter la vénération qu'on leur porte. 9. Parfois même ils exercent une vengeance contre les sacrilèges, pour que ceux qui en sont les témoins deviennent plus craintifs et plus scrupuleux. Ainsi, par leurs tromperies, ils ont recouvert de ténèbres le genre humain pour écraser la vérité et faire oublier le nom du Dieu suprême et unique.

24, 1. Sed dicet quisquam : cur ergo uerus ille deus
patitur haec fieri ac non potius malos uel summouet
uel extinguit ? Cur uero ipse daemoniarchen a principio
fecit, ut esset qui cuncta corrumperet, cuncta disper-
5 deret ? 2. Dicam breuiter cur hunc talem esse uoluerit.
Quaero utrumne uirtus bonum sit an malum. Negari
non potest, quin bonum. Si bonum est uirtus, malum
est igitur e contrario uitium. 3. Si uitium ex eo malum
est, quia uirtutem inpugnat, et uirtus ex eo bonum est,
10 quia uitium adfligit, ergo non potest uirtus sine uitio
consistere et si uitium sustuleris, uirtutis merita tollentur.
Nec enim potest ulla fieri sine hoste uictoria. Ita fit ut
bonum sine malo esse non possit. 4. Vidit hoc Chry-
sippus uir acris ingenii | de prouidentia disserens eosque   f. 19ᵗ
15 stultitiae redarguit, qui bonum quidem a deo factum
putant, malum autem negrant. 5. Huius sententiam
interpretatus est A. Gellius in libris Noctium Atticarum

T

24, 1 dicet *Br* : dicit *T* ‖ 2 ac non *Da Br* : an *T* ‖ 3 ipse *Da
Br* : ipsi *T*

---

1. Ce chapitre est entièrement rajouté par rapport aux *Inst.* Par
sa longueur et son importance doctrinale, c'est l'addition la plus
importante que contient l'*Épit.* (voir PERRIN, « Ch. 24 »). Il n'y a
pas de raisons particulières de penser que ce chapitre est, en tout
ou partie, interpolé. Lactance veut dire (par la citation de Chrysippe
qu'il a trouvée tardivement chez Aulu-Gelle) que Dieu a choisi pour
l'homme la liberté et la sagesse, qui impliquent, en tant que choix,
la complémentarité ontologique du bien et du mal. Le mal ne peut
pas ne pas être l'envers du bien. Rappelons en outre que la question
Cur mala... est typique du moyen-platonisme. Cf. ARN., 2, 55 :

24, 1[1]. Mais, dira-t-on, pourquoi donc ce Dieu vrai supporte-t-il qu'il en soit ainsi, et pourquoi ne repousse-t-il pas plutôt les esprits méchants ou ne les anéantit-il pas ? Et pourquoi a-t-il lui-même créé dès le commencement le chef des démons, en sorte qu'existât un corrupteur universel, un destructeur universel ? 2. Je dirai brièvement pourquoi il a voulu qu'existât un tel être. Je demande si la vertu est un bien ou un mal. On ne peut nier qu'elle soit un bien. Si la vertu est un bien, le vice, à l'opposé, est donc un mal. 3. Si la malignité du vice vient de ce qu'il attaque la vertu, et l'excellence de la vertu de ce qu'elle terrasse le vice, la vertu ne peut donc exister sans le vice, et si l'on supprime le vice, on enlève ses mérites à la vertu. De fait, il ne peut pas y avoir de victoire sans ennemi. Ainsi se fait-il que le bien ne peut exister sans le mal. 4. Quand Chrysippe, cet homme à l'intelligence pénétrante, a disserté de la Providence, il a bien vu cela et il a convaincu de sottise ceux qui pensent que le bien certes a été fait par Dieu, mais qui disent que le mal ne l'a pas été. 5. Dans ses livres des *Nuits attiques*, Aulu-Gelle a traduit en ces termes l'assertion

« Pourquoi Dieu ne supprime-t-il pas ces maux, et les laisse-t-il progresser dans tous les siècles opiniâtrement et continûment ? » – Arnobe pense que l'homme n'a pas à répondre à ces questions, parce qu'il ne possède pas l'intelligence de Dieu. En outre, Dieu n'est pas cause du mal. Enfin, la solution adoptée par Lactance est proche de celle de Proclus (cf. D. ISAAC, Introduction à PROCLUS, *Trois études sur la Providence*, *CUF*, t. 3, Paris 1982, p. 15) : le mal existe, mais sous le seul mode de la contradiction. Dieu est donc disculpé du reproche d'avoir voulu le mal. Tel est bien le but poursuivi par Lactance en ce chapitre.

sic dicens : « Quibus non uidetur mundus dei et hominum causa institutus neque res humanae prouidentia
20 gubernari, graui se argumento uti putant, cum ita
dicunt : " Si esset prouidentia, nulla essent mala ". Nihil
enim minus aiunt prouidentiae congruere quam in eo
mundo quem propter homines fecisse dicatur, tantam
uim esse aerumnarum et malorum. 6. Ad ea Chrysippus
25 cum in libro περὶ προνοίας quarto dissereret, " nihil
prorsus " inquit " istis insulsius qui opinantur bona esse
potuisse, si non essent itidem mala. 7. Nam cum bona
malis contraria sint, utraque necesse est opposita esse
inter se et quasi mutuo aduersoque fulta nisu consistere :
30 nullum adeo contrarium est sine contrario altero. 8.
Quo enim pacto iustitiae sensus esse posset, nisi essent
iniuriae, aut quid aliud iustitia est quam iniustitiae
priuatio ? Quid item fortitudo | intellegi potest nisi ex   f. 20*
ignauiae appositione, quid continentia nisi ex intempe-
35 rantia ? Quo item modo prudentia esset, nisi foret
contraria inprudentia ? 9. Proinde " inquit " homines
stulti cur non hoc etiam desiderant, ut ueritas sit et
non sit mendacium ? Namque itidem sunt bona et mala,
felicitas et inportunitas, uoluptas et dolor. Alterum enim

24, 18-41 GELL., *Noct.*, 7, 1 ‖ 39-41 Cf. PLAT., *Phaedo*, 60B

T

24, 18-23 quibus – quem propter *deest in codd. Gellii* ‖ 23 quem
propter *Da Br* : ~ *T* ‖ 24 ad *T* : aduersus *Mar* ‖ 25-26 nihil –
insulsius *T* : nihil est prorsus istis, inquit, insubidius *Mar* ‖ 27 itidem
Pf Br Mar : ibidem *T* ‖ 28 necesse *T* : -um *Mar* ‖ 28-29 esse inter
se *T* : inter sese *Mar* ‖ 33 potest *T* : posset *Mar* ‖ 34 intemperantia
T : -ae *Mar* ‖ 35 foret *Da Br Mar* : forte *T* ‖ 36 contraria *T* :
contra *Mar* ‖ 39 inportunitas *T* : infor- *Mar* ‖ uoluptas et dolor *T* :
d. et u. *Mar*

de Chrysippe [1] : « Selon certains, le monde n'a pas été établi pour Dieu et les hommes, et les choses humaines ne sont pas gouvernées par la Providence. Et ils pensent user d'un argument de poids quand ils disent : " Si la Providence existait, les maux n'existeraient pas. " Et, à les entendre, rien ne s'accorde moins à la Providence que le fait que, dans un monde que l'on dit avoir été fait pour les hommes, il y ait pareille abondance de misères et de maux. 6. Quand Chrysippe en traitait dans son quatrième livre *Sur la Providence*, il répondait ainsi à leur argument : " Il n'est absolument rien de plus insensé que ces gens qui opinent que les biens auraient pu exister si les maux n'existaient pas eux aussi. 7. Car, puisque les biens sont le contraire des maux, il est nécessaire que les uns et les autres soient opposés entre eux et n'existent, pour ainsi dire, qu'en s'étayant mutuellement par leurs efforts adverses ; tant il est vrai qu'aucun contraire ne peut exister sans un second contraire. 8. De fait, comment le sens de la justice pourrait-il exister si les injustices n'existaient pas, et la justice est-elle autre chose que l'élimination de l'injustice ? De même, comment concevoir le courage, sinon en lui comparant la lâcheté ? Comment concevoir la modération, sinon à partir de l'excès ? De même, comment existerait la prudence si son contraire, l'imprudence, n'était pas là ? 9. Par conséquent, dit-il, pourquoi ces fous ne désirent-ils pas également que la vérité existe, sans qu'existe le mensonge ? Car biens et maux, chance et malchance, plaisir et douleur, se trouvent dans le même rapport. En effet, comme le dit Platon, ils ont été liés l'un à l'autre par leurs

1. Ce renvoi à Chrysippe montre bien que le texte de Lactance n'est pas fondamentalement dualiste ici : son enseignement dérive de la théorie stoïcienne des contraires.

40 ex altero, sicut Plato ait, uerticibus inter se contrariis
deligatum : si tuleris unum, abstuleris utrumque. » 10.
Vides ergo, id quod saepe dixi, bonum et malum ita
sibi esse conexa, ut alterum sine altero constare non
possit. Summa igitur prudentia deus materiam uirtutis
45 in malis posuit : quae idcirco fecit, ut nobis constitueret
agonem, in quo uictores inmortalitatis praemio coro-
naret.

25, 1. Docui, ut opinor, cultus deorum non modo
impios, sed etiam uanos esse, uel quod homines fuerint,
quorum memoria post obitum consecrata sit, uel quod
simulacra ipsa insensibilia et surda sint, quia sunt ficta
5 de terra, nec oportere hominem, qui debeat spectare
cae|lestia, terrenis se subiugare, uel quod spiritus qui   f. 20
eas religiones sibi uindicant, incesti et inpuri sint et
ideo dei sententia condemnati ceciderint in terram, nec
fas esse in eorum dicionem uenire quibus potior sis, si
10 deum uerum sequi uelis.

2. Superest ut quoniam de falsa religione diximus,
etiam de falsa sapientia disseramus, quam philosophi pro-
fitentur homines summa quidem doctrina et eloquentia
praediti, sed longe a ueritate summoti, quia nec deum

T

24, 40 sicut T : sicuti Mar

---

1. Ce chapitre fait la soudure entre Inst., 2 et Inst., 3, mais son
thème ne correspond pas exactement au début d'Inst., 3.

extrémités opposées : si on enlève l'un, on supprimera
l'un et l'autre. » 10. Tu le vois donc – et je l'ai
souvent dit –, le bien et le mal sont liés ensemble de
telle manière que l'un ne peut exister sans l'autre.
11. Dans sa suprême sagesse, Dieu a donc placé la
matière de la vertu dans les maux ; et s'il l'a fait,
c'est afin d'instituer pour nous un concours et d'y
couronner les vainqueurs par la récompense de l'immortalité.

25, 1[1]. Je crois avoir montré que les cultes des
dieux sont non seulement impies, mais même vains,
soit du fait que ces dieux ont été des hommes dont
on a consacré la mémoire après leur mort ; soit du
fait que les statues elles-mêmes sont insensibles et
sourdes, ayant été modelées en terre, et qu'il ne faut
pas que l'homme, qui doit contempler les choses
célestes, se soumette aux choses terrestres ; soit enfin
du fait que les esprits qui revendiquent pour eux ces
cultes sont incestueux et impurs, qu'ils ont été pour
cette raison condamnés par le jugement de Dieu, qu'ils
sont tombés sur la terre, et qu'il n'est pas permis à
qui veut suivre le vrai Dieu de tomber sous la
domination d'êtres auxquels il est supérieur.

2. Puisque nous avons parlé de la fausse religion, il
nous reste à traiter aussi de la fausse sagesse, celle
que professent les philosophes, gens supérieurement
doués de savoir et d'éloquence, mais bien éloignés de
la vérité, car ils n'ont connu ni Dieu, ni la sagesse de
Dieu. 3. Ils ont beau être fins et diserts, cependant,

15 nec sapientiam dei cognouerunt. 3. Qui licet sint arguti
    ac diserti, tamen quia humana est eorum sapientia,
    etiam cum his congredi non uerebor, ut appareat a
    ueritate mendacium, a caelestibus terrena facile posse
    superari. 4. Quid sit philosophia hoc modo definiunt :
20 philosophia est amor uel studium sapientiae. Non est
    ergo ipsa sapientia, quia necesse est aliud esse quod
    amat, aliud quod amatur. Si studium est sapientiae, ne
    sic quidem philosophia sapientia est. Sapientia enim res
    est ipsa quae quaeritur, studium uero quod quaerit.
25 5. Ipsa igitur definitio uel nominis | significatio declarat   f. 21
    philosophiam non esse ipsam sapientiam. Dicam ne
    studium quidem esse sapientiae quo sapientia non
    conprehenditur. Quis enim studere dicatur ei rei quam
    nullo modo possit attingere ? 6. Qui medicinae aut
30 grammaticae aut oratoriae studet, studiosus eius artis
    quam discit dici potest : ubi didicit, iam medicus, iam
    grammaticus, iam orator dicitur. Sic oportuit et studiosos
    sapientiae, postquam didicissent, sapientes nominari. 7.
    Eum autem studiosi sapientiae quamdiu uiuant uocentur,

T

25, 15 sapientiam *Pf Br* : -tia *T* ‖ 20 sapientiae *T* : + si amor
est sapientiae *Br* ‖ 23 enim *Pf Br* : autem *T*

---

1. Mélange de *locus humilitatis propriae* et d'hymne à la vérité,
bien à sa place dans les exordes et les conclusions.

2. *Amor sapientiae* est une expression unique chez Lactance.
Dans les *Inst.*, on lit *quaerere, quaesitor* et *studium sapientiae* (*Inst.*,
3, 2, 3). Lactance propose donc deux traductions dans l'*Épit.* :
uariatio ou imitation de CICÉRON (*Lael.*, 1, 58 : *amor sapientiae* ;
Off., 2, 2, 5 : *studium sapientiae*).

leur sagesse n'étant qu'humaine, je ne craindrai pas de
me mesurer même avec eux, pour qu'il apparaisse que
la vérité peut facilement surpasser l'erreur et les choses
célestes les choses terrestres[1]. 4. Ils définissent ainsi
ce qu'est la philosophie : la philosophie est l'amour ou
l'étude de la sagesse[2]. Elle n'est donc pas la sagesse
même, car l'amant est nécessairement distinct de l'objet
de son amour. Si elle est l'étude de la sagesse, en ce
cas la philosophie n'est pas non plus la sagesse. En
effet, la sagesse est l'objet même de la recherche, et
l'étude en est la recherche. 5. Par conséquent, la
définition même ou la signification du terme montre
que la philosophie n'est pas la sagesse même. Je dirai
que ce qui n'embrasse pas la sagesse n'est pas non
plus l'« étude de la sagesse ». De fait, peut-on dire de
quelqu'un qu'il « étudie une chose » s'il ne peut nullement l'atteindre ? 6. De celui qui étudie la médecine,
la grammaire ou l'art oratoire, on peut dire que c'est
un étudiant dans l'art qu'il apprend : quand il a fini
d'apprendre, on l'appelle désormais médecin, grammai-
rien, orateur[3]. Ainsi aurait-il fallu que ceux qui étudient la sagesse fussent eux aussi appelés sages après
avoir fini leur apprentissage. 7. Or, comme on les
appelle toute leur vie étudiants de sagesse[4], de toute

3. La séquence concernant la médecine, la grammaire, l'art
oratoire ne figure pas dans les *Inst.*, (*exempla* à fin pédagogique,
dirigés contre les philosophes). Il est possible que la nature de cette
liste soit inspirée par la législation impériale (H.-I. MARROU, *Histoire
de l'éducation dans l'Antiquité*, t. 2. *Le monde Romain*, Paris 1981,
p. 110 s.)
4. Expression cicéronienne (*Tusc.*, 5, 3, 9).

35 apparet illud studium non esse quo ad ipsam rem
quae studio petitur non potest perueniri ; nisi forte
qui ad finem usque uitae ut sapiant student, apud
inferos sapientes erunt. Omni autem studio subiacet
finis. Non est igitur id studium rectum quod non habet
40 finem.

26, 1. Praeterea duo sunt quae cadere in philosophiam uidentur, scientia et opinatio : quae si auferantur,
tota philosophia corruit. Atquin utrumque philosophiae
ipsi philosophorum principes ademerunt. 2. Scien|tiam   f. 21 ᵛ
5 Socrates, opinationem sustulit Zeno, uideamus an recte.
« Sapientia est », ut Cicero definiuit, « diuinarum et
humanarum rerum scientia ». Quae definitio si uera est,
non cadit in hominem sapientia. 3. Quis enim mortalium hoc sibi possit adsumere, ut diuina et humana
10 scire se profiteatur ? Humana omitto : quae quamquam
cum diuinis conexa sunt, tamen quia sunt hominis,
concedamus ut homo illa scire possit. 4. Diuina certe
per <se> scire non potest, quia homo est : qui autem
scit illa, diuinus sit necesse est ac propterea deus.
15 Homo autem nec diuinus nec deus est. Non potest
igitur per <se> scire homo diuina. Nemo ergo sapiens
nisi deus aut certe is homo quem deus docuit. 5. Illi

26, 6-7 CIC., *Off.*, 2, 2, 5

T

25, 35 quo *Br* : quod *T* ‖ 38 omni *Pf Br* : omnia *T*
26, 16 se *Da Br : om. T* ‖ 17 is *Br* : his *T*

---

1. Sans une révélation divine, la science est inaccessible à
l'homme, et opiner est indigne d'un philosophe. Lactance aboutit
ainsi à l'élimination de la philosophie. Il améliore ici la présentation
de sa démonstration des *Inst.* en la rendant plus rigoureuse.

évidence, une activité qui ne permet pas de parvenir
à l'objet même de l'étude, n'est pas une étude ; à
moins que par hasard ceux qui étudient jusqu'au terme
de leur vie pour être sages ne soient un jour sages
dans les enfers. Or toute étude a un terme. Ce qui
n'a pas de terme n'est donc pas vraiment une étude.

26, 1[1]. En outre, il y a deux choses qui semblent
du domaine de la philosophie : la science et l'opinion ;
si on les enlève, toute la philosophie s'effondre. Et
pourtant les princes mêmes des philosophes[2] les ont
ôtées l'une et l'autre à la philosophie. 2. Socrate a
supprimé la science et Zénon l'opinion ; voyons s'ils
ont eu raison. Selon la définition de Cicéron, « la
sagesse est la science des choses divines et humaines ».
Si cette définition est correcte, la sagesse n'est pas du
domaine de l'homme. 3. Quel mortel pourrait en effet
revendiquer pour lui de faire profession de connaître
les choses divines et humaines ? Je laisse de côté les
choses humaines : bien qu'elles soient liées aux divines,
comme elles sont le fait de l'homme, accordons qu'un
homme pourrait les connaître. 4. Mais il ne peut
assurément pas connaître par lui-même les choses
divines, parce qu'il est homme : celui qui les sait est
nécessairement divin et donc Dieu. Or l'homme n'est
ni divin ni Dieu. L'homme ne peut donc pas par lui-
même connaître les choses divines. Personne n'est donc
sage, si ce n'est Dieu, ou du moins un homme qui a
reçu l'enseignement de Dieu. 5. Or puisque les philosophes ne sont pas des dieux et qu'ils n'ont pas reçu

2. Appellation donnée par Lactance à Pythagore, Socrate, Platon,
Aristote, Zénon, Cicéron et Caton.

autem quia nec dii sunt nec a deo docti, sapientes ergo
id est diuinarum et humanarum rerum scientes esse non
20 possunt. Recte igitur a Socrate atque Academicis scientia
sublata est. 6. Opinatio quoque non congruit sapienti :
id enim quisque opinatur quod ignorat. Opinari autem
scire te quod ignores, temeritas ac stultitia est. Recte
igitur | opinatio a Zenone sublata est. Si ergo scientia   f. 22
25 in homine nulla est et opinatio esse non debet, philosophia radicitus amputatur.

    27, 1. Huc accedit quod non est uniformis, sed
diuisa in sectas et in multas discrepantesque sententias
dissipata statum non habet. Cum enim singulae alias
omnes inpugnent et adfligant nec sit aliqua ex iis quae
5 non iudicio ceterarum stultitiae condemnetur, utique
discordantibus membris corpus omne philosophiae ad
interitum deducitur. 2. Hinc Academia postmodum
nata est. Nam cum uiderent eius sectae principes omnem
philosophiam philosophis inuicem oppugnantibus esse
10 subuersam, susceperunt aduersus omnes bellum, ut
omnia omnium dissoluerent, nihil ipsi adserentes nisi
unum, nihil sciri posse. 3. Ita sublata scientia philosophiam ueterem subruerunt. Sed ne ipsi quidem philosophorum nomen retinuerunt qui ignorantiam
15 fatebantur, quia nescire omnia non modo philosophi,
sed ne hominis quidem sit. 4. Ita <fit ut> philosophi
quia nihil munimenti habent, mutuis se uulneribus

T

    27, 10 susceperunt *Pf Br* : subre- *T* ‖ 16 fit ut *Br* : *om. T* ‖
17 munimenti *Pf Br* : moni- *T*

    1. *Vniformis* ne se retrouve chez Lactance qu'en *Inst.*, 6, 9, 7
(la justice que Dieu propose à tous). L'idée est que toute chose,
tout groupement, dont les éléments sont divisés, est condamné (*Inst.*,
3, 4, 14).

l'enseignement de Dieu, ils ne peuvent être des sages, c'est-à-dire des gens qui connaissent les choses divines et humaines. Socrate et les Académiciens ont donc eu raison de supprimer la science. 6. Opiner ne convient pas non plus au sage : de fait, on opine sur ce qu'on ignore. Or opiner que l'on sait ce qu'on ignore, c'est une témérité et une folie. Par conséquent, Zénon a eu raison de supprimer l'opinion. Si donc la science n'existe pas chez l'homme et si l'opinion n'a pas droit à l'existence, la philosophie est amputée radicalement.

27, 1. De plus, la philosophie n'a pas qu'une seule forme[1], mais, divisée en sectes et dispersée en de nombreux avis discordants, elle n'a pas de position stable. De fait, comme chaque secte attaque et abat toutes les autres, et qu'il n'y en a pas une qui ne soit déclarée coupable de folie par le jugement de toutes les autres, tout le corps de la philosophie est évidemment entraîné à sa perte par le désaccord entre ses membres. 2. De là, peu après, est née l'Académie : comme les chefs de cette secte voyaient que les assauts réciproques des philosophes avaient détruit l'ensemble de la philosophie, ils entreprirent donc une guerre contre tous les philosophes pour détruire toutes les affirmations de tous les philosophes, et ils n'affirmèrent eux-mêmes qu'une seule chose : on ne pouvait rien savoir. 3. Après avoir ainsi supprimé la science, ils abattirent l'ancienne philosophie. Mais eux-mêmes ne conservèrent même pas le titre de philosophes : ils avouaient leur ignorance, et tout ignorer est indigne non seulement d'un philosophe, mais même d'un homme[2]. 4. Ainsi se fait-il que, n'ayant aucun moyen

2. *Non modo ... sed ... ne ... quidem* équivaut à *non modo non – sed ne ... quidem* (LEUMANN, p. 519[1-2]).

extinguant | et ipsa tota philosophia suis se armis   f. 22
consumat ac finiat. 5. At enim sola physice labat.
20 Quid ? Illa moralis num aliqua firmitate subnixa est ?
Videamus an philosophi in hac saltem parte consentiant,
quae ad uitae statum pertinet.

28, 1. Quod sit in uita summum bonum quaeri
necesse est, ut ad illud uita omnis et actiones nostrae
derigantur. Cum de hominis summo bono quaeritur,
tale constitui debet, primum ut id ad hominem solum
5 pertineat, deinde ut animi sit proprium, postremo ut
uirtute quaeratur. 2. Videamus ergo an summum
bonum quod philosophi determinant tale sit, ut nec
mutum animal nec corpus attingat nec possit sine uirtute
conquiri. 3. Aristippus Cyrenaicae sectae conditor, qui
10 summum bonum esse censuit corporis uoluptatem, de
numero philosophorum deque coetu hominum propel-
lendus est, qui se pecudi conparauit. 4. Hieronymi
summum bonum est nihil dolere, Diodori, dolere de-
sinere. Sed <et> ceterae animantes dolorem fugiunt et
15 cum non dolent aut dolere desinunt, gaudent. | Quid   f. 23
igitur homini dabitur eximium, si bonum eius summum
commune cum beluis iudicatur ? 5. Zeno summum
bonum putauit cum natura congruenter uiuere. At haec
definitio generalis est. Omnes enim animantes cum

T

28, 6 uirtute *Pf Br* : -tem *T* ‖ 12 qui *T Sta* : quia *Br* ‖ 13 dolere
Pf Br : dolore *T* ‖ 14 et *He Br* : *om. T*

---

1. Lactance se propose de faire table rase des philosophies
antiques avant d'exposer sa thèse. L'ordre suivi dans l'*Épit.* va du
plus matériel au plus spirituel. En comparaison, les *Inst.* donnent
une impression de désordre ; de plus, le « catalogue » (3, 7) et la
critique (3, 8) y étaient séparés.
2. *Beluis* est plus dur que *cetera animalia* d'*Inst.*, 5, 10, 1 (mais

de se protéger, les philosophes se détruisent par leurs blessures réciproques et que toute la philosophie même s'épuise et s'achève par ses propres armes. 5. Mais en fait seule la physique menace ruine. Quoi donc ? La morale a-t-elle un fondement solide ? Voyons si les philosophes s'accordent du moins sur cette partie qui touche à la façon de vivre.

28, 1[1]. Il nous faut rechercher ce qu'est dans la vie le souverain bien pour régler selon lui toute notre vie et nos actions. Quand on s'enquiert du souverain bien de l'homme, on doit l'établir tel qu'il concerne d'abord uniquement l'homme, ensuite qu'il soit particulier à l'âme, enfin qu'on le recherche par vertu. 2. Voyons donc si le souverain bien que définissent les philosophes est tel qu'il ne concerne ni l'animal dépourvu de la parole, ni le corps, et qu'il soit impossible de le rechercher sans vertu. 3. Aristippe, le fondateur de la secte cyrénaïque, a été d'avis que le souverain bien était le plaisir du corps : on doit donc le chasser du nombre des philosophes et de la société humaine, pour s'être mis au rang des bêtes[2]. 4. Pour Hiéronyme, le souverain bien consiste en l'absence de souffrances ; pour Diodore, en la cessation des souffrances. Mais tous les autres êtres vivants fuient la douleur et, quand ils ne souffrent pas ou cessent de souffrir, ils se réjouissent. Quel privilège donnera-t-on donc à l'homme, si l'on estime que son souverain bien lui est commun avec les bêtes ? 5. Zénon a pensé que le souverain bien était de vivre en accord avec la nature. Mais cette définition est par trop générale. En effet,

déjà en *Inst.*, 3, 8, 17) : Lactance accentue des traits qui étaient déjà présents dans les *Inst.*

20 natura congruenter uiuunt et est sua cuique natura. 6.
    Epicurus animi adseruit uoluptatem. Quid est uoluptas
    animi nisi gaudium, quo plerumque luxuriat animus ac
    relaxatur uel ad lusum uel ad risum ? Sed hoc bonum
    etiam muta contingit, quae cum pabulis saturata sunt,
25 in gaudium et lasciuiam resoluuntur. 7. Dinomachus
    et Callipho honestam uoluptatem probauerunt, sed aut
    idem dixerunt quod Epicurus, ut corporis sit uoluptas
    inhonesta, aut si corporis uoluptates alias turpes, alias
    honestas putauerunt, iam non est summum bonum quod
30 corpori adscribitur. 8. Peripatetici ex bonis animi et
    corporis et fortunae summum bonum conflant. Animi
    bona probari possunt. Sed si auxilio indigent ad conplen-
    dam beatitudinem, utique inbecilla sunt. | Corporis uero   f. 23
    atque fortunae non sunt in hominis potestate nec iam
35 summum bonum est quod aut corpori aut extra positis
    adsignatur, quia et pecudes attingit hoc duplex bonum,
    quibus opus est ut et bene ualeant et uictu non
    indigeant. 9. Stoici aliquando melius sensisse creduntur,
    qui summum bonum uirtutem esse dixerunt. Sed uirtus
40 non potest esse summum bonum, quoniam si malorum
    laborumque tolerantia est, beata per se non est, sed
    efficere ac procreare summum bonum debet, quia perue-
    niri ad illud sine difficultate ac labore maximo non
    potest. 10. At uero Aristoteles longe a ratione aber-
45 rauit, qui honestatem uirtuti copulauit : quasi aliquando
    uirtus aut ab honestate secerni aut turpitudini possit
    adiungi. 11. Herillus Pyrrhonius scientiam fecit sum-

T
  28, 34 potestate *Pf* : -tem *T Br* ‖ 42 ac *Da Br* : aut *T*

tous les êtres vivants vivent en accord avec la nature, et chacun a sa propre nature. 6. Épicure a soutenu que c'était la volupté de l'âme. Qu'est ce que la volupté de l'âme, sinon la joie, par laquelle l'âme s'abandonne généralement aux excès et se détend, soit pour jouer, soit pour rire ? Mais ce bien concerne même les êtres dépourvus de parole : lorsqu'ils sont rassasiés de fourrage, ils se laissent aller à se réjouir et à folâtrer. 7. Dinomaque et Calliphon ont approuvé le plaisir convenable, mais ou bien ils ont dit comme Épicure, que le plaisir du corps est déshonnête, ou bien, s'ils ont pensé que certains plaisirs du corps étaient scandaleux et d'autres convenables, ce n'est plus le souverain bien qui sera assigné au corps. 8. Les péripatéticiens forment leur souverain bien en mélangeant des biens de l'âme, du corps et de la fortune. Les biens de l'âme peuvent être approuvés. Mais s'ils ont besoin d'un secours pour rendre complet le bonheur, ils sont évidemment faibles. Quant aux biens du corps et de la fortune, ils ne sont pas au pouvoir de l'homme : dès lors, le souverain bien n'est pas un bien assigné soit au corps soit à des biens extérieurs, parce que ce double bien concerne aussi les bêtes, qui ont besoin de bien se porter et de ne pas manquer de nourriture. 9. Les stoïciens, croit-on, ont eu un avis sensiblement meilleur, eux qui ont dit que le souverain bien était la vertu. Mais la vertu ne peut être le souverain bien, puisque, si elle consiste à endurer les maux et les peines, elle n'est pas heureuse par elle-même, mais elle doit réaliser et procréer le souverain bien, du fait qu'il est impossible d'y parvenir sans la plus grande difficulté et la plus grande peine. 10. Quant à Aristote, il s'est bien éloigné de la raison, en unissant la moralité à la vertu comme si parfois la vertu pouvait se séparer de la moralité ou s'associer à l'immoralité. 11. Hérillos

mum bonum. Haec quidem et hominis et animi solius
est, sed potest sine uirtute contingere. Nec enim beatus
50 putandus est qui uel auditu aliquid didicerit uel parua
lectione cognouerit, nec est summi boni definitio, | quia   f. 24
potest esse aut rerum malarum aut certe inutilium
scientia. 12. Et si sit bonarum et utilium quam labore
sis adsecutus, summum tamen bonum non est, quia non
55 propter se expetitur scientia, sed propter aliud. Nam
idcirco artes discuntur, ut sint nobis aut uictui aut
gloriae aut etiam uoluptati ; quae utique summa bona
esse non possunt. 13. Ergo ne in ethica quidem
philosophi regulam tenent, quandoquidem in ipso car-
60 dine, id est in ea disputatione qua uita formatur, inter
se pugnant. 14. Nec enim possunt paria esse aut similia
praecepta, cum alii forment ad uoluptatem, alii ad
honestatem, alii uero ad naturam, alii ad scientiam, alii
ad quærendas, alii ad fugiendas opes, alii ad nihil
65 dolendum, alii ad patientiam malorum : in quibus omnibus, sicut superius ostendi, a ratione declinant, quia
deum nesciunt.

29, 1. Videamus nunc quod [quid sit summum
bonum] sit propositum sapienti summum bonum. Ad
iustitiam nasci homines non modo litterae sacrae docent,
uerum etiam idem ipsi philo|sophi nonnumquam faten-   f. 24

T
29, 1-2 quod *Br* : + quid - bonum *T*

1. Précision absente des *Inst.*
2. Lactance « contamine » deux passages des *Inst.* sur la morale
« positive », il repense les *Inst.* : à la « fausse sagesse des philosophes » (*Inst.*, 3, 11 ; 6, 9, 12) correspond le « vrai culte » (*Inst.*,
3, 9, 1).

le pyrrhonien a fait de la science le souverain bien. Il
est bien vrai que celle-ci appartient uniquement à
l'homme et à l'âme, mais elle peut exister sans vertu.
De fait, on ne peut estimer heureux celui qui a appris
quelque chose en écoutant, ou qui en a acquis la
connaissance par une rapide lecture[1], et ce n'est pas
la définition du souverain bien, parce qu'il peut exister
une science du mal ou du moins de l'inutile. 12. Et
même si c'est la science du bon et de l'utile que l'on
atteint par sa peine, elle n'est cependant pas le souverain bien, car on ne convoite pas la science pour
elle-même, mais en vue d'autre chose. De fait, on
apprend les arts pour qu'ils nous procurent soit le
moyen de vivre, soit la gloire, soit même la volupté ;
et ces biens ne peuvent évidemment pas être des
souverains biens. 13. Par conséquent, même en matière
de morale, les philosophes ne détiennent pas la règle
de référence, puisqu'ils se combattent entre eux sur le
point cardinal même, c'est-à-dire dans la discussion sur
la manière de régler sa vie. 14. Et les préceptes ne
peuvent être en effet identiques ou semblables quand
les uns les règlent pour le plaisir, les autres pour la
moralité, les uns pour la nature, les autres pour la
science, les uns pour acquérir des richesses, les autres
pour les fuir, les uns pour supprimer les souffrances,
les autres pour endurer les maux. En tout cela, comme
je l'ai montré plus haut, ils se détournent de la raison
parce qu'ils ne connaissent pas Dieu.

29, 1[2]. Voyons maintenant quel souverain bien se
trouve proposé au sage. Non seulement l'Écriture sainte
enseigne que les hommes naissent en vue de la justice,
mais encore ces mêmes philosophes le proclament

5 tur. 2. Cicero sic ait : « Sed omnium quae in hominum
doctorum disputatione uersantur, nihil est profecto
praestabilius quam plane intellegi nos ad iustitiam esse
natos. » Est hoc uerissimum. Nec enim ad scelus
nascimur, cum simus animal sociale atque commune.
10 3. Ferae ad saeuitiam gignuntur : aliter enim nequeunt
quam praeda et sanguine uictitare. Eaedem tamen, etsi
ultima fames urgueat, nihilominus generis sui animalibus
parcunt. Idem faciunt et aues quas aliarum uisceribus
pasci necesse est. 4. Quanto magis hominem, qui cum
15 homine et commercio linguae et communione sensus
copulatus est, parcere homini oportet eumque diligere !
Haec est enim iustitia.   5. Sed quoniam soli homini
sapientia data est, ut deum intellegat, et haec sola
hominis mutorumque distantia est, duobus officiis obs-
20 tricta est ipsa iustitia : unum deo debet ut patri, alterum
homini uelut fratri ; ab eodem enim deo geniti sumus.
6. Merito ergo ac recte dictum est « sapientiam esse | f. 25
diuinarum et humanarum rerum scientiam ». Oportet
enim scire nos quid deo, quid homini debeamus, deo
25 scilicet religionem, homini caritatem. Sed illud superius

29, 5-8 Cic., *Leg.*, 1, 10, 28 ‖ 8-9 Cf. Sen., *Ben.*, 7, 1 ; *Clem.*,
1, 32

T

29, 5-6 hominum doctorum *Br* : ~ *T* ‖ 22 sapientiam *Pf Br* : -
tia *T*

---

1. *Sociale ac commune* : seul exemple de cette association de
termes chez Lactance (Perrin, *L'homme*, p. 400).
2. Même les carnivores épargnent les animaux de leur espèce.

parfois eux-mêmes. 2. Cicéron s'exprime ainsi : « De tous les sujets sur lesquels roulent les discussions des savants, le plus important est assurément de comprendre clairement que nous sommes nés en vue de la justice. » Cela est très vrai. Et de fait, nous ne naissons pas en vue du crime, puisque nous sommes un animal sociable fait pour vivre en communauté[1]. 3[2]. Les bêtes fauves naissent pour la férocité, car elles ne peuvent faire autrement que de vivre indéfiniment de proies et de sang. Cependant, même si la faim les presse au dernier point, ces mêmes êtres épargnent néanmoins les animaux de leur espèce. Agissent ainsi également les oiseaux pour qui se nourrir des entrailles des autres oiseaux est une nécessité. 4. Combien l'homme, qui est uni à l'homme à la fois par le commerce du langage et par la communauté de l'intelligence, doit-il plus encore épargner l'homme et le chérir ! C'est là en effet la justice. 5. Mais puisque la sagesse a été donnée uniquement à l'homme, pour qu'il connaisse Dieu, et que c'est la seule différence qui existe entre l'homme et les animaux, la justice elle-même se trouve étroitement liée à ces deux devoirs : l'homme doit le premier à Dieu comme à son père, le second à l'homme comme à son frère[3] ; de fait, nous avons été engendrés par le même Dieu. 6. Par conséquent, on dit à bon droit et avec raison que « la sagesse est la science des choses divines et humaines[4] ». Il faut en effet que nous sachions ce que nous devons à Dieu et ce que nous devons à l'homme : à Dieu, bien sûr, la religion ; à

C'est un lieu commun antique de noter que les animaux sont moins cruels que les hommes.

3. *Patrem ... fratrem* : même parallélisme en *Ira*, 14, 5.

4. C'est tout ce qui reste de la très longue citation de Cic., *Off.*, 2, 5, 5 des *Inst.* Le texte est déjà cité en *Épit.*, 26, 2.

sapientiae, hoc posterius uirtutis est et utrumque iustitia conprehendit. 7. Si ergo constat ad iustitiam nasci hominem, necesse est iustum malis esse subiectum, ut uirtutem qua est praeditus in usu habeat ; uirtus enim
30 malorum sustinentia est. 8. Voluptates fugiet ut malum ; opes contemnet, quia fragiles sunt, et si habuerit, dilargietur, ut miseros seruet ; honores non appetet, quia sunt breues et caduci ; iniuriam nulli faciet, si fuerit passus, non retribuet, et diripientem sua
35 non persequetur. 9. Nefas enim iudicabit hominem laedere et si quis extiterit qui cogat desciscere a deo, nec cruciatus nec mortem recusabit. Ita fiet ut eum necesse sit et inopem et humilem et in contumeliis aut etiam cruciatibus uiuere.

30, 1. Quis igitur erit fructus iustitiae atque uirtutis, si nihil habebit in uita nisi malum ? Quodsi uirtus, quae bona omnia terrena | contemnit, mala uniuersa   f. 2:

T

29, 31 et *Pf Br* : at *T* ‖ 35 iudicabit *Pf Br* : -auit *T*

---

1. *Caritas* a sa valeur classique d'amour entre les hommes.
2. Le sens de l'expression *superius ... posterius* est indubitable, bien qu'elle soit unique chez Lactance (PERRIN, *L'homme*, p. 120, n. 461).
3. La conséquence logique d'*Épit.*, 24 est que la vertu se pratique et s'affirme en affrontant le mal. *Sustinentia* : unique emploi chez Lactance (peut-être à partir de *Rom.* 2, 4 chez CYPRIEN, *Bono pat.*, 4 et *Test.*, 3, 35). Cette définition de la vertu est à rapprocher de l'emploi de *sustinere* chez SÉNÈQUE (*Prou.*, 4, 16 : le sage supporte les maux ; *Epist.*, 67, 4).

l'homme, l'amour[1]. Mais la première relève de la sagesse, la seconde[2] de la vertu, et la justice les embrasse toutes deux. 7. Par conséquent, s'il est établi que l'homme naît en vue de la justice, il est nécessaire[3] que le juste soit soumis aux maux pour posséder en pratique la vertu dont il a été doté ; de fait, la vertu consiste à supporter les maux. 8. Le juste fuira les plaisirs comme le mal ; il méprisera les richesses parce qu'elles sont fragiles et, s'il en a, il les distribuera en largesses pour sauver les miséreux ; il ne recherchera pas les honneurs parce qu'ils sont brefs et périssables ; il ne fera injure à personne, et s'il en a eu à supporter, il ne rendra pas la pareille, et ne poursuivra pas celui qui pille ses propres biens. 9. De fait, il jugera impie de faire du mal à un homme, et s'il se trouvait quelqu'un pour le contraindre à renier Dieu, il ne refusera ni les tortures ni la mort[4]. Il lui arrivera ainsi d'être dans la nécessité de vivre pauvre, humble, dans les outrages et même les tortures[5].

30, 1. Quel sera donc le fruit de la justice et de la vertu si elle n'a en partage, dans la vie, que du mal ? Si la vertu qui méprise tous les biens terrestres, endure

---

4. Alors qu'en *Inst.*, 6, 17, 5-10, la persécution est toujours présente, elle n'est envisagée ici que comme une éventualité et comme une menace.

5. Gradation ascendante en quatre étapes (en **45**, 1 s., le juste subit le même sort que le Christ).

sapientissime perfert ipsamque mortem pro officio sus-
5 cipit, sine praemio esse non potest, quid superest nisi
<ut> merces eius immortalitas sola sit ? 2. Nam si
cadit in hominem beata uita, ut philosophi uolunt in
eo solo non dissidentes, cadit ergo et inmortalitas. Id
enim solum beatum est quod incorruptum, id solum
10 incorruptum quod aeternum. 3. Immortalitas ergo est
summum bonum, quia et hominis et animi et uirtutis
est tantum. Ad hanc dirigimur, ad hanc capiendam nati
sumus. 4. Idcirco nobis deus uirtutem iustitiamque
proponit, ut aeternum illud praemium nostris laboribus
15 adsequamur. De ipsa uero inmortalitate suo loco disseremus. 5. Restat λογικὴ philosophia, quae ad beatam
<uitam> nihil confert. Sapientia enim non in sermonis
ornatu, sed in corde atque sensu <est>. 6. Quodsi
et physica superuacua est et haec logica, in ethica uero,
20 quae sola necessaria est, philosophi errauerunt, qui
summum bonum nullo modo inuenire potuerunt, | inanis   f. 26
igitur et inutilis omnis philosophia reperitur, quae nec
rationem hominis conprehendere nec officium potuit
munusque conplere.

T
    30, 6 ut *Da Br* : *om. T* ‖ 6-7 si cadit in hominem *Pf Br* : sic
ait in homine *T* ‖ 15 inmortalitate *He Br* : non mor- *T* ‖ 17 uitam
Pf Br : *om. T* ‖ 18 est *Bu Br* : *om. T* ‖ 19 logica *Br* : ΛΟΓΙΚΑ
T

---

1. Corrélation étroite entre immortalité et béatitude (sur la
valeur religieuse et eschatologique de ce terme, cf. Loɪ, p. 65 ; 268).
D'*Inst.*, 3, 12, l'*Épit.* ne conserve que le raisonnement.

jusqu'au bout avec la plus grande sagesse tous les maux
sans exception et accepte la mort elle-même pour
accomplir son devoir, ne peut être sans récompense,
que lui reste-t-il comme récompense, si ce n'est l'immortalité seule. 2. Car si le bonheur est accessible à
l'homme, comme le veulent les philosophes – et c'est
le seul point sur lequel ils ne sont pas en désaccord –,
l'immortalité[1] lui est donc accessible aussi. En effet
seul ce qui est incorruptible est bienheureux, seul est
incorruptible ce qui est éternel. 3. Par conséquent,
l'immortalité est le souverain bien, parce qu'elle n'appartient qu'à l'homme, à l'âme et à la vertu. C'est
vers elle que nous nous dirigeons, c'est pour nous en
emparer que nous sommes nés. 4. C'est pourquoi
Dieu nous a proposé la vertu et la justice pour que
nous obtenions cette récompense éternelle pour nos
peines. Mais nous disserterons en son lieu de l'immortalité même. 5. Reste la philosophie « logique », qui
ne contribue en rien au bonheur. De fait, la sagesse
ne réside pas dans l'ornement du discours, mais dans
le cœur et l'esprit[2]. 6. Si la physique est superflue,
tout comme la logique dont je viens de parler, et si,
dans la morale, qui est seule nécessaire, les philosophes
se sont trompés, dans leur incapacité à découvrir le
souverain bien, toute la philosophie se trouve donc
être vaine et inutile, incapable qu'elle est de rendre
raison de l'homme et de remplir son devoir et sa
fonction.

2. *Inst.*, 3, 13, 3 n'a que *in corde*. Ici intelligence et foi se
rejoignent avec plus de cohérence : c'est bien une « sagesse religieuse » que Lactance propose à son lecteur.

31, 1. Quoniam de philosophia dixi breuiter, nunc etiam de philosophis pauca dicam. Epicuri doctrina haec est inprimis, nullam esse prouidentiam, et idem deos esse non abnuit : utrumque contra rationem. 2. Sed
5 si sunt dii, est igitur prouidentia. Aliter enim deus intellegi non potest, cuius est proprium prouidere. « Nihil » inquit « curat ». Ergo non modo humana, sed ne caelestia quidem curat. 3. Quomodo igitur aut unde esse illum adfirmas ? Exclusa enim prouidentia curaque
10 diuina consequens erat, ut non esse omnino deum diceres. Nunc eum uerbo reliquisti, re sustulisti. Vnde ergo rerum natura est, si deus nihil curat ? 4. « Semina » inquit « sunt minuta, quae nec uideri nec tangi possunt, quorum coitu fortuito et orta sunt omnia
15 et semper oriuntur. » 5. Si nec uidentur nec ulla corporis parte sentiuntur, unde esse illa scire potuisti ? Deinde si sunt, qua mente conueniunt, | ut aliquid   f. 26 efficiant ? Si sunt leuia, cohaerere non possunt, si hamata et angulata, ergo secabilia sunt. Hami enim et
20 anguli extant et possunt amputari. Sed haec delira et inutilia. Quid quod idem animas extinguibiles facit ?

---

1. Ici encore, l'*Épit.* est composé avec plus de rigueur que les *Inst.* : les philosophes, à l'exception d'Épicure, comparaissent selon un ordre chronologique, tandis que dans les *Inst.*, Lactance procédait par association de thèmes, ce qui amenait des redites. Il a donc repensé son texte.

2. Double faute, donc, de la part d'Épicure : négation de la Providence, et inconséquence (cette deuxième idée n'est pas explicitée aussi nettement dans les *Inst.*).

3. Parallèle approximatif, pour l'expression, à *Inst.*, 3, 17, 39 (mais sur un sujet différent). L'idée que l'épicurisme aboutit à un athéisme de fait vient sans doute de Cic., *Nat. deor.*, 1, 30, 85 ; 1, 44, 123, d'autant qu'en *Ira*, 4, 7, Lactance fait la synthèse des deux passages de Cicéron. C'est un indice de plus en faveur de la postériorité de l'*Épit.* par rapport au *De ira* : celui-ci sert à améliorer la rédaction des *Inst.*, pour la nouvelle édition abrégée qu'est l'*Épit.*

31, 1 [1]. Puisque j'ai parlé brièvement de la philosophie, je dirai maintenant quelques mots aussi au sujet des philosophes. Voci tout d'abord la doctrine d'Épicure : point de providence, et le même homme ne nie pas l'existence des dieux ; tenir ces deux propositions est contraire à la raison [2]. 2. Car s'il y a des dieux, il y a donc une providence. De fait, on ne peut concevoir autrement Dieu, dont la providence est la qualité propre. « Il ne s'occupe de rien, dit-il. » Par conséquent, non seulement il ne s'occupe pas des choses humaines, mais il ne s'occupe pas non plus des choses célestes. 3. Comment donc et à partir de quoi affirmes-tu qu'il existe ? De fait, une fois exclues la providence et la sollicitude divines, la cohérence eût exigé que tu affirmes l'inexistence absolue de la divinité. Mais tu ne l'as laissée subsister qu'en apparence, et tu l'as supprimée en réalité [3]. D'où provient donc le monde, si Dieu ne s'occupe de rien ? 4. « Il y a, dit-il, de petites semences, que l'on ne peut ni voir ni toucher et c'est par leur union fortuite que tout est né et naît toujours [4]. » 5. Si l'on ne peut les voir, ni les sentir par aucune partie du corps, comment as-tu pu savoir qu'elles existent ? Ensuite, si elles existent, quel esprit les réunit pour leur faire produire quelque chose ? Si elles sont lisses, elles ne peuvent s'accrocher ; si elles sont crochues et anguleuses, elles sont donc sécables. De fait, les crochets et les angles ont un saillant et peuvent être coupés. Mais cela est extravagant et inutile. Pourquoi donc a-t-il imaginé les âmes mortelles ?

---

4. Seule « citation » non-littérale de Lucrèce dans l'*Épit.* Lactance résume en prose les citations faites en *Inst.*, 3, 17, 17-25 (surtout Lvcr., 2, 1048-1066). Sur la question de l'existence des atomes, voir aussi *Ira*, 10, 3.

6. Quem refellunt non modo philosophi omnes et
publica persuasio, uerum etiam responsa uatum, carmina
Sibyllarum, ipsae denique diuinae uoces prophetarum,
25 ut mirum sit extitisse unum Epicurum qui cum pecoribus
ac beluis sortem hominis aequaret. 7. Quid Pythagoras,
qui primus est philosophus nominatus, qui animas quidem inmortales esse, in alia tamen corpora uel pecudum
uel auium uel bestiarum commeare ? 8. Non satius
30 fuerat eas cum suis corporibus extingui quam sic ad
aliena damnari, satius, omnino non esse quam post
hominis formam uel suem uel canem uiuere ? 9. Et
homo ineptus ut fidem dicto adderet, se ipsum Troiano
bello Euphorbum fuisse dixit, quo occiso in alias figuras
35 animalium transisse, postremo Pythagoram factum. 10.
O felicem, cui soli tanta me|moria concessa est, uel   f. 27
potius infelicem, cui translato in pecudem non licuit
nescire quid fuerit ! Atque utinam solus delirasset !
Inuenit etiam qui crederent et quidem <non> indoctos
40 homines, ad quos stultitiae transiret hereditas.

T

31, 28 esse *T* : + dixit *Br* ‖ 35 postremo *Da Br* : post rem *T* ‖
38 delirasset *Pf Br* : deliberasset *T* ‖ 39 non *Bu Br* : om. *T*

---

1. Allusion à ce que Lactance dit des philosophes en *Inst.*, 7,
12. A l'en croire, seul Lucrèce, à la suite d'Épicure, croit que les
âmes sont mortelles.

6. Il est réfuté non seulement par tous les philosophes [1] et par la croyance commune, mais aussi par les réponses des devins, les poèmes des Sibylles, enfin par les paroles divines des prophètes, en sorte qu'il est étonnant qu'il se soit trouvé un seul homme, Épicure, pour égaler le sort de l'homme à celui du bétail et des bêtes sauvages. 7. Et Pythagore, le premier à avoir été appelé philosophe, selon lequel les âmes sont sans doute immortelles, mais passent en d'autres corps, soit de bestiaux, soit d'oiseaux, soit de bêtes ? 8. N'aurait-il pas été préférable pour les âmes de s'éteindre en même temps que leurs propres corps, plutôt que d'être condamnées à d'autres corps ; n'aurait-il pas été préférable pour elles de n'exister absolument pas, plutôt que de vivre comme un porc ou un chien [2], après avoir connu la forme humaine ? 9. Et cet homme inepte, pour donner foi en sa parole, a affirmé que lui-même avait été Euphorbe pendant la guerre de Troie, qu'après la mort de ce dernier il était passé en diverses formes d'animaux, et qu'enfin il était devenu Pythagore. 10. O l'homme heureux d'avoir seul obtenu une si longue mémoire ! Ou plutôt le malheureux : après être passé dans un animal, il ne lui fut pas permis d'ignorer qui il avait été ! Et si seulement il avait été seul à délirer ! Il a même trouvé des gens pour le croire, et même des gens qui n'étaient pas des ignorants pour leur transmettre l'héritage de la folie.

2. Même rapprochement du chien et du porc comme animaux immondes chez HORACE (*Ép.*, 1, 2, 26), à propos de Circé qui métamorphosa les compagnons d'Ulysse.

32, 1. Post hunc Socrates philosophiae tenuit prin-
cipatum sapientissimus etiam oraculo dictus, quia se
fatebatur unum scire, quod nihil sciret. 2. Cuius oraculi
auctoritate abstinere se physicos oportebat, ne aut
5 quaererent ea quae scire non poterant aut scire se
putarent quae ignorabant. 3. Videamus tamen an
sapientissimus Socrates, sicut Pythius praedicauit. Vsur-
pabat hoc saepe prouerbium, « quod supra nos esset,
nihil ad nos pertinere ». Iam excessit sententiae suae
10 terminos. Nam qui unum se scire dicebat, aliud inuenit
quod tamquam sciens diceret, sed id frustra. 4. Nam
et deus, qui utique supra nos est, quaerendus est et
religio suscipienda, quae sola nos discernit a beluis :
quam quidem Socrates non modo repudiauit, uerum
15 etiam derisit per anserem canemque iurando : | quasi   f. 27ᵇ
uero per Aesculapium non posset, cui uouerat gallum.
En sapientis uiri sacrificium ! 5. Et quia eum prosecrare
ipse non potuit, amicos moriturus orauit, ut post se
soluerent uotum, scilicet ne apud inferos uelut debitor
20 teneretur. Hic profecto et pronuntiauit, quod nihil scierit
et probauit.

T

32, 12 et² *Pf Br* : ut *T* ‖ 14 repudiauit *Pf Br* : -abit *T* ‖
17 prosecrare *T* : -care *Da Br* ‖ 21 probauit *Pf Br* : -abit *T*

---

1. Cette affirmation de Socrate ne figure pas en *Inst.*, 3, 20,
mais en 3, 6, 7, à propos d'Arcésilas, dont le scepticisme s'inspire
de Socrate. L'autre élément (Socrate déclaré le plus sage par l'oracle
d'Apollon), absent des *Inst.*, peut venir de Cic., *Acad.*, 1, 4, 16 ;
2, 23, 74 et Min. Fel., 13, 2.
2. Mot très connu de Socrate, dans une formulation très proche
de celle de Min. Fel., 13, 1. Wlosok, p. 77, n. 40, donne les autres
références antiques.

32, 1. Après lui, Socrate tint le principat de la sagesse, et un oracle l'appela même « le plus sage des hommes », parce qu'il déclarait savoir seulement qu'il ne savait rien[1]. 2. Conformément à la volonté de cet oracle, il aurait fallu que les « physiciens » se récusassent, pour éviter de chercher des choses qu'ils ne pouvaient pas savoir ou de s'imaginer savoir des choses qu'ils ignoraient. 3. Voyons cependant si Socrate a été le plus sage, comme l'a proclamé le dieu pythien. Il usait souvent de ce proverbe : « Ce qui est au-dessus de nous ne nous concerne en rien[2]. » Il a eu tôt fait de passer les bornes de son propre mot. Car, alors qu'il disait qu'il ne savait qu'une seule chose, il a imaginé une autre chose qu'il a dite comme s'il la savait, mais celle-là en vain. 4. De fait, il faut rechercher Dieu qui est assurément au-dessus de nous, et il faut pratiquer la religion, seule activité qui nous distingue des bêtes[3] ; or, non seulement Socrate l'a repoussée, mais il l'a même tournée en ridicule en jurant par l'oie et par le chien : comme si vraiment il ne pouvait pas le faire par Esculape, à qui il avait promis par vœu un coq ! Voilà le sacrifice d'un homme sage ! 5. Et parce qu'il n'a pu l'offrir lui-même, comme il était sur le point de mourir, il a prié ses amis de s'acquitter de son vœu après sa mort, sûrement pour ne pas être tenu pour son débiteur dans les enfers. Cet homme-là, assurément, a affirmé qu'il ne savait rien, et il en a fait la preuve.

---

3. Deux thèmes qui ne figurent pas en *Inst.*, 3, 20 ; mais, pour la quête de Dieu, voir *Inst.*, 2, 8, 1 ; 7, 9, 12 ; *Épit.*, 65, 4, et, pour le thème de la religion qui seule nous sépare des bêtes, voir *Inst.*, 7, 9, 10 ; *Ira*, 7, 12.

33, 1. Huius auditor Plato, quem « deum philosophorum » Tullius nominat, qui solus omnium sic phi-
losophatus est, ut ad ueritatem propius accederet, tamen
quia deum ignorauit, in multis ita lapsus est, ut nemo
5 deterius errauerit, inprimis quod in libris ciuilibus omnia
omnibus uoluit esse communia. 2. De patrimoniis
tolerabile est, licet sit iniustum : nec enim aut obesse
cuiquam debet, si sua industria plus habet, aut prodesse,
si sua culpa minus. Sed, ut dixi, potest aliquo modo
10 ferri. Etiamne coniuges, etiamne liberi communes
erunt ? 3. Non erit sanguinis ulla distinctio nec genus
certum nec familiae nec cognationes nec adfinitates, sed
sicut in gregibus pecudum confusa et indiscreta omnia,
nulla erit in uiris continentia, nulla in feminis pudicitia.
15 4. Quis esse in utrisque amor coniu|galis potest, in   f. 28
quibus non est certus aut proprius affectus ? Quis erit
in patrem pius, ignorans unde sit natus ? Quis filium
diliget, quem putabit alienum ? 5. Quin etiam feminis
curiam reserauit, militiam et magistratus et imperia
20 permisit. Quanta erit infelicitas urbis illius, in qua
uirorum officia mulieres occupabunt ! Sed haec alias
latius. 6. Zeno Stoicorum magister, qui uirtutem laudat,

33, 1-5 Cf. CIC., *Rep.*, 4, 5, 5 (Bre, t. 2, p. 83 s.)

T

33, 18 putabit *Pf Br* : -auit *T* ‖ 19 reserauit *Br* : reseruauit *T*

---

1. Lactance regroupe ici des éléments d'*Inst.*, 3 (le catalogue
des philosophes) et d'*Inst.*, 6 (la morale sociale interdit d'accepter
l'*apatheia* stoïcienne, et de considérer les fautes comme égales).
D'autre part, Zénon est placé immédiatement après Platon (en *Inst.*,
3, 23, il figurait entre Démocrite et Xénophane).
2. Chez CIC., *Nat. deor.*, 2, 12, 32, la formule est nuancée par
un *quasi*.
3. Sur **33**, 1-5, voir en dernier lieu HECK, *DZ*, p. 95 s. ; 188 ;
K. BÜCHNER, « Zum Platonismus Ciceros. Bemerkungen zum vierten

33, 1[1]. Platon, son disciple, que Tullius appelle « le dieu des philosophes[2] », a, seul entre tous, philosophé de manière à s'approcher assez près de la vérité, mais, parce qu'il a ignoré Dieu, il a trébuché sur bien des points, si bien que personne n'a erré de pire façon, surtout quand, dans ses livres de politique, il a voulu que tout soit commun à tous[3]. 2. On peut le supporter pour les patrimoines, bien que cela soit injuste : de fait, on ne doit pas porter préjudice à quelqu'un, s'il doit à son activité de posséder davantage, ni lui rendre service, si par sa faute il a moins de ressources. Mais, comme je l'ai dit, on peut de quelque manière le supporter. Mais même les épouses, même les enfants seront-ils communs ? 3. Il n'y aura aucune distinction de sang, aucune naissance déterminée, point de familles ni de parentés naturelles ou par alliance, mais, comme dans les troupeaux de bétail, tout ne sera que confusion et indistinction, aucune retenue ne subsistera plus chez les hommes, aucune pudeur chez les femmes. 4. Quel amour conjugal est possible entre eux, si les uns et les autres ne possèdent aucune affection déterminée ou particulière ? Qui manifestera de la piété filiale à l'égard de son père, s'il ignore de qui il est né ? Qui chérira son fils, s'il le pense fils d'un autre ? 5. Bien plus, Platon a ouvert aux femmes l'accès de la curie, il leur a accordé le service militaire, les magistratures et les commandements. Quelle sera l'infortune de cette ville, dans laquelle les femmes s'empareront des charges des hommes ! Mais nous en

Buch von Ciceros Werk De Republica », Studia Platonica (Festschrift für Hermann Gundert), Amsterdam 1976, p. 165-184 et PERRIN, « Platon », p. 203-231. Contre la thèse d'E. Heck, K. Büchner pense qu'Épit., 33, 1-5 vient de CIC., Rep., 4.

misericordiam, quae summa est uirtus, tamquam mor-
bum animi amputandum iudicauit : quae et deo cara
25 est et hominibus necessaria. 7. Quis est enim qui
aliquo in malo constitutus nolit esse miserabilis ac non
desideret auxilia succurrentium ? Qui ad opem ferendam
non nisi misericordiae adfectu excitantur. 8. Hanc ille
licet humanitatem, licet pietatem uocet, non rem, sed
30 nomen inmutat. Hic est adfectus qui soli homini datus
est, ut inbecillitatem nostram mutuis adiumentis leua-
remus : quem qui tollit, ad uitam nos redigit beluarum.
9. Nam quod dicit paria esse peccata, ex eadem
immanitate est qua misericordiam ueluti | morbum insec-   f. 28ᵇ
35 tatur. Qui enim nullam facit differentiam delictorum,
aut leuia magnis suppliciis adficienda censet, quod est
crudelis iudicis, aut grauia paruis, quod est dissoluti.
Vtrumque rei publicae incommodum : 10. si enim
summa scelera leuiter puniantur, audacia malis crescet
40 ad facinora maiora, et si leuibus delictis poena grauior
inrogetur, multi ciues, quoniam nemo esse sine delicto
potest, in periculum uenient, qui correpti possent esse
meliores.

33, 29 CIC., *Fin.*, 4, 28, 77

T

33, 27 succurrentium qui *Da Br* : -tiumq. *T* ‖ 28 adfectu *Pf Br* :
-tus *T*

---

1. *Alias*, selon S. Brandt, renverrait à *Inst.*, 3, 21, 22. Mais
HECK (*DZ*, p. 78, n. 32) estime, après d'autres, que Lactance,
insatisfait de sa critique de Platon en *Inst.* 3, projetait un ouvrage
séparé sur Platon à qui il fait, proportionnellement du moins, une
part plus belle dans l'*Épit.* que dans les *Inst.* (cf. PERRIN, « Platon ») ;
déjà d'ailleurs en *Inst.*, 3, 21, 3, il s'excusait d'omettre des arguments
contre Platon. Pour ces deux raisons, nous nous rangeons à l'avis
d'E. Heck. De plus – et cela va encore contre S. Brandt – dire que
la grande œuvre est plus large que l'abrégé est une tautologie.
2. La critique de Lactance – absente des *Inst.* – se fonde sur
ses conséquences sociales désastreuses, ce qui est très différent du

reparlerons ailleurs[1] plus amplement. 6. Au jugement de Zénon, le maître de l'école stoïcienne, chantre de la vertu, la miséricorde, qui est la vertu suprême, doit être extirpée comme une maladie de l'âme ; elle qui est aussi chère à Dieu que nécessaire aux hommes. 7. De fait, y a-t-il un homme qui, dans le malheur où il se trouve, ne voudrait pas être digne de pitié et ne désirerait pas aide et secours ? Et ceux qui le secourent ne sont poussés à apporter de l'aide que par le sentiment de miséricorde. 8. De quelque manière qu'on l'appelle, humanité ou piété, on ne change pas la réalité, mais le nom. Ce sentiment n'a été donné qu'à l'homme pour que nous allégions notre faiblesse en nous aidant mutuellement : qui supprime ce sentiment nous réduit à la vie des bêtes. 9. Et quand il dit que toutes les fautes sont égales[2], cela procède de la même monstruosité que de s'attaquer à la miséricorde comme à une maladie. Car celui qui ne fait aucune différence entre les fautes estime ou bien qu'il faut appliquer aux fautes légères de grands supplices, ce qui est le fait d'un juge cruel ; ou bien aux fautes graves, de légers supplices, ce qui est le fait d'un juge négligent. Les deux attitudes sont également préjudiciables à l'État. 10. Effectivement, si l'on punit légèrement les plus grands crimes, l'audace des méchants croîtra, et ils commettront de plus grands forfaits, et si, pour de légers délits, on inflige une peine trop lourde, bien des citoyens seront en danger, puisque personne ne peut être impeccable, alors qu'une correction aurait pu les amender.

point de vue exprimé par CYPR., *Ep.*, 55, 15, 1, qui cherche à montrer la sottise des philosophes. Mais elle est déjà en germe chez CIC., *Off.*, 1, 25, 89, ou SEN., *Clem.*, 2, 4, 3 ; *Ira*, 1, 16, 4 ; et Lactance l'a déjà exprimée en *Ira*, 5, 12. Une fois de plus, le *De ira* sert de relais entre les *Inst.* et l'*Épit.*.

34, 1. Illa uero leuia, sed ex eadem uanitate nascuntur : Xenophanes orbem lunae decem et octo par-
tibus dixit esse maiorem quam haec nostra sit terra ;
itaque intra sinum eius aliam terram contineri, quae ab
5 hominibus et omnis generis animalibus incolatur. 2.
De antipodis quoque sine risu nec audiri nec dici
potest ; adseritur tamen quasi aliquid serium, ut cre-
damus esse homines qui uestigiis nostris habeant aduersa
uestigia. Tolerabilius Anaxagoras delirauit, qui nigram
10 niuem dixit. 3. Quorumdam non modo dicta, sed etiam
facta ridenda sunt. De|mocritus agrum suum a patre   f. 29ᵛ
sibi relictum deseruit et pascua publica fieri passus est.
4. Diogenes cum choro canum suorum, qui uirtutem
illam summam et exactam rerum omnium contemptum
15 profitetur, mendicare uictum maluit quam honesto labore
conquirere aut habere ullam rem familiarem. 5. Certe
uita sapientis exemplum esse uiuendi ceteris debet. Si
horum sapientiam omnes imitentur, quomodo stabunt
ciuitates ? 6. Sed forsitan idem Cynici exemplum
20 uerecundiae praebere potuerunt, qui palam cum coniu-
gibus suis cubitauerunt. Nescio quam possent uirtutem
defendere qui pudorem sustulerunt. 7. Non melior his
Aristippus, qui credo ut amiculae suae Laidi placeret,
Cyrenaicam instituit disciplinam, qua summi boni finem
25 in uoluptate corporis conlocauit, ne aut peccatis auc-

T

34, 8 habeant *He Br* : habent *T* ‖ 14 contemptum *Pf Br* : -tu *T*

---

1. Lactance résume les *Inst.*, mais avec des coupures considé-
rables, et dans un ordre tout à fait différent.
2. Sans équivalent exact dans les *Inst.* Lactance parle seulement
de Diogène en *Inst.*, 4, 25, 16 ; mais ce passage n'équivaut pas à
celui de l'*Épit.* S. Brandt renvoie à *Inst.*, 3, 23, 1, mais il y est

34, 1[1]. Ce qui suit est sans grande importance, mais procède de la même légèreté : selon Xénophane, le disque de la lune est dix-huit fois plus grand que cette terre qui est la nôtre : c'est pourquoi, en son sein, elle contient une autre terre habitée par des hommes et des animaux de toute espèce. 2. Des antipodes aussi, on ne peut rien entendre ni rien dire sans en rire. On soutient cependant leur existence comme s'il s'agissait de quelque chose de sérieux, pour nous faire croire qu'il y a des hommes qui marchent à l'opposé de nos pas. La folie d'Anaxagore est plus supportable : il a dit que la neige était noire. 3. Non seulement les paroles de certains sont ridicules, mais aussi leurs actes. Démocrite a laissé à l'abandon le champ que lui avait légué son père, et il a toléré qu'il devînt un pâturage public. 4. Avec le chœur de ses chiens, Diogène[2] qui professe que la vertu trouve sa perfection et son achèvement dans le mépris de toutes choses, a préféré mendier sa nourriture plutôt que de la gagner par un travail honnête ou de posséder quelque patrimoine. 5. Assurément la vie du sage doit être un modèle de vie pour tous les autres. Or donc, si tous imitent la sagesse de ces philosophes, comment les cités subsisteront-elles ? 6. Peut-être les mêmes cyniques auraient-ils pu fournir un modèle de pudeur, alors qu'ils ont couché avec leurs femmes en public. Mais je ne sais quelle vertu auraient pu défendre ceux qui ont supprimé la pudeur. 7. Aristippe n'est pas meilleur qu'eux, lui qui, je crois, pour plaire à sa petite amie Laïs, a institué la doctrine cyrénaïque, par laquelle il a placé la fin du souverain bien dans le plaisir du corps pour que les fautes ne manquent pas

seulement question, en général, du mépris du philosophes pour les richesses.

toritas aut uitiis doctrina deesset. 8. An illi fortiores
magis sunt probandi, qui ut mortem contempsisse dice-
rentur, uoluntariam necem sibi intulerunt, 9. Zeno
Empedocles Chrysippus Cleanthes Democritus et hos
30 imitatus Cato, nec scierunt homicidii crimine teneri
secundum ius legemque diuinam eum qui se interfece-
rit ? 10. Deus enim nos in hoc domi|cilium carnis   f. 29ᵛ
induxit, ille nobis temporale corporis habitaculum dedit,
ut incolamus quamdiu idem uoluerit. Nefas igitur haben-
35 dum est sine dei iussu uelle migrare. 11. Non est ergo
uis adhibenda naturae : scit ille quemadmodum opus
suum resoluat. Cui operi si quis manus impias adhibuerit
ac diuini opificii uincla dirruperit, deum conatur effu-
gere, cuius sententiam nec uiuus quisquam nec mortuus
40 poterit euadere. 12. Scelerati ergo et nefarii quos
superius nominaui, qui etiam docuerunt quas causas
habere debeat mors uoluntaria, ut parum sit sceleris
quod homicidae in semet ipsos extiterunt, nisi ad hoc
nefas et alios erudirent.

T

34, 27 ut *Pf Br* : et *T* ‖ 38 dirruperit *Br* : dirrump- *T*

1. Si l'âme n'est pas l'homme véritable pour Lactance (PERRIN,
L'homme, p. 380 s.), elle en est la partie la plus éminente, et c'est
Dieu qui l'insuffle dans le corps à la conception. Lactance amplifie
les éléments des *Inst.* sur le caractère impie du suicide, tandis que
les éléments philosophiques des *Inst.* sont très fortement résumés.
Donc, un changement de tonalité, en un sens polémique et moral.
2. Cela ne signifie pas que le corps soit une chaîne, un lien
pour l'âme. Ce n'est pas une variante du thème de « l'âme en

d'être autorisées et les vices d'être enseignés. 8. Sont-ils plus dignes d'approbation ces philosophes plus courageux qui se sont donné volontairement la mort pour que l'on dise qu'ils l'ont méprisée ? 9. Zénon, Empédocle, Chrysippe, Cléanthe, Démocrite, et Caton leur imitateur, n'ont-ils pas su non plus que l'accusation d'homicide frappe, selon le droit et la loi divine, celui qui s'est tué lui-même ? 10. De fait, c'est Dieu qui nous a introduit dans ce domicile de la chair[1], c'est lui qui nous a donné l'habitacle temporel du corps pour que nous l'habitions aussi longtemps qu'il l'aura voulu. Par conséquent, il faut tenir pour sacrilège de vouloir le quitter sans l'ordre de Dieu. 11. Il ne faut donc pas faire violence à la nature : Dieu sait comment désagréger son œuvre. Si quelqu'un porte sur elle des mains impies et brise les liens[2] de son divin ouvrage, il tente d'échapper à Dieu, alors que personne, ni vivant ni mort, ne peut échapper à son jugement. 12. Par conséquent, ceux que j'ai nommés plus haut sont des criminels et des sacrilèges : ils ont même enseigné quelles causes doit avoir la mort volontaire, comme si le crime que des meurtriers ont commis contre eux-mêmes ne suffisait pas s'ils n'en instruisaient aussi d'autres à cette impiété.

cage ». *Vinculum* désigne chez Lactance ce qui maintient la cohésion d'un ensemble organique, et notamment de la société humaine (*Inst.*, 5, 6, 12 s. ; etc.).

35, 1. Innumerabilia sunt philosophorum dicta factaque quibus eorum insipientia redargui possit. Itaque quoniam cuncta enumerare non possumus, pauca suffecerint. 2. Satis est intellegi philosophos neque iusti-
5 tiae, quam ignorant, neque uirtutis, quam mentiuntur, esse doctores : quid enim doceant qui suam saepe ignorantiam confitentur ? 3. Mitto Socraten, cuius est nota sententia. Anaxagoras omnia circumfusa tenebris esse pronuntiat, Empedocles angustas ad inueniendam
10 ueritatem sensuum semitas esse. 4. Democritus | in   f. 30
profundo quodam puteo demersam ueritatem iacere testatur, quam quia nusquam reperiunt, idcirco adfirmant neminem adhuc extitisse sapientem. 5. Quoniam igitur « nulla est », <ut> apud Platonem Socrates dicit,
15 « humana sapientia », sequamur ergo diuinam deoque gratias agamus, qui eam nobis et reuelauit et tradidit, ac nobis gratulemur, quod ueritatem ac sapientiam caelesti beneficio tenemus, quam tot ingeniis, tot aetatibus requisitam philosophia num<quam> potuit inue-
20 nire.

36, 1. Nunc, quoniam falsam religionem, quae est in deorum cultibus, et falsam sapientiam, quae est in

T

35, 8 nota *Pf Br* : mota *T* ‖ 14 ut *He Br* : *om. T* ‖ 15 humana sapientia *Pf Br* : -nam -tiam *T* ‖ 16 reuelauit *Pf Br* : rebelabit *T* ‖ 19 philosophia numquam *Da Br* : filosofiam num *T*

---

1. Lactance a laissé subsister ici une légère maladresse dans son plan. *Dicta factaque* reprend en fait une distinction qui figurait déjà dans le chapitre précédent (**34**, 1-2 et 3-12).

35, 1 [1]. Innombrables sont les paroles et les actes des philosophes qui permettent de réfuter leur folie. Aussi, puisque nous ne pouvons les énumérer tous, un petit nombre doit suffire. **2.** C'est assez de comprendre que les philosophes n'ont été des docteurs ni en matière de justice – qu'ils ignorent –, ni de vertu – qu'ils contrefont : que peuvent donc enseigner des gens qui avouent souvent leur propre ignorance ? **3.** Je ne dis rien de Socrate, dont le mot est bien connu. Anaxagore prononce que tout est environné de ténèbres ; Empédocle que les chemins des sens sont étroits pour trouver la vérité. **4.** Démocrite atteste que la vérité gît enfouie dans je ne sais quel puits profond. Puisqu'ils ne l'ont trouvée nulle part, ils affirment pour cette raison qu'il n'y a pas eu de sage jusqu'alors. **5.** Ainsi donc, puisque, comme Socrate le dit – d'après Platon –, « la sagesse humaine n'existe pas [2] », suivons en conséquence la sagesse divine, rendons grâces à Dieu qui nous l'a révélée et transmise, et félicitons-nous de posséder par un bienfait céleste la vérité et la sagesse qui ont été recherchées par tant d'esprits, tant de générations, sans que la philosophie ait jamais pu les trouver.

36, 1. Maintenant, puisque nous avons réfuté la fausse religion qui consiste dans les cultes des dieux, et la fausse sagesse qui consiste dans la philosophie,

---

2. PLAT., *Apol.*, 23A et CIC., *Acad.*, 1, 4, 16 ; 2, 23, 74, sous une forme un peu différente.

philosophia, refutauimus, ad ueram religionem sapientiamque ueniamus. Et quidem coniuncte, quia cohaerent,
5 de utraque dicendum est. 2. Nam deum uerum colere,
id est nec aliud quidquam quam sapientia. 3. Ille enim
summus et conditor rerum deus, qui hominem uelut
simulacrum suum fecit, idcirco utique soli ex omnibus
animalibus rationem dedit, ut honorem sibi tamquam
10 patri et <timorem> tamquam domino referret et hac
pietate atque obsequio immortalitatis praemium mere-
retur. Hoc est uerum diuinumque mysterium. 4. Illis
autem, quia uera non sunt, nulla concordia : | neque   f. 30
in philosophia sacra celebrantur neque in sacris philo-
15 sophia tractatur, et ideo falsa religio est, quia non
habet sapientiam, ideo falsa sapientia, quia non habet
religionem. 5. Vbi autem utraque coniuncta sunt, ibi
esse ueritatem necesse est, ut si quaeratur ipsa ueritas
quid sit, recte dici possit aut sapiens religio aut religiosa
20 sapientia.

T

36, 3 philosophia *Bu Br* : filosofis *T* ‖ 5 uerum *T* : uere *Br* ‖
6 quam *T* : *om. Br* ‖ sapientia *Br* : -tiam *T* ‖ 10 timorem *Bu Br* :
om. T

---

1. Phrase peu claire, en raison de sa concision. A notre avis,
illis désigne les païens, chez qui les professeurs de sagesse et les
prêtres des religions sont différents. Cela entraîne une absence de
concordia entre religion et philosophie. La difficulté vient de ce que
Lactance, sans le dire, passe brutalement des chrétiens aux païens.

arrivons-en à la vraie religion et à la vraie sagesse. Et il faut, certes, traiter conjointement de l'une et de l'autre, en raison de leur étroite union. 2. Car honorer le vrai Dieu, ce n'est rien d'autre que la sagesse. 3. De fait, ce Dieu suprême et créateur du monde, qui a fait l'homme comme sa propre image, a évidemment donné la raison à l'homme, seul entre tous les êtres vivants, pour qu'en retour l'homme l'honorât comme un père, qu'il le craignît comme un maître, et que, par cette piété et cette obéissance, il méritât la récompense de l'immortalité. Tel est le vrai et divin mystère. 4. Mais chez eux[1] l'absence de vérité fait qu'il n'y a pas de concorde : dans la philosophie, on ne célèbre pas de culte, et dans les cultes, on ne traite pas de philosophie ; et la religion est fausse parce qu'elle est sans sagesse, et la sagesse est fausse parce qu'elle est sans religion. 5. Mais là où les deux sont conjoints, là se trouve nécessairement la vérité, en sorte que si l'on cherche ce qu'est la vérité même, on peut dire à bon droit que c'est une religion sage ou une sagesse religieuse.

Ensuite *uera* renvoie aux mystères, aux doctrines païennes. Il est aussi possible de comprendre qu'*illis* renvoie aux doctrines analogues. Le sens de la phrase reste le même, mais on s'attendrait alors à lire <*in*> *illis*, comme on lit plus loin *in philosophia* et *in sacris*.

37, 1. Dicam nunc quid sit uel sapiens religio uel
sapientia religiosa. Deus in principio antequam mundum
institueret, de aeternitatis suae fonte deque diuino ac
perenni spiritu suo filium sibi ipse progenuit incorruptum
5 fidelem, uirtuti ac maiestati patriae respondentem. 2.
Hic est uirtus, hic ratio, hic sermo dei, hic sapientia.
Hoc « opifice », ut Hermes ait, et « consiliatore », ut
Sibylla, et praeclaram et mirabilem huius mundi fabri-
cam machinatus est. 3. Denique ex omnibus angelis,
10 quos idem deus de suis spiritibus figurauit, solus in
consortium summae potestatis adscitus est, solus deus
nuncupatus. 4. « Omnia enim per ipsum et sine ipso
nihil [z]. » Denique Plato de primo ac secundo deo non
plane ut philosophus, sed ut uates locutus est, fortasse
15 in hoc Trismegistum secu|tus. Cuius uerba de Graecis   f. 31ᵉ
conuersa subieci : 5. « Dominus et factor uniuersorum,
quem deum uocare existimauimus, secundum fecit deum
uisibilem et sensibilem. Sensibilem autem dico non quod
ipse sensum accipiat, sed quod in sensum mittat et
20 uisum. Cum ergo hunc fecisset primum et solum et
unum, optimus ei apparuit et plenissimus omnium

37, 7 *Ascl.*, 26 (*CH,* t. 2, p. 330) ; *Orac. Sib.*, 8, 264

T
  37, 8 et[1] : *om. Br* ‖ 17 uocare *Da Br* : -ri *T*

---

z. Jn 1, 3

---

1. Ce chapitre résume fortement les *Inst.* sans en respecter
l'ordre. La présence d'éléments étrangers aux *Inst.* montre que
Lactance a refondu son passage des *Inst.*, dont on n'a pas ici un
simple résumé.
  2. Cf. Loi, p. 153-232, surtout p. 168 ; 170.

37, 1 [1]. Je vais dire maintenant ce qu'est une religion sage ou une sagesse religieuse. Au commencement [2], avant que Dieu instituât le monde, il engendra
pour lui-même, de la source de son éternité, et de son
souffle divin et perpétuel, un fils incorruptible,
fidèle, qui correspond à son père en puissance et en
majesté. 2. Il est puissance, raison, Verbe de Dieu,
sagesse. « Par cet ouvrier », comme dit Hermès, et
« par ce conseiller », comme dit la Sibylle, il a construit
la machine excellente et admirable de notre monde.
3. Bref, de tous les anges que Dieu a aussi façonnés
à partir de ses souffles, il est le seul à avoir été associé
au partage du pouvoir suprême, il est le seul à avoir
été nommé Dieu. 4. « De fait, tout a été fait par lui
et rien n'a été sans lui [z]. » Enfin, Platon [3] a parlé du
premier et du second Dieu pas tout à fait comme un
philosophe, mais comme un inspiré, peut-être pour
avoir suivi sur ce point Trismégiste. Je transcris les
paroles de celui-ci, traduites du grec : 5. « Le maître
et créateur de l'univers, qu'à bon droit nous appelons
Dieu, a fait un second Dieu visible et sensible. Je
l'appelle sensible, non parce qu'il est doué lui-même
de sentiment, mais parce qu'il tombe sous le sens et
la vue. Par conséquent, comme il l'avait créé premier,
seul et unique, il lui apparut comme le meilleur et le

---

3. Wlosok (p. 216, n. 94) pense ici à un enseignement platonico-
hermétique sur le Logos et le Fils de Dieu. Mais Lactance prend
en un sens accommodatice les passages de « Platon » et de Trismégiste, en attribuant au Fils de Dieu des affirmations concernant en
fait le monde. Sans doute Lactance a-t-il découvert cette citation de
« Platon » après la rédaction des *Inst.*, puisqu'elle n'y figure pas ; ce
qui pose le problème de la source. Nous chercherions volontiers, vu
les témoignages proches (IIIe et début du IVe s.), en direction du
platonisme scolaire du temps. Voir notamment à ce sujet Evs., *Pr.
eu.*, 11, 14-18. Enfin, comme Tert., *Anim.*, 2, 3, Lactance pense
que Platon dépend d'Hermès.

bonorum. »   6. Sibylla <Erythraea> quoque « deum »
dicit « ducem omnium a deo factum », et alia « deum
dei filium esse noscendum », sicut ea quae in libris
25 posui exempla declarant.   7. Hunc prophetae diuino
spiritu pleni praedicauerunt. Quorum praecipue Salomon
in libro Sapientiae, item pater eius caelestium scriptor
hymnorum, ambo clarissimi reges, qui Troiani belli
tempora CLXXX annis antecesserunt, hunc ex deo
30 natum esse testantur.   8. Huius « nomen nulli est notum
nisi ipsi et patri[a] », sicut docet Iohannes in Reuela-
tione. Hermes ait « non posse nomen eius mortali ore
proferri ».   9. Ab hominibus tamen duobus uocabulis
nuncupatur, Iesus, quod est saluator, et Christus, quod
35 est rex : saluator ideo, quia est sanatio et salus omnium
qui per eum credunt in deum, Christus ideo, quia ipse
de caelo in saeculi huius consummatio|ne uenturus est,   f. 31
ut iudicet mundum et resurrectione mortuorum facta
regnum sibi constituat aeternum.

T.

37, 22 erythraea *Br* : *om. T*

---

a. Apoc. 19, 12

---

1. *Ascl.*, 28 ; le passage, cité en grec dans les *Inst.*, est ici
traduit.
2. Les *Inst.* sont ici très fortement résumées.
3. Le comput ne part pas du même point qu'*Inst.* 4, 8, 13.
4. *Apoc.* 19, 12 (absent des *Inst.*). Cf. LOI, p. 208, n. 18.

plus comblé de tous les biens[1]. » 6. La Sibylle d'Érythres aussi dit que « Dieu a été établi par Dieu chef de toutes choses », et, selon une autre, « il faut reconnaître que le Fils de Dieu est Dieu »[2], comme le montrent les exemples que j'ai cités dans mes livres. 7. C'est lui que les prophètes remplis de l'esprit divin ont prédit. Parmi eux, surtout Salomon, dans le livre de la *Sagesse*, et de même son père, l'auteur des hymnes célestes, tous deux rois très illustres, qui vécurent 180 ans[3] avant la guerre de Troie, témoignent qu'il naquit de Dieu. 8. « Son nom n'est connu de personne d'autre que de lui-même et de son père[a] », comme l'enseigne Jean dans l'*Apocalypse*[4]. Hermès dit qu'« une bouche mortelle ne peut proférer son nom[5] ». 9. Cependant les hommes l'appellent de deux noms : Jésus, c'est-à-dire « sauveur », et Christ, c'est-à-dire « roi[6] ». Sauveur, car il est guérison et salut de tous ceux qui, par lui, croient en Dieu ; et Christ, car il viendra lui-même du ciel, lors de la consommation de ce siècle, pour juger le monde, et, une fois accomplie la résurrection des morts, se constituer un royaume éternel.

---

5. Lactance ne traduit ici qu'une partie du passage cité en *Inst.*, 4, 7, 3 (*CH*, t. 4, p. 110).

6. *Saluator ... rex* : l'*Épit.* met fortement l'accent sur l'aspect eschatologique de ces deux appellations. *Sanatio* se lit chez Lactance seulement ici et en **62**, 2, à propos de la pénitence : terme cicéronien, à mettre ici en rapport avec le thème du Christ-médecin.

38, 1. Sed ne qua forte sit apud te haesitatio, cur
eum qui ante mundum ex deo natus sit Iesum appel-
lamus, qui ante annos CCC natus ex homine est,
rationem tibi breuiter exponam. 2. Idem est dei et
5 hominis filius. Bis enim natus est : primum de deo in
spiritu ante ortum mundi, postmodum in carne ex
homine Augusto imperante. Cuius rei praeclarum et
grande mysterium est, in quo et salus hominum et
religio summi dei et omnis ueritas continetur. 3. Nam
10 cum primum scelerati atque impii deorum cultus per
insidias daemonum inrepserunt, tum penes solos
Hebraeos religio dei mansit, qui tamen non lege aliqua,
sed traditum sibi per successiones cultum patrio more
tenuerunt usque ad id tempus, quo de Aegypto exierunt
15 Moyse duce primo omnium prophetarum, per quem illis
lex est a deo inposita. Hi, qui Iudaei sunt postmodum
nominati, seruierunt igitur deo uinculis legis obstricti.
4. Sed idem paulatim ad profanos ritus aberrantes
alienos deos susceperunt et derelicto patrio cultu insen-
20 sibilibus | simulacris immolauerunt. 5. Propterea deus   f. 32
prophetas ad eos misit diuino spiritu adinpletos, qui
illis peccata exprobrarent et paenitentiam indicerent, qui
secuturam ultionem minarentur ac denuntiarent futurum,

T

   38, 2 Iesum *T* : + Christum *Pf Br* ‖ 6 carne *Br* : -nem *T* ‖
7 homine *T^{ac}* : uirgine *T^{pc}* ‖ 22 exprobrarent *Br* : exprob*arent (r.
eras. T

1. Cette précision absente des *Inst.* insiste sur le caractère
historique, donc réel, de la naissance du Christ.
2. *Vinculis legis* : même expression à propos des Juifs en *Inst.*,

38,1. Pour qu'il ne subsiste en toi aucune incertitude, je vais t'expliquer brièvement pourquoi nous appelons Jésus celui qui, avant le monde naquit de Dieu, et de l'homme il y a 300 ans. 2. Il est en même temps fils de Dieu et de l'homme. De fait, il est né deux fois : d'abord de Dieu, en esprit, avant la naissance du monde, ensuite dans la chair, de l'homme, sous le principat d'Auguste [1]. Le mystère de cet événement est éclatant et grand, car il contient le salut des hommes, la religion du Dieu suprême, et toute la vérité. 3. Car, dès que les cultes des dieux, criminels et impies, se furent insinués grâce aux pièges tendus par les démons, alors la religion de Dieu ne se maintint que dans la possession des seuls Hébreux. Ces derniers cependant ne conservèrent pas le culte en vertu d'une loi, mais par transmission héréditaire, en suivant la coutume ancestrale, jusqu'à l'époque où ils sortirent d'Égypte sous la conduite de Moïse, le premier des prophètes, par l'intermédiaire duquel Dieu leur imposa la Loi. Les Hébreux, qu'on appela Juifs par la suite, servirent donc Dieu, garrottés par les liens de la Loi [2]. 4. Mais ces mêmes Hébreux s'égarèrent peu à peu dans des rites profanes : ils accueillirent des dieux étrangers, abandonnèrent le culte de leurs ancêtres, et firent des sacrifices à des statues insensibles. 5. C'est pourquoi Dieu leur a envoyé des prophètes tout remplis de l'esprit divin. Ils devaient condamner leurs péchés et leur enjoindre la pénitence, les menacer de la vengeance prochaine, et leur faire connaître ce qui leur arriverait, s'ils persévéraient dans leurs fautes : Dieu

---

5, 22, 14 ; 4, 28, 3. L'expression imagée est d'origine paulinienne : la loi lie, la grâce libère.

si in isdem delictis perseuerassent, ut alium mitteret
25 nouae legis latorem, ut ingrato populo ab heredidate
summoto aliam sibi plebem fideliorem de exteris gentibus congregaret. 6. Illi autem non modo perseuera-
runt, uerum etiam eos ipsos qui mittebantur
interfecerunt. Itaque damnauit eos ob haec facinora nec
30 adiecit ulterius prophetas mittere ad populum contu-
macem, sed filium suum misit, ut gentes uniuersas ad
gratiam dei .conuocaret. 7. Nec illos tamen licet impios
et ingratos ab spe salutis exclusit, sed ad ipsos potis-
simum misit, ut si forte paruissent, non amitterent quod
35 acceperant, si autem deum suum non suscepissent, tum
heredibus abdicatis gentes in adoptionem uenirent. 8.
Iussit igitur eum summus pater descendere in terram
et humanum corpus induere, ut subiectus passionibus
carnis uirtutem ac patientiam non solum uerbis, sed
40 etiam factis doceret. 9. Renatus est ergo ex uirgine
sine patre tamquam homo, ut quemadmodum in prima
natiuitate | spiritali creatus [est] ex solo deo sanctus   f. 32
spiritus factus est, sic in secunda carnali ex sola matre
genitus caro sancta fieret, ut per eum caro, quae
45 subiecta peccato fuerat, ab interitu liberaretur.

T

38, 42 creatus *Br* : + est *T*

1. Absent des *Inst.*, mais voir TERT., *Iud.*, 3, 7 ; 13, 10 (à
partir de *Dan.* 9, 24-27).

enverrait le législateur d'une loi nouvelle, afin de rassembler un autre peuple plus fidèle à partir des peuples étrangers, puisque le peuple ingrat avait été écarté de l'héritage. 6. Or les Hébreux non seulement persévérèrent dans leur attitude, mais tuèrent les envoyés eux-mêmes. Aussi les a-t-il condamnés pour ces crimes, et il n'envoya plus d'autres prophètes au peuple rebelle[1], mais il envoya son propre fils, pour qu'il appelât à la grâce de Dieu l'ensemble des peuples. 7. Quant aux Hébreux, malgré leur impiété et leur ingratitude, il ne les a pourtant pas exclus de l'espérance du salut, mais il leur a envoyé de préférence à tous son propre fils : ainsi, s'ils avaient éventuellement obéi, ils n'auraient pas perdu ce qu'ils avaient reçu ; mais, s'ils n'accueillaient pas leur propre Dieu, alors les héritiers[2] seraient reniés, et les autres peuples seraient adoptés. 8. En conséquence, le père suprême ordonna à son fils de descendre sur terre et de revêtir un corps d'homme pour qu'il fût soumis aux souffrances de la chair et enseignât la vertu et la patience non seulement en paroles, mais aussi en actes. 9. Il naquit donc une seconde fois, comme un homme, d'une vierge, sans père ; ainsi, de même que, dans sa première naissance spirituelle, il avait été créé et fait esprit saint à partir de Dieu seul, de même, dans sa seconde naissance charnelle, il fut engendré de sa seule mère et fait chair sainte, pour que, grâce à lui, la chair qui avait été soumise au péché fût libérée de la mort.

---

2. L'image de l'héritage et de l'adoption ne se trouve pas dans le passage correspondant des *Inst.*, mais en 4, 20.

39, 1. Haec sic futura, ut exposui, prophetae ante praedixerant. 2. Apud Salomonem ita scriptum est : « Infirmatus est uterus uirginis et accepit fetum, et grauata est et facta est in multa miseratione mater
5 uirgo. » 3. Apud Esaian sic : « Ecce uirgo accipiet in uterum et pariet filium, et uocabitis nomen eius Emmanuel [b] », quod significat « nobiscum deus ». Fuit enim nobiscum in terra, cum induit carnem, et nihilominus deus fuit in homine et homo in deo. 4. Vtrumque
10 autem eum fuisse a prophetis ante praedictum est. Quod deus fuerit, Esaias ita dicit : « Adorabunt te et in te precabuntur : quoniam in te deus est et nos nesciebamus, deus Israhel. Confundentur et reuerebuntur omnes qui aduersantur tibi, et cadent in confessio-
15 nem [c]. » 5. Item Hieremias : « Hic deus noster est et non deputabitur alius absque illo, qui inuenit omnem uiam prudentiae et dedit eam Iacob puero suo et Israel dilecto sibi. Post haec in terris uisus est et cum hominibus conuersatus est [d]. » 6. Item quod homo fuerit,
20 idem | Hieremias dicit : « Et homo est et quis cognouit   f. 33
eum [e] ? » Esaias quoque sic tradit : « Et mittet eis dominus hominem, qui saluabit eos et iudicans sanabit eos [f]. » Item Moyses ipse in Numeris : « Orietur stella ex Iacob et exurget homo ex Israhel [g]. » 7. Idcirco
25 igitur cum deus esset, suscepit carnem, ut inter deum

39, 3-5 *Od. Sal.*, 19, 6 s.

T

39, 10 eum *Da Br* : deum *T*

---

b. Is. 7, 14 ‖ c. Is. 45, 14-16 ‖ d. Bar. 3, 36-38 ‖ e. Jér. 17, 9 ‖ f. Is. 19, 20 ‖ g. Nombr. 24, 17

39, 1. Les prophètes avaient prédit que ces événements se produiraient comme je l'ai exposé. 2. Voici ce qui est écrit dans *Salomon* : « Le sein de la vierge a été vaincu et fécondé, et la vierge s'est trouvée enceinte et a été rendue mère dans une grande misère[1]. »
3. Dans *Isaïe* : « Voici que la vierge concevra dans son sein et enfantera un fils, et vous lui donnerez le nom d'Emmanuel[b] », ce qui signifie « Dieu avec nous ». De fait, il fut avec nous sur terre quand il revêtit la chair, et sa divinité ne fut nullement amoindrie en son humanité, ni son humanité en sa divinité. 4. Or qu'il ait été l'un et l'autre, les prophètes l'avaient prédit à l'avance. Qu'il ait été Dieu, Isaïe l'a dit en ces termes : « Ils t'adoreront et t'adresseront des prières, car Dieu est en toi et nous l'ignorions, Dieu d'Israël. Tous tes adversaires seront confondus, ils te vénèreront et ils tomberont à genoux pour te confesser[c] ». 5. De même Jérémie : « C'est lui notre Dieu, et on ne considèrera comme tel personne d'autre que lui, qui a découvert toute la route de la sagesse et l'a donnée à Jacob, son fils, et à Israël, son bien-aimé. Après cela, il apparut sur la terre et vécut en compagnie des hommes[d]. » 6. De même, qu'il ait été homme, Jérémie le dit aussi : « Et il est homme, et qui l'a reconnu[e] ? » Voici ce qu'Isaïe rapporte aussi : « Et le Seigneur leur enverra un homme qui les sauvera, et qui les guérira en les jugeant[f]. » De même, Moïse en personne, dans les *Nombres* : « Une étoile naîtra de Jacob et un homme se lèvera d'Israël[g]. » 7. Si donc il assuma la chair[2] alors qu'il était Dieu, c'est pour que, devenu

1. *Od.*, 19, 6-7. Sur *infirmatus*, voir J. LABOURT et P. BATTIFOL, *Les odes de Salomon*, Paris 1911, p. 20-21.
2. Expression unique chez Lactance, qui l'a peut-être empruntée à Tertullien (Cf. LOI, p. 223-224).

et hominem medius factus hominem ad deum magisterio
suo superata morte perduceret.

40, 1. Diximus de natiuitate, nunc de uirtute ope-
ribusque dicamus. Quae cum magna inter homines ac
mirabilia faceret, uidentes illa Iudaei magica potentia
fieri putabant ignorantes ea omnia quae fiebant ab eo
5 praedicta esse a prophetis. 2. Aegros et uario mor-
borum genere languentes non medella aliqua, sed ui ac
potestate uerbi sui protinus roborabat, debiles resanabat,
claudos ad gressum erigebat, caecis uisum restituebat,
mutis eloquium dabat, surdos inauribat, pollutos macu-
10 latosque purgabat, furiatis daemonum incursu mentem
propriam reponebat, mortuos aut iam sepultos ad uitam
lucemque reuocabat. 3. Idem quinque milia hominum
quinque panibus et duobus piscibus saturauit. Idem
supra mare ambulauit. |Idem in tempestate praecepit   f. 33
15 uento ut conquiesceret, statimque tranquillitas facta est.
Quae omnia et in prophetarum libris et in carminibus
Sibyllinis praedicta inuenimus. 4. Ob haec miracula
cum ad eum magna concurreret multitudo et, ut erat,
dei filium et a deo missum crederet, repleti inuidia
20 sacerdotes ac principes Iudaeorum, simul ira concitati,
quod eorum peccata et iniustitiam coarguebat, coierunt,
ut eum occiderent. 5. Quod futurum ante annos mille
paulo amplius Salomon in Sapientia pronuntiauerat his

1. L'exemple des possédés ne figure pas dans le passage correspondant des *Inst.*, mais en 4, 27, 2 : Lactance concentre sa
matière. Le texte est organisé selon une gradation ascendante, à la
différence d'*Inst.*, 4, 15, 6-11.

médiateur entre Dieu et l'homme, il conduisît l'homme vers Dieu par son enseignement, après avoir vaincu la mort.

40, 1. Nous avons parlé de sa nativité, parlons maintenant de sa puissance et de ses œuvres. Comme il faisait parmi les hommes de grandes merveilles, les Juifs les virent, et pensèrent qu'elles étaient opérées par un pouvoir magique, ignorant que tout ce qu'il faisait avait été prédit par les prophètes. 2. Quant aux malades, à ceux qui languissaient sous l'effet de maladies variées, il leur rendait aussitôt vigueur, non pas avec un remède quelconque, mais par la force et la puissance de sa parole ; il rendait les infirmes à la santé, il faisait se lever et marcher les boiteux, il rendait la vue aux aveugles, il faisait parler les muets, entendre les sourds, il purifiait ceux qui étaient souillés et tachés (de lèpre), il rendait leur propre esprit à ceux que l'assaut des démons avait rendus fous furieux [1], il rappelait à la vie et à la lumière des gens morts ou déjà enterrés. 3. Il rassasia aussi cinq mille hommes avec cinq pains et deux poissons. Il a aussi marché sur la mer. Il a aussi, dans la tempête, ordonné au vent de s'apaiser, et aussitôt le calme se fit. Tous ces actes, nous les trouvons prédits dans les livres des prophètes et dans les *Poèmes sibyllins*. 4. Comme, en raison de ces miracles, une grande foule accourait vers lui, et qu'elle croyait, comme cela était vrai, qu'il était fils de Dieu et qu'il avait été envoyé par Dieu, les prêtres et les chefs des Juifs, pleins de jalousie, et en même temps poussés par la colère, parce qu'il leur reprochait leurs péchés et leur injustice, se liguèrent pour le tuer. 5. Dans le livre de la *Sagesse*, un peu plus de mille ans auparavant, Salomon avait annoncé

uerbis : « Circumueniamus iustum, quoniam insuauis est
25 nobis et exprobrat nobis peccata legis. Promittit scientiam dei se habere et filium dei se nominat. Factus est
nobis in traductionem cogitationum nostrarum, grauis
est nobis etiam ad uidendum, quoniam dissimilis est
aliis uita illius et mutatae sunt uiae illius. Tamquam
30 nugaces aestimati sumus ab illo, continet se a uiis
nostris quasi ab inmunditiis et praefert nouissima iustorum et gloriatur patrem dominum. Videamus ergo si
sermones illius ueri sunt, et temptemus quae euentura
sunt illi. Contumelia et tormenta interrogemus eum, et
35 sciamus reuerentiam illius et pro|bemus patientiam illius.   f. 34
Morte turpissima condemnemus eum. Haec cogitauerunt,
et errauerunt : excaecauit enim illos stultitia eorum et
nescierunt sacramenta dei [h]. » 6. Harum igitur litterarum immemores quas legebant incitauerunt populum
40 tamquam adversus impium, ut eum conprehensum ad
iudicium ducerent mortemque eius impiis uocibus fla-
gitarent. 7. Intentabant autem pro crimine id ipsum,
quod se dei filium diceret et quod legem solueret
curando homines in sabbato, quam ille se non soluere,
45 sed implere dicebat. 8. Cumque Pontius Pilatus, qui
tum legatus in Syriam iudicabat, perspiceret causam
illam ad officium Romani iudicis non pertinere, misit

T

40, 25 exprobrat *Pf Br* : -bat *T* ‖ 30 uiis *Pf Br* : uiris *T* ‖ 31
praefert *Pf Br* : preferet *T* ‖ 37 stultitia *Pf Br* : stultia *T*

---

h. Sag. 2, 12-17.19-22

---

1. *Iudicare* : au IVe s., *iudex* équivaut à « gouverneur ».
2. *In Syriam* : répétition de l'erreur d'*Inst.*, 4, 18, 4 : Pilate
n'était pas légat de Syrie, mais préfet de Judée.
3. Autrement dit, Pilate se déclare juridiquement incompétent ;
en *Inst.*, 4, 18, 5, il prononce un non-lieu, mais livre le Christ aux

par ces mots ce qui arriverait : « Traquons le juste parce qu'il nous est déplaisant et qu'il nous accuse de pécher contre la loi. Il assure qu'il a la science de Dieu et il s'appelle lui-même fils de Dieu. Il a été fait pour censurer nos pensées, même sa vue nous est pénible, puisque son genre de vie ne ressemble pas à celui des autres, et ses voies sont tout autres. Il nous juge futiles, il s'abstient de prendre nos voies, comme si elles étaient impures, il préfère finir comme les justes et se glorifie d'avoir le Seigneur pour père. Voyons donc si ses paroles sont vraies, et examinons ce qui lui arrivera. Interrogeons-le en l'outrageant et en le torturant, sachons quel respect il faut lui accorder et éprouvons sa patience. Condamnons-le à la mort la plus honteuse. Ils pensèrent cela et se trompèrent, car leur folie les aveugla et ils ignorèrent les mystères de Dieu [h]. » 6. Oubliant donc ces textes, qu'ils lisaient, ils excitèrent le peuple comme si c'était contre un impie, pour le faire arrêter, mener au tribunal, et réclamer sa mort de leurs voix impies. 7. Or ils l'accusèrent précisément de se dire fils de Dieu et de détruire la Loi en guérissant des hommes pendant le sabbat, alors qu'il disait ne pas détruire la Loi, mais l'accomplir. 8. Et comme Ponce-Pilate, qui gouvernait [1] alors la Syrie [2] à titre de légat, voyait bien que cette cause n'était pas du ressort d'un gouverneur romain [3], il l'envoya au tétrarque Hérode, et

Juifs par peur de l'émeute qui gronde (4, 18, 6). Plus encore que les *Inst.*, l'*Épit.* décharge Pilate de sa responsabilité (la condamnation et l'exécution du Christ y apparaissent comme une affaire purement juive), et, par conséquent, charge celle des Juifs. Lactance ne semble pas s'être avisé que la croix n'est pas un supplice juif, mais romain, et que cette anomalie ruine sa démonstration.

eum ad Herodem tetrarcham permisitque Iudaeis, ut
ipsi legis suae disceptatores essent. Qui accepta sceleris
50 potestate adfixerunt eum cruci. Sed prius flagellis et
palmis uerberauerunt, spinis coronarunt, faciem conspue-
runt, in cibum et potum dederunt ei fel et acetum, et
inter haec nulla uox eius audita est. 9. Tunc carnifices
sortiti de tunica eius et pallio suspenderunt patibulo
55 atque adfixerunt, cum postridie pascha id est festum
diem suum celebraturi essent. 10. Quod facinus pro-
digia secuta sunt, ut intellegerent | nefas quod admi-   f. 34
serant. Eodem namque momento quo spiritum posuit
et terrae motus magnus et deliquium solis fuit, ut in
60 noctem dies uerteretur.

41, 1. Quae omnia prophetae sic futura esse praedixerant. Esaias ita dicit : « Non sum contumax neque
contradico : dorsum meum <posui> ad flagella et
maxillas meas ad palmas, faciem autem meam non
5 auerti a foeditate sputorum[i]. » Idem de silentio : « Sicut
ouis ad immolandum adductus est et sicut agnus coram
tondentibus sine uoce, sic non aperuit os suum[j]. » 2.
Item Dauid in psalmo XXXIIII : « Congregata sunt in
me flagella et ignorauerunt, dissoluti sunt nec conpuncti
10 sunt : temptauerunt me et striderunt super me dentibus

T
40, 50 adfixerunt *Bu Br* : addix- *T* ‖ 60 uerteretur *Pf Br* : uerte/
tur *T*
41, 3 posui *Pf Br* : *om. T* ‖ 6 est *Pf Br* : sum *T*

i. Is. 50, 5 s. ‖ j. Is. 53, 7

1. Aucun passage des *Inst.* ne correspond tout à fait. Voir
cependant *Inst.*, 4, 26, 37-40, où Lactance explique l'institution de
la Pâque juive et donne la fausse étymologie « ἀπὸ τοῦ πάσχειν ».

permit aux Juifs de juger eux-mêmes l'affaire selon leur propre loi. Quand ils eurent reçu le pouvoir de commettre leur crime, ils le fixèrent à la croix. Mais, auparavant, ils le fouettèrent de verges, le souffletèrent, le couronnèrent d'épines, lui crachèrent au visage, lui donnèrent à manger et à boire du fiel et du vinaigre, et, pendant tout cela, on ne l'entendit rien dire. 9. Alors les bourreaux tirèrent au sort sa tunique et son manteau, ils le suspendirent et le fixèrent au gibet, parce que, le lendemain, ils allaient célébrer la Pâque[1], c'est-à-dire leur jour de fête. 10. Des prodiges accompagnèrent ce forfait, pour leur faire comprendre le sacrilège qu'ils avaient commis. Car, au moment où il rendit le souffle, il y eut un grand tremblement de terre et une éclipse[2] de soleil, en sorte que le jour se changea en nuit.

41, 1. Les prophètes avaient prédit que tous ces événements auraient lieu ainsi. Isaïe parle en ces termes : « Je ne suis pas rebelle et je ne résiste pas, j'ai tendu mon dos aux coups de fouet et mes joues aux soufflets, je n'ai pas détourné ma face de la saleté des crachats[i 3]. » De même sur son silence : « Comme une brebis, il a été mené à l'immolation, et comme un agneau sans voix en présence de ceux qui le tondent, il n'a pas ouvert la bouche[j]. » 2. De même David dans le *Psaume* 34 : « Des fouets ont été réunis contre moi et ils ont ignoré qui j'étais, ils ont été dispersés et ils n'ont pas été touchés par le remords, ils m'ont

---

2. Terme classique (PLIN., *Nat.*, 2, 54) pour désigner une éclipse de soleil, alors qu'en *Inst.*, 4, 19, 2, *tenebrae fuerunt* avait une couleur biblique.

3. *Is.* 53, 7 et CYPR., *Test.*, 2, 15, avec des variantes.

suis[k]. » Idem de cibo et potu <in psalmo> LXVIII :
« Et dederunt in escam meam fel et in siti mea potum
mihi dederunt acetum[l]. »   3. Item de cruce Christi :
« Effoderunt manus meas et pedes meos, dinumeraue-
15 runt omnia ossa mea : ipsi autem contemplati sunt et
uiderunt me, diuiserunt uestimenta mea sibi et super
uestem meam sortem miserunt[m]. »   4. Moyses in Deu-
teronomio : « Et erit pendens uita tua ante oculos tuos,
et timebis die et nocte et non credes uitae tuae[n]. » |
20 Item in Numeris : « Non quasi homo dominus suspen-   f. 35
ditur neque quasi filius hominis minas patitur[o]. »   5.
Item Zacharias : « Et intuebuntur in me, quem transfixerunt[p]. » De solis obscuratione Amos ita dicit : « In
illo die, dicit dominus, occidet sol meridie et obtene-
25 brabitur dies lucis : et conuertam dies festos uestros in
luctum et cantica uestra in lamentationem[q]. »   6. Item
Hieremias de ciuitate Hierosolyma, in qua passus est :
« Et subiuit sol ei, cum adhuc medius dies esset, contusa
est et maledicta : reliquos eorum in gladium dabo[r]. »
30 7. Nec frustra haec dicta sunt, siquidem post breue
tempus imperator Vespasianus Iudaeos debellauit et
terras eorum ferro ignique depopulatus est, obsessos

T
    41, 11 in psalmo *Br* : *om. T* ‖ 14 effoderunt *Da Br* : et foderunt
T ‖ 21 minas *Pf Br* : -nans *T* ‖ 22 transfixerunt *Br* : tra/fixerunt *T*
‖ 26 lamentationem *Pf Br* : -ne *T*

----

    k. Ps. 34, 15 s. ‖ l. Ps. 68, 22 ‖ m. Ps. 21, 17-19 ‖ n. Deut.
28, 66 ‖ o. Nombr. 23, 19 ‖ p. Zach. 12, 10 ‖ q. Amos 8, 9-10
‖ r. Jér. 15, 9

mis à l'épreuve et ont grincé des dents contre moi[k][1]. »
Le même, à propos de la nourriture et de la boisson
dans le *Psaume* 68 : « Pour ma nourriture, ils m'ont
donné du fiel et pour ma soif, ils m'ont donné à boire
du vinaigre[1]. » 3. De même, au sujet de la croix du
Christ : « Ils m'ont percé les mains et les pieds et ils
ont compté tous mes os ; eux-mêmes m'ont contemplé
et m'ont vu, ils se sont partagé mes habits et ils ont
tiré au sort mon vêtement[m]. » 4. Moïse dans le
Deutéronome : « Ta vie sera maintenant devant tes
yeux, tu craindras nuit et jour, et tu ne croiras pas à
ta vie[n]. » De même dans les *Nombres* : « Le Seigneur
n'est pas dans l'incertitude comme l'homme et il ne
supporte pas les menaces comme un fils d'homme[o]. »
5. De même Zacharie : « Et ils jetteront les yeux sur
moi après m'avoir transpercé[p]. » De l'obscurcissement
du soleil, Amos parle ainsi : « En ce jour, dit le
Seigneur, le soleil se couchera en plein midi et la
lumière du jour s'obscurcira ; et je transformerai vos
jours de fête en deuil et vos cantiques en lamenta-
tion[q]. » 6. De même Jérémie à propos de la cité de
Jérusalem, dans laquelle il souffrit : « Le soleil se
coucha pour elle, alors que c'était encore le midi, elle
a été abattue et maudite, je livrerai à l'épée ses
survivants[r][2] ». 7. Et ces paroles n'ont pas été dites
en vain, car, peu de temps après, l'empereur Vespasien
soumit les Juifs par les armes, ravagea leurs terres en
y portant le fer et le feu, réduisit les assiégés par la

1. La citation du *Ps.* 34, 15-16 est lacunaire par rapport à *Inst.*,
4, 18, 14.
2. Lactance coupe le début et la fin de la citation de *Jér.* 15,
9, telle qu'elle figurait en *Inst.*, 4, 19, 4.

fame subegit, Hierosolymam euertit, captiuos trium-
phauit, ceteris qui reliqui fuerunt terris suis interdixit,
35 ne quando iis ad solum patrium reuerti liceret. 8.
Quae a deo propter illam Christi crucem facta sunt, ut
hoc in scripturis eorum Salomon ante testatus sit dicens :
« Et erit Israhel in perditionem et in inproperium
populo. Et domus haec erit deserta, et omnis qui
40 transiet per illam admirabitur et dicet : " Propter | quam   f. 35ᵛ
rem deus fecit terrae huic et huic domui haec mala ? "
Et dicent : " Quia dereliquerunt dominum deum suum
et persecuti sunt regem suum dilectissimum deo et
cruciauerunt illum in humilitate magna : pro<pter> hoc
45 inportauit illis deus mala haec " ˢ. » 9. Quid enim non
mererentur qui dominum, qui ad salutem ipsorum
uenerat, peremerunt ?

42, 1. Post haec detractum patibulo corpus monu-
mento condiderunt. Verum tertio die ante lucem terrae
motu facto ac reuoluto lapide quo sepulcrum clauserant
resurrexit. In sepulcro autem nihil nisi exuuiae corporis
5 sunt repertae. 2. Ipsum uero resurrecturum die tertio
iam olim prophetae fuerant praelocuti. Dauid in psalmo
XV : « Non derelinques animam meam ad inferos nec
dabis sanctum tuum uidere corruptionem ᵗ. » Item Osee :

T

41, 37 salomon *Da Br* : -moni *T* ‖ 41 domui *Pf Br* : domi *T* ‖
42 dereliquerunt *Br* : derelin- *T* ‖ 44 propter *Da Br* : pro *T* ‖
46 salutem *Pf Br* : -te *T*

s. III Rois 9, 7-9 ‖ t. Ps. 15, 10

1. Le début de la citation de *III Rois* 9, 6-9 est tronqué par
rapport à *Inst.*, 4, 18, 32.

faim, détruisit Jérusalem, emmena les captifs à son triomphe, et interdit à tous les survivants leurs propres terres, pour qu'il ne leur fût jamais permis de revenir sur le sol de leur patrie. 8. Dieu a accompli cela à cause de cette croix du Christ, comme Salomon l'a témoigné auparavant dans ses écrits, en disant : « Et Israël ira à sa perte et son peuple sera outragé. Et cette demeure sera désertée et tous ceux qui la traverseront s'étonneront et diront : " Pourquoi Dieu a-t-il produit ces maux pour cette terre et pour cette maison ? " Et ils diront : " C'est parce qu'ils ont abandonné le Seigneur, leur Dieu, et qu'ils ont persécuté leur roi très aimé de Dieu et l'ont mis en croix en l'humiliant grandement ; c'est pour cela que Dieu leur a suscité ces malheurs [s1]. » 9. De fait, que ne méritaient pas ceux qui ont fait périr le Seigneur, qui était venu leur apporter à eux-mêmes le salut ?

42, 1. Par la suite, ils détachèrent le corps du gibet et le mirent dans un tombeau. Mais, le troisième jour, avant l'aube, il y eut un tremblement de terre, la pierre avec laquelle ils avaient fermé le sépulcre roula [2], et il ressuscita. Or, dans le sépulcre, on ne retrouva rien que les linges de son corps. 2. Autrefois, les prophètes avaient déjà prédit qu'il ressusciterait le troisième jour. David dans le *Psaume* 15 : « Tu n'abandonneras pas mon âme aux enfers et tu ne permettras pas que ton saint connaisse la pourriture [t3] ». De

2. La notation manque dans le passage correspondant des *Inst.*
3. Lactance remplace *interitus* (*Inst.*, 4, 19, 8) par *corruptio*.

« Hic filius meus sapiens, propter quod nunc non resistet
10 in contribulatione filiorum suorum : et de manu infe-
rorum eruam eum. Vbi est iudicium tuum, mors, ubi
est aculeus tuus ᵘ ? » Idem rursus : « Viuificauit nos
post biduum die tertio ᵛ. » 3. Profectus igitur in Gali-
laeam post resurrectionem discipulos suos rursus quos |
15 metus in fugam uerterat congregauit datisque mandatis   f. 36
quae obseruari uellet et ordinata euangelii praedicatione
per totum orbem inspirauit in eos spiritum sanctum ac
dedit eis potestatem mirabilia faciendi, ut in salutem
hominum tam factis quam uerbis operarentur. Ac tum
20 demum quinquagesimo die remeauit ad patrem sublatus
in nube. 4. Hoc Daniel propheta iam pridem ostenderat
dicens : « Videbam in uisu noctis : et ecce in nubibus
caeli ut filius hominis ueniens et usque ad anticum
dierum peruenit. Et qui adsistebant, obtulerunt eum :
25 et datum est ei regnum et honor et imperium, et omnes
populi tribus linguae seruient ei, et potestas eius aeterna,
quae numquam transibit, et regnum eius non corrum-
petur ᵂ. » 5. Item Dauid in psalmo CVIIII : « Dixit
dominus domino meo : " Sede ad dexteram meam,
30 donec ponam inimicos tuos subpedaneum pedum tuo-
rum ˣ. " »

T

42, 12 uiuificauit *T* : -bit *Pf Br* ‖ 20 quinquagesimo *T* : quadra-
Da Br ‖ 21 nube *Br* : -bem *T* ‖ 26 seruient ei *Pf Br* : seruientes *T*

u. Os. 13, 13-14 ‖ v. Os. 6, 2 ‖ w. Dan. 7, 13-14 ‖ x. Ps. 109, 1

1. L'expression, avec sa figure étymologique, est unique chez
Lactance. *Inspirare* évoque ici clairement l'« inspiration » de l'Esprit-

même Osée : « Celui-ci est mon fils sage, c'est pourquoi maintenant il ne restera pas dans l'affliction de ses fils et je l'arracherai de la puissance des enfers. Où est ton jugement, Mort ? Où est ton aiguillon [u] ? » Et le même à nouveau : « Il nous vivifia deux jours après, le troisième jour [v]. » 3. Il partit donc en Galilée après sa résurrection, rassembla à nouveau ses disciples que la crainte avait fait fuir, et, après leur avoir fait les recommandations qu'il voulait voir observer, et organisé la proclamation de l'Évangile à travers le monde entier, il leur insuffla [1] l'Esprit-Saint et leur donna le pouvoir de faire des miracles, pour leur permettre de travailler au salut des hommes tant par leurs paroles que par leurs actes. Et c'est alors seulement, au cinquantième jour, qu'il revint à son père, emporté dans la nuée. 4. C'est ce que le prophète Daniel avait depuis longtemps révélé par ces paroles : « J'avais une vision nocturne : et voici, dans les nuées du ciel, comme un fils d'homme qui arrivait, et il parvint jusqu'à l'ancien des jours. Et ceux qui se tenaient là lui firent des offrandes : on lui donna le royaume, l'honneur et l'empire, et tous, peuples, tribus et langues, le serviront ; son pouvoir éternel jamais ne passera et son royaume ne se corrompra pas [w]. » 5. De même David dans le *Psaume* 109 : « Le Seigneur a dit à mon Seigneur : " Assieds-toi à ma droite, jusqu'au moment où je placerai tes ennemis sous tes pieds comme un escabeau [x]. »

Saint dans les apôtres (Cf. LOI, p. 186, sur les autres valeurs du terme). Or, cette évocation manque en *Inst.*, 4, 20, 1 ; 4, 21, 1-2. Il est difficile de parler de binitarisme ici : n'aurait-on pas durci les positions de Lactance, et son binitarisme est-il aussi net qu'on l'a dit ? Voir PERRIN, *L'homme*, p. 314, n. 372.

43, 1. Cum igitur ad dexteram dei sedeat calcaturus inimicos suos qui eum cruciauerunt, quando ad iudicandum orbem uenerit, apparet nullam spem reliquam esse Iudaeis, | nisi conuersi ad paenitentiam et a f. 36
5 sanguine quo se polluerunt abluti sperare in eum coeperint quem necauerunt. 2. Ideo sic dicit Hesdra : « Hoc pascha saluator noster est et refugium nostrum. Cogitate et ascendat in cor uestrum, quoniam habemus humiliare eum in signo : et post haec sperabimus in
10 eum ^y. » 3. Exheredatos autem esse Iudaeos, quia Christum reprobauerunt, et nos, qui sumus ex gentibus, in eorum locum adoptatos scripturis adprobatur. 4. Hieremias ita dicit : « Dereliqui domum meam, dimisi hereditatem meam in manus inimicorum eius. Facta est
15 hereditas mea mihi sicut leo in silua, dedit ipsa super me uocem suam, idcirco odiui eam ^z. » 5. Item Malachiel : « Non est mihi uoluntas circa uos, dicit dominus, et sacrificium acceptum non habebo ex manibus uestris, quia a solis ortu usque ad occasum clarificabitur nomen
20 meum apud gentes ^a. » 6. Esaias quoque sic : « Venio colligere omnes gentes et linguas, et uenient et uidebunt claritatem meam ^b. » 7. Idem alio loco ex persona patris ad filium : « Ego dominus deus uocaui te in

T

43, 3 uenerit *Pf Br* : -rat *T* ‖ 5 sanguine *Pf Br* : -nem *T* ‖
6 necauerunt *Br* : nega- *T* ‖ 9 humiliare *Pf Br* : -lare *T* ‖ sperabimus
Da Br : -uimus *T* (*fort. recte*) ‖ 23 uocaui *Pf Br* : -abi *T*

y. ? ; cf. n. 1
z. Jér. 12, 7-8 ‖ a. Mal. 1, 10-11 ‖ b. Is. 66, 18

43, 1. Par conséquent, puisqu'il siège à la droite de Dieu, prêt à fouler aux pieds ses ennemis qui l'ont crucifié, quand il viendra juger le monde, il apparaît qu'aucun espoir ne reste aux Juifs, s'ils ne se tournent pas vers la pénitence et s'ils ne se lavent pas du sang dont ils se sont souillés pour commencer à espérer en celui qu'ils ont mis à mort. 2. C'est pourquói Esdras parle ainsi : « Cette Pâque est notre sauveur et notre refuge. Réfléchissez et que monte dans votre cœur la pensée que nous devons l'humilier dans le signe ; après cela, nous espérerons en lui [y][1]. » 3. Or, que les Juifs aient été déshérités pour avoir rejeté le Christ, et que nous, qui sommes des Gentils, ayons été adoptés à leur place, les Écritures le prouvent. 4. Jérémie parle ainsi : « J'ai abandonné ma propre maison, j'ai remis mon héritage entre les mains de ses ennemis. Mon héritage est devenu à mon égard comme un lion dans la forêt, il a lui-même donné de la voix contre moi, et c'est pourquoi je le hais [z]. » 5. De même, Malachie : « Ma bienveillance ne vous entoure pas, dit le Seigneur, et je n'accepterai pas de sacrifice venu de vos mains, parce que mon nom sera illustré auprès des nations, du levant au couchant [a]. » 6. Isaïe s'exprime aussi en ces termes : « Je viens rassembler toutes les nations et toutes les langues, et ils viendront, et ils verront ma gloire [b]. » 7. Le même, ailleurs, s'adressant au Fils au nom du Père [2] : « Moi, le Seigneur Dieu,

---

1. Sur les problèmes posés par ce passage, voir MONAT, t. 1, p. 110 s.
2. *Ex persona* : voir **18**, 2.

iustitiam, et tenebo manum tuam et confirmabo te, dedi
25 te in testamentum | generis mei, in lucem gentium,   f. 37*
aperire oculos caecorum, producere ex uinculis alligatos
et de domo carceris sedentes in tenebris ᶜ. »

44, 1. Si ergo Iudaei a deo reiecti sunt, sicut
sacrarum scripturarum fides indicat, gentes autem, sicut
uidemus, adscitae ac de tenebris huius uitae saecularis
deque uinculis daemonum liberatae, nulla igitur alia
5 spes homini proposita est, nisi ueram religionem
ueramque sapientiam, quae in Christo est, fuerit secutus : quem qui ignorat, a ueritate ac deo semper alienus
est. 2. Nec sibi de summo deo uel Iudaei uel philosophi
blandiantur : qui filium non agnouit, nec patrem potuit
10 agnoscere. Haec est sapientia et hoc mysterium summi
dei. Per illum se deus et agnosci et coli uoluit. 3.
Ideo prophetas ante praemisit qui de aduentu eius
praedicarent, ut cum facta essent in eo quaecumque
praedicata sunt, tunc ab hominibus et dei filius et deus
15 crederetur. 4. Nec tamen sic habendum est, tamquam
duo sint dii. Pater enim ac filius unum sunt. Cum enim
pater filium diligat omniaque ei tribuat et filius patri
fideliter obsequatur nec uelit | quidquam nisi quod   f. 37
pater, non potest utique necessitudo tanta diuelli, ut
20 duo esse dicantur in quibus et substantia et uoluntas
et fides una est. 5. Ergo et filius per patrem et pater

c. Is. 42, 6-7

1. Cela fait partie intégrante de la mission du Christ (cf. Loi,
p. 253, surtout n. 88).
2. *Qui ... agnoscere* n'a pas de correspondant exact en *Inst.*,
4, 29, 14-15. La phrase transpose sur le mode négatif *Matth.* 11,
27, ou « contamine » le passage avec *I Jn* 2, 23.
3. Cf. *Jn* 3, 35 (absent des *Inst.*).

je t'ai appelé à la sainteté, je te tiendrai la main et
je t'affermirai ; pour témoigner de ma race et éclairer
les nations, je t'ai permis d'ouvrir les yeux des aveugles,
de libérer de leurs chaînes les enchaînés et de la
demeure de la prison ceux qui sont assis dans les
ténèbres[c]. »

44, 1. Si donc les Juifs ont été rejetés par Dieu,
comme en font foi les indications des Écritures saintes,
et si d'autre part les nations, comme nous le voyons,
ont été adoptées et libérées[1] des ténèbres de la vie
de ce siècle et des chaînes des démons, aucun autre
espoir n'a donc été proposé à l'homme que de s'attacher
à la vraie religion et à la vraie sagesse, qui est dans
le Christ ; celui qui l'ignore est pour toujours étranger
à la vérité et à Dieu. 2. Et que les Juifs ou les
philosophes ne se paient pas d'illusions au sujet du
Dieu très-haut : qui n'a pas connu le Fils n'a pu
connaître non plus le Père[2]. Telle est la sagesse et
le mystère du Dieu très-haut. C'est par lui que Dieu
a voulu être reconnu et honoré. 3. Aussi a-t-il envoyé
à l'avance les prophètes devant lui, pour leur faire
annoncer sa venue, afin qu'au temps où se serait
accompli en lui tout ce qui avait été prédit, les hommes
crussent alors qu'il était fils de Dieu et Dieu. 4. Mais
on ne doit pas interpréter cette phrase comme s'il y
avait deux dieux. Le Père et le Fils ne font qu'un.
De fait, comme le Père aime le Fils et lui attribue
tout[3], et que le Fils obéit fidèlement au Père et n'a
aucune volonté en dehors du Père, on ne peut assurément rompre une relation si étroite en disant qu'ils
sont deux, alors qu'ils ne font qu'un par la substance,
la volonté, la fidélité. 5. Par conséquent, le Fils existe

per filium. Vnus est honos utrique tribuendus tamquam
uni deo et ita diuidendus est per duos cultus, ut diuisio
ipsa compage inseparabili uinciatur. Neutrum sibi relin-
25 quet qui aut patrem a filio aut filium a patre secernit.

45, 1. Superest respondere etiam iis qui putant
inconueniens fuisse nec habere rationem ut deus mortali
corpore indueretur, ut hominibus subiectus esset, ut
contumelias sustineret, cruciatus etiam mortemque pate-
5 retur. 2. Dicam quod sentio et rem inmensam paucis
ut potero substringam. Qui aliquid docet, debet, ut
opinor, facere ipse quae docet, ut cogat homines
obtemperare. Nam si non fecerit, praeceptis suis fidem
derogabit. 3. Exemplis igitur opus est, ut ea quae
10 praecipiuntur habeant firmitatem, et si quis contumax
extiterit ac dixerit non posse fieri, praeceptor illum
praesenti opere conuincat. Non potest ergo perfecta
esse doctrina, cum uerbis tantum | traditur, sed tum   f. 38*
perfecta est, cum factis adimpletur. 4. Christus itaque
15 cum doctor uirtutis ad homines mitteretur, utique, ut
doctrina eius perfecta esset, et docere et facere debue-
rat. Sed si corpus hominis non induisset, non posset
facere quae docebat, id est non irasci, non cupere
diuitias, non libidine inflammari, dolorem non timere,
20 mortem contemnere. 5. Haec sunt utique uirtutis, sed

T
45, 1 iis *Pf Br* : is *T* ‖ 9 derogabit *Pf Br* : -uit *T* ‖ 20 uirtutis
eruditus Brit. Br : -tes *T*

---

1. *Conpages* désigne chez Lactance l'« assemblage » des parties
du corps, que l'on peut séparer sans détruire le corps lui-même, et,
métaphoriquement, en *Opif.*, 10, 9, le nombre « deux » et, en *Épit.*,
61, 8, l'union de l'homme et de la femme.
2. Reprise de la préface.

par le Père et le Père par le Fils. On doit attribuer un seul hommage à l'un et à l'autre comme à un seul Dieu, et si le culte doit être divisé en deux, ce doit être de telle manière que la division elle-même soit liée par un assemblage inséparable[1]. Qui sépare le Père du Fils ou le Fils du Père ne laissera subsister ni l'un ni l'autre.

45, 1. Il me reste à répondre aussi à ceux qui pensent qu'il a été inconvenant et qu'il est déraisonnable que Dieu revête un corps mortel, qu'il soit soumis à des hommes, qu'il endure des outrages, qu'il supporte même des tortures et la mort. 2. Je dirai ce que j'en pense et je condenserai en peu de mots, comme je le pourrai, une matière immense[2]. Celui qui enseigne quelque chose doit, à mon avis, faire ce que lui-même enseigne, pour forcer les hommes à obéir. Car, s'il ne le fait pas, il ôtera tout crédit à ses préceptes. 3. Les exemples sont donc nécessaires pour que les recommandations aient de la solidité, et que si quelque rebelle se présentait en disant que c'est impossible, le maître puisse le convaincre en présence de l'œuvre accomplie. Une doctrine ne peut donc être achevée quand elle n'est transmise qu'en paroles ; elle n'est parfaite que quand elle est accomplie en actes. 4. C'est pourquoi, le Christ ayant été envoyé aux hommes pour leur enseigner la vertu, à coup sûr, pour que sa doctrine fût accomplie, il devait à la fois l'enseigner et la pratiquer. Mais s'il n'avait pas revêtu un corps d'homme, il n'aurait pu faire ce qu'il enseignait, c'est-à-dire ne pas se mettre en colère, ne pas être la proie de la cupidité, ne pas se laisser enflammer par la passion, ne pas craindre la douleur, mépriser la mort. 5. Ces actes relèvent évidemment de la vertu, mais ils

fieri sine carne non possunt. Ergo ideo corporatus est,
ut cum uincenda esse carnis desideria doceret, ipse
faceret prior, ne quis excusationem de carnis fragilitate
praetenderet.

46, 1. Dicam nunc de sacramento crucis, ne quis
forte dicat : « Si suscipienda illi mors fuerat, non utique
infamis ac turpis, sed quae haberet aliquid honestatis. »
2. Scio equidem multos, dum abhorrent nomen crucis,
5 refugere a ueritate, cum in ea et ratio magna sit et
potestas. Nam cum ad hoc missus esset, ut humillimis
quibusque uiam panderet ad salutem, se ipse humilem
fecit, ut eos liberaret. 3. Suscepit ergo id genus mortis
quod solet humilibus inrogari, ut omnibus facultas
10 daretur imitandi. | Praeterea cum esset resurrecturus,   f. 38
amputari partem corporis eius fas non erat nec os
infringi, quod accidit iis qui capite plectuntur. 4. Crux
ergo potior fuit, quae resurrectioni corpus integris
ossibus reseruauit. His etiam illud accedit, quod passione
15 ac morte suscepta sublimem fieri oportebat. 5. Adeo
illum crux et re et significatione exaltauit, ut omnibus
maiestas eius ac uirtus cum ipsa passione notuerit. Nam

T

46, 2 utique *Pf Br* : utuque *T* ‖ 14 reseruauit *Pf Br* : -abit *T* ‖
accedit *Pf Br* : -epit *T*

---

1. *De sacramento crucis* correspond à *crucis ratio* d'*Inst.*, 4, 26,
1, qui était plus sèchement objectif et « judiciaire », moins spécifi-
quement chrétien.

2. *Scio equidem* n'a pas de correspondant dans les *Inst.* Un
souvenir personnel de propos entendus dans la bouche de païens
n'est pas à exclure ici (mais voir aussi MIN. FEL., 19, 4 ; ARN., 1,
36, 1).

ne peuvent être accomplis sans la chair. Il a donc pris un corps dans cette intention : comme il enseignait qu'il fallait vaincre les désirs de la chair, lui-même le ferait le premier, afin que personne ne tirât excuse de la fragilité de la chair.

46, 1. Je parlerai maintenant du mystère de la croix[1], pour que personne n'aille dire : « S'il devait subir la mort, ce n'était assurément pas une mort infâme et honteuse, mais une mort qui fût quelque peu honorable. » 2. Pour ma part, je sais[2] que beaucoup de gens, dans leur horreur du nom de la croix, fuient la vérité, bien qu'il y ait en elle une grande raison et une grande puissance. Car, ayant été envoyé pour ouvrir la voie du salut aux plus humbles[3], il s'est fait humble lui-même pour les libérer. 3. Il a donc subi le genre de mort qu'on inflige d'habitude aux humbles, pour que tous eussent la possibilité de l'imiter. En outre, comme il devait ressusciter, il ne fallait pas qu'une partie de son corps fût coupée, ou qu'un de ses os fût brisé, ce qui arrive à ceux qui sont décapités. 4. La croix était par conséquent préférable : en vue de la résurrection, elle a conservé un corps aux os intacts. Il s'y ajoute aussi ceci : il lui fallait être élevé en assumant sa passion et sa mort. 5. La croix l'a élevé à la fois réellement et symboliquement, à tel point que tous ont connu sa majesté et sa puissance en même temps que sa passion même.

---

3. *Humillimus* indique le rang social, sans connotation d'« humilité chrétienne ». *Humiliores* et *honestiores* encouraient devant la justice des châtiments différents.

quod extendit in patibulo manus, utique alas suas in
orientem occidentemque porrexit, sub quas uniuersae
20 nationes ab utraque mundi parte ad requiem conuenirent. 6. Quantum autem ualeat hoc signum et quid
habeat potestatis, in promptu est, cum omnis daemonum
cohors hoc signo expellitur ac fugatur. 7. Et sicut ipse
ante passionem daemonas uerbo et imperio proturbabat,
25 sic nunc nomine ac signo passionis eius idem spiritus
inmundi, quando in corpora hominum inrepserint, exi-
guntur, cum extorti et excruciati ac se daemonas confi-
tentes uerberanti se deo cedunt. 8. Quid ergo
sperauerint de suis religionibus cumque sua sapientia |
30 Graeci, cum uideant deos suos, quos eosdem daemo-   f. 39ᵃ
nas esse non negant, per crucem ab hominibus trium-
phari ?

47, 1. Vna igitur spes hominibus uitae est, unus
portus salutis, unum refugium libertatis, si abiectis
quibus tenebantur erroribus aperiant oculos mentis suae
deumque cognoscant, in quo solo domicilium ueritatis
5   est, terrena et de terra ficta contemnant, philosophiam,
quae apud deum stultitia est, pro nihilo conputent, sed
uera sapientia id est religione suscepta fiant inmortalitatis
heredes. 2. At enim repugnant non tam ueritati quam

T
46, 22 promtu *Pf Br* : -tum *T* ‖ 25 eius idem *Br* : eiusdem *T*

---

1. Le résumé d'*Inst.*, 4, 30 (l'apparition des hérésies) manque,
ainsi que celui des premiers chapitres du livre 5 (notamment le
passage où Lactance se situait par rapport à ses prédécesseurs). De
plus, Lactance a modifié fortement le plan des chapitres correspondant
à *Inst.* 5 et 6 (voir Introd., p. 28 s.).

Car, en étendant les mains sur le gibet, il a évidemment allongé vers l'orient et l'occident ses ailes sous lesquelles l'ensemble des nations se rassembleraient des deux parties du monde pour se reposer. 6. Or l'importance et la puissance de ce signe sont manifestes quand toute la cohorte des démons est chassée et mise en fuite par lui. 7. Et tout comme avant sa passion il a lui-même chassé les démons par sa parole et son commandement, de même maintenant son nom et le signe de sa passion font sortir les mêmes esprits immondes, quand ils se sont glissés dans le corps des hommes : tenaillés et torturés, ils avouent qu'ils sont des démons et reculent devant Dieu qui les frappe. 8. Quelle espérance les Grecs tireraient-ils de leurs religions et de leur sagesse, quand ils voient que, par la croix, des hommes triomphent de leurs dieux, dont ils disent eux-mêmes qu'ils sont des démons ?

47, 1 [1]. Les hommes n'ont donc qu'un seul espoir pour leur existence, un seul port de salut, un seul refuge pour leur liberté [2] : rejeter les erreurs qui les retiennent prisonniers, ouvrir les yeux de leur intelligence et connaître Dieu, en qui seul réside la vérité ; mépriser les choses terrestres et faites de terre ; tenir pour rien la philosophie, qui n'est que sottise auprès de Dieu ; embrasser la vraie sagesse, c'est-à-dire la religion, et hériter de l'immortalité. 2. De fait, ils ne luttent pas tant contre la vérité que contre leur salut

---

2. Cette énumération très oratoire n'est pas un écho des *Inst.* où ses éléments sont épars.

propriae saluti cumque haec audiunt, uelut aliquod
10 inexpiabile nefas detestantur. 3. Sed ne audire quidem
patiuntur, uiolari aures suas sacrilegio putant, si audie-
rint, nec iam maledictis abstinent, sed quantis possunt
uerborum contumeliis insectantur. Idemque si potestatem
nacti fuerint, uelut hostes publicos persecuntur, immo
15 etiam plus quam hostes, quorum, cum bello uicti fuerint,
aut mors aut seruitus poena est nec ullus post arma
deposita cruciatus, quamuis omnia pati meruerint qui
facere uoluerunt, | et inter mucrones locum pietas   f. 39ᵇ
habet. 4. Inaudita est crudelitas, cum innocentia nec
20 uictorum hostium condicionem meretur. Quae tanta
huius furoris est causa ? Scilicet quia ratione congredi
non queunt, uiolentia premunt, incognita causa tamquam
nocentissimos damnant, qui constare de ipsa innocentia
noluerunt. 5. Nec satis putant, si celeri ac simplici
25 morte moriantur quos inrationabiliter oderunt, sed eos
exquisitis cruciatibus lacerant, ut expleant « odium »,
quod non peccatum aliquod, sed « ueritas parit » : quae
idcirco male uiuentibus odiosa est, quia aegre ferunt
esse aliquos quibus facta eorum placere non possunt.
30 Hos omni modo cupiunt extinguere, ut possint libere
sine teste peccare.

47, 26 s. TER., *Andr.*, 1, 11, 41

T

47, 14 nacti *Pf Br* : acti *T* ‖ 16 ullus *Pf Br* : ullis *T* ‖ 19 habet

personnel, et quand ils entendent ces paroles, ils les repoussent comme un sacrilège inexpiable. 3. Et ils ne supportent même pas d'écouter, ils pensent que leurs oreilles sont violées par un sacrilège s'ils ont entendu ces propos, et ils ne s'abstiennent plus de malédictions, mais lancent autant d'invectives et d'injures qu'ils peuvent. Et si les mêmes personnes sont investies de quelque pouvoir, elles nous persécutent comme des ennemis publics, et même plus que des ennemis. En effet, quand à la guerre ces derniers ont été vaincus, leur châtiment n'est que la mort ou l'esclavage, et on n'en torture aucun après qu'il a déposé les armes, bien qu'ils aient mérité de subir tout ce qu'ils ont voulu faire, et la pitié a sa place au milieu des glaives. 4. C'est une cruauté inouïe que des innocents ne méritent même pas la condition d'ennemis vaincus. Quelle est la cause de cette folie si grande ? Apparemment, parce qu'ils ne peuvent pas combattre avec les armes de la raison, ils nous écrasent sous la violence, ils condamnent sans instruire l'affaire, comme s'il s'agissait des pires coupables, sans avoir voulu prendre acte même de l'innocence. 5. Et ils n'estiment pas suffisant de faire mourir d'une mort rapide et simple ceux qu'ils haïssent déraisonnablement, mais ils les déchirent dans des tortures raffinées, pour assouvir « leur haine qu'engendre » non quelque faute mais « la vérité » : ceux qui vivent dans le mal la détestent parce qu'ils supportent difficilement qu'il existe des gens qui ne peuvent agréer leurs actes. Ils désirent donc les détruire de toutes les manières, pour pouvoir faire le mal librement et sans témoins.

Da Br : haberet *T* ‖ 23 qui *T* : quia *Da Br*

48, 1. Sed haec facere se dicunt, ut deos suos defendant. Primum, si dii sunt et habent aliquid potestatis ac numinis, defensione hominis patrocinioque non indigent, sed se ipsos utique defendunt. 2. Aut quomodo ab iis homo sperare auxilium potest, si ne suas quidem iniurias possunt uindicare ? Stultum igitur et uanum, deorum esse uindices uelle, nisi quod ex eo | magis apparet diffidentia. 3. Qui enim patrocinium dei   f. 40ᵃ quem colit suscipit, illum esse nihili confitetur : si autem ideo colit, quia potentem arbitratur, non debet eum uelle defendere a quo ipse est defendendus. 4. Nos igitur recte. Nam cum isti defensores falsorum deorum aduersus uerum deum rebelles nomen eius in nobis persecuntur, nec re nec uerbo repugnamus, sed mites et taciti et patientes perferimus omnia quaecumque aduersus nos potest crudelitas machinari. Habemus enim fiduciam in deo, a quo expectamus secuturam protinus ultionem. 5. Nec est inanis ista fiducia, siquidem eorum omnium qui hoc facinus ausi sunt miserabiles exitus partim cognouimus, partim uidimus nec ullus habuit inpune quod deum laesit, sed qui sit uerus deus qui uerbo discere noluit, supplicio suo didicit. 6. Vellem scire, cum inuitos adigunt ad sacrificium, quid secum habeant rationis aut cui praestent quod faciunt. Si diis, non est ille cultus nec acceptabile sacrificium quod fit ingratis, quod extorquetur per iniuriam, quod eruitur per dolorem ; 7. Si autem ipsis quos cogunt, | non   f. 40ᵇ

T

48, 2 aliquid *Pf Br* : -quod *T* ‖ 3 defensione *Pf Br* : -nem *T* ‖ 9 nihili *Da Br* : -lo *T* ‖ 18 fiducia *Tᵖᶜ* : fudicia *Tᵃᶜ* ‖ 20 cognouimus *Br* : -obimus *T* ‖ uidimus *Da Br* : uidemus *T*

1. L'adjectif *acceptabilis*, qui ne se trouve que chez les auteurs

48, 1. Et ils disent qu'ils font cela pour défendre leur dieux. D'abord, si ce sont des dieux et s'ils ont quelque puissance et majesté, ils n'ont pas besoin d'être défendus et protégés par l'homme, mais ils se défendent évidemment eux-mêmes. 2. Ou alors, comment l'homme peut-il espérer du secours de leur part, s'ils ne peuvent même pas venger les injustices commises contre eux. Il est donc fou et vain de vouloir venger les dieux, si ce n'est que cela fait apparaître davantage la défiance qu'on éprouve à leur égard. 3. De fait, celui qui assume la défense du dieu qu'il honore avoue que celui-ci ne vaut rien ; or, s'il l'honore parce qu'il l'estime puissant, il ne doit pas vouloir défendre celui-là même qui doit le défendre. 4. Nous avons donc raison. Aussi, quand ces défenseurs des faux dieux, rebelles au vrai Dieu, persécutent son nom en nous, nous ne leur résistons ni en actes, ni en paroles, mais doux, silencieux, patients, nous supportons tout ce que leur cruauté peut inventer contre nous. C'est que nous avons confiance en Dieu, de qui nous attendons ensuite une vengeance immédiate. 5. Et cette confiance n'est pas vaine, car nous savons, tantôt pour l'avoir appris, tantôt pour l'avoir vu, la fin misérable de tous ceux qui ont osé commettre ce méfait. Personne n'a offensé Dieu impunément, et celui qui n'a pas voulu apprendre par la parole qui est le vrai Dieu, l'a appris par son propre supplice. 6. Je voudrais savoir, quand ils contraignent des gens à sacrifier contre leur gré, quelle raison ils ont et pour qui ils accomplissent ce qu'ils font. Si c'est pour les dieux, ce n'est ni un culte, ni un sacrifice acceptable[1], puisqu'il est fait à contre-cœur, extorqué par injustice, et arraché par la souffrance. 7. Et si c'est pour ceux-là mêmes que l'on

chrétiens (à partir de TERT., *Iud.*, 5, 5), apparaît uniquement dans l'*Épit.* chez Lactance (ici et **53**, 3).

est utique beneficium quod quis ne accipiat, etiam mori
mauult. Si bonum [non] est ad quod me uocas, cur
30 malo inuitas ? Cur non uerbis, sed uerberibus ? Cur
non ratione, sed cruciatibus corporis ? Vnde apparet
malum esse illud ad quod non inlicis uolentem, sed
trahis recusantem. 8. Quae stultitia est consulere uelle
nolenti ? An si aliquis prementibus malis ad mortem
35 confugere cogatur, num potes, si aut gladium extorseris
aut laqueum ruperis aut <a> praecipitio retraxeris aut
uenenum effuderis, conseruatorem te hominis gloriari,
cum ille quem seruasse te putas nec gratias agat et te
male secum arbitretur egisse, quod mortem sibi prohi-
40 bueris optatam, quod ad finem, quod ad requiem
malorum peruenire non siueris ? 9. Beneficium enim
non ex qualitate rei debet, sed ex animo eius qui
accipit ponderari. Cur pro beneficio imputes quod mihi
maleficium est ? 10. Vis me deos tuos colere, quod
45 ego mihi mortiferum duco ? Si bonum est, non inuideo,
fruere solus bono tuo ; non est quod uelis errori meo
succurrere quem iudicio ac uoluntate suscepi. 11. Si
malum, │ quid me ad consortium mali rapis ? « Vtere   f. 41*

48, 48 s. VERG., *Aen.*, 12, 932

T

48, 28 ne *Pf Br* : nec *T* ‖ 29 bonum *Br* : + non *T* ‖ 36 a *He*
Br : om. *T* ‖ 41 siueris *Da Br* : sinueris *T*

---

1. Adage scolaire (cf. la note de P. Monat sur *Inst.*, 5, 20, 5
= *SC* 205, p. 159). Vient ensuite une question qui répond à
l'exclamation. La « pointe » de l'argumentation est qu'on ne peut
faire du bien à quelqu'un contre son gré, et non une approbation
du suicide (Lactance le condamne en **59**, 5). Le propos d'école
trouve une application dans la situation paradoxale des persécutés :

contraint, ce n'est évidemment pas un bienfait si l'on préfère même mourir pour ne pas le recevoir. Si c'est à un bien que tu m'appelles, pourquoi m'y engages-tu en me faisant du mal ? Pourquoi ne le fais-tu pas avec des mots, mais avec des coups ? Pourquoi pas avec la raison, mais avec des tortures physiques ? D'où il résulte que c'est un mal, ce vers quoi tu n'attires pas quelqu'un qui le veut, mais l'y traînes contre son gré. 8. Quelle folie est-ce de vouloir s'occuper de quelqu'un qui ne le veut pas[1] ! A supposer qu'un homme, accablé par des méchants, soit contraint de se réfugier dans la mort, peux-tu, si tu lui as arraché une épée, ou si tu as rompu son lacet, ou si tu l'as éloigné du précipice, ou si tu as renversé son poison, peux-tu te glorifier d'avoir sauvé un homme, alors que celui que tu penses avoir sauvé ne te remercie pas et juge que tu as mal agi envers lui, puisque tu lui as interdit une mort qu'il souhaite et que tu ne lui as pas permis de parvenir au terme, au repos de ses malheurs ? 9. De fait, on ne doit pas peser un bienfait d'après la nature de l'acte, mais d'après les dispositions de la personne qui le reçoit. Pourquoi considères-tu comme un bienfait ce qui pour moi est un méfait ? 10. Tu veux que j'honore tes dieux, ce que je considère comme mortel pour moi. Si c'est un bien, je ne l'envie pas, jouis tout seul de ton bien. Tu n'as pas de raison de vouloir venir au secours de mon erreur : je l'ai assumée par mon jugement et par ma volonté. 11. Si c'est un mal, pourquoi m'entraînes-tu à partager ton mal ? « Use de

les bourreaux les torturent, non pour qu'il avouent des crimes, mais pour qu'ils renient leur foi (TERT., *Apol.*, 2, 10). L'idée que seul compte le prix qu'attache au bienfait celui qui le reçoit se trouve chez SEN., *Vita*, 20, 4.

sorte tua ». Ego malo in bono mori quam in malo
50 uiuere.

49, 1. Haec quidem iuste dici possunt. Sed quis
audiet, cum homines furiosi et inpotentes minui domi-
nationem suam putent, si sit aliquid in rebus humanis
liberum ? Atquin religio sola est in qua libertas domi-
5 cilium conlocauit. 2. Res est enim praeter ceteras
uoluntaria nec inponi cuiquam necessitas potest, ut colat
quod non uult. Potest aliquis forsitan simulare, non
potest uelle. 3. Denique cum metu tormentorum aliqui
aut cruciatibus uicti ad execranda sacrificia consenserint,
10 numquam ultro faciunt quod necessitate fecerunt, sed
data rursus facultate ac reddita libertate referunt se ad
deum eumque precibus et lacrimis placant agentes non
uoluntatis quam non habuerunt, sed necessitatis quam
pertulerunt paenitentiam, et uenia satisfacientibus non
15 negatur. 4. Quid ergo promouet qui corpus inquinat,
quando inmutare non potest uoluntatem ? At enim
homines inanis cerebri si quem fortem adegerint libare
diis suis, incredibili alacritate insolenter exultant et quasi
hostem | sub iugum miserint, gaudent. 5. Si uero   f. 41
20 aliquis nec minis nec tormentis territus fidem uitae

T

49, 12 placant *Pf Br* : -cat *T*

1. Texte non cité dans les *Inst.* : Turnus vaincu implore vai-
nement en ces termes la pitié d'Énée. Lactance renverse la situation :
il demande aux païens d'user de leur chance dans leur choix porteur
de mort.

2. Cette phrase, qui n'a pas d'équivalent exact dans les *Inst.*,
est frappée comme une *sententia* : pour la pensée, cf. LIV., 22, 50,
7 ; SEN., *Contr.*, 1, 8, 2.

ta chance[1]. » Pour moi, je préfère mourir dans le bien que vivre dans le mal[2].

49, 1[3]. On peut certes dire cela à bon droit. Mais qui entendra, alors que des forcenés[4] et des hommes incapables de se contrôler pensent que leur domination serait diminuée si une activité humaine restait libre ? Et pourtant la religion est le seul domaine dans lequel la liberté a établi son domicile. 2. De fait, plus que tout le reste, elle regarde la volonté, et la nécessité ne peut en être imposée à personne pour lui faire honorer ce qu'il ne veut pas. Il est peut-être possible de simuler, mais non de vouloir. 3. Enfin, quand quelques-uns, vaincus par la crainte des tortures ou par les supplices, ont consenti à des sacrifices abominables, jamais ils ne font de leur propre mouvement ce qu'ils ont fait sous la contrainte ; mais, qu'on leur en donne à nouveau la possibilité, qu'on leur rende la liberté, ils reviennent à leur Dieu et l'apaisent par leurs prières et leurs larmes, en se repentant non de la volonté, qu'ils n'ont pas eue, mais de la contrainte qu'ils ont endurée, et l'on ne refuse pas le pardon à ceux qui font amende honorable. 4. Qu'est-ce donc qui pousse à agir celui qui souille le corps, puisqu'il ne peut pas changer la volonté ? Mais à vrai dire, si des hommes à la cervelle creuse ont contraint un homme courageux à une libation en l'honneur de leurs dieux, ils exultent insolemment avec une gaieté incroyable, et ils se réjouissent comme s'ils avaient fait passer un ennemi sous le joug. 5. Mais si quelqu'un ne se laisse terroriser

3. Lactance regroupe dans un ordre tout à fait différent des thèmes épars en *Inst.*, 5, 9 ; 5, 11 ; 5, 13 et 19.
4. Rétorsion des injures adressées aux chrétiens par les païens. *Furiosus* a un sens juridique : VLP., *Dig.*, 12, 6, 29.

anteferre maluerit, in hunc ingenium suum crudelitas
exerit, infanda et intolerabilia molitur. Et quia sciunt
gloriosam esse pro deo mortem et hanc nobis esse
uictoriam, si superatis tortoribus animam pro fide ac
25 religione ponamus, et ipsi enituntur ut uincant. 6. Non
adficiunt morte, sed excogitant nouos inauditosque cruciatus, ut fragilitas uiscerum doloribus cedat, et si non
cesserit, differunt adhibentque uulneribus curam diligen-
tem, ut crudis adhuc cicatricibus repetita tormenta plus
30 doloris inmittant. Et <dum> hanc aduersus innocentes
carnificinam exercent, pios utique se et iustos et reli-
giosos putant – talibus enim sacris d<ii> eorum delec-
tantur –, illos uero impios et desperatos nuncupant.
7. Quae ista est peruersitas, ut qui torquetur innocens
35 desperatus atque impius nominetur, carnifex autem iustus piusque dicatur ?

    50, 1. Sed recte ac merito puniri eos aiunt, qui
publicas religiones a maioribus traditas execrantur.
Quid ? Si maiores illi stulti fuerunt | in suscipiendis   f. 42
religionibus uanis, sicut iam supra ostendimus, praes-
5 cribetur nobis quominus uera et meliora sectemur ? 2.
Cur nobis auferimus libertatem et quasi addicti alienis
seruimus erroribus ? Liceat sapere, liceat inquirere ueritatem. 3. Sed tamen, si libet maiorum defendere
<religiones>, cur inpune habent Aegyptii, qui pecudes

T

    49, 26 morte *Pf Br* : -tem *T* ‖ 30 dum *Da Br* : *om. T* ‖ 32 dii
eorum *Da Br* : deorum *T*
    50, 6 et *Br* : sed *T* ‖ 9 religiones *Da Br* : *om. T*

---

    1. L'ordre d'*Inst.*, 5, 14-20 n'est toujours pas respecté ici.

ni par les menaces ni par les tortures, et s'il aime mieux faire passer sa foi avant sa vie, l'ingéniosité de leur cruauté se découvre à son égard, et machine des actes horribles et insupportables. Et, parce qu'ils savent qu'il est glorieux de mourir pour Dieu et que c'est pour nous une victoire si, vainqueurs des bourreaux, nous donnons notre vie pour la défense de la foi et de la religion, ils s'efforcent eux-mêmes aussi de vaincre. 6. Ils ne font pas subir la mort, mais imaginent des supplices nouveaux et inouïs, pour que la fragilité des entrailles cède aux douleurs, et si elle n'a pas cédé, ils remettent à plus tard et soignent avec diligence les blessures pour que, sur des plaies encore à vif, la reprise des tortures apporte plus de douleur. Et quand ils exercent ce métier de bourreau sur des innocents, ils se croient assurément pieux, justes et religieux – de fait, leurs dieux font leurs délices de telles cérémonies –, et ils appellent leurs victimes « impies » et « désespérés ». 7. Quelle est cette aberration qui consiste à appeler désespéré et impie l'innocent torturé, alors que son bourreau est dit juste et pieux ?

50, 1 [1]. Mais ils disent que l'on punit justement et à bon droit des gens qui maudissent les cultes publics transmis par les ancêtres. Eh quoi ! Si leurs ancêtres ont commis une folie en adoptant de vaines religions, comme nous l'avons déjà montré plus haut, nous sera-t-il interdit de rechercher ce qui est vrai et meilleur ? 2. Pourquoi nous ôtons-nous la liberté et pourquoi sommes-nous esclaves des erreurs d'autrui, comme si nous leur avions été adjugés dans une enchère ? Qu'il soit permis d'être sage, qu'il soit permis de chercher la vérité. 3. Mais pourtant, s'il vous plaît de défendre la religion de vos ancêtres, pourquoi les Égyptiens

10 et omnis generis bestias pro diis colunt ? Cur de diis
ipsis <mimi> aguntur et qui eos facetius deriserit,
honoratur ? Cur audiuntur philosophi, qui aut nullos
deos esse aiunt aut, si sunt, nihil curare nec humana
respicere aut nullam esse omnino quae regat mundum
15 prouidentiam disserunt ? 4. Sed soli ex omnibus impii
iudicantur qui deum, qui ueritatem sequuntur. Quae
cum sit eadem iustitia, eadem sapientia, hanc isti uel
impietatis uel stultitiae crimine infamant nec perspiciunt
quid sit quod eos fallat, cum et malo uocabulum boni
20 et bono mali nomen inponunt. 5. Plurimi quidem
philosophorum, sed maxime Plato et Aristoteles de
iustitia multa dixerunt adserentes et extollentes eam
summa laude uirtutem, quod suum cuique tribuat, quod
aequitatem in omnibus seruet : | et cum ceterae uirtutes   f. 42
25 quasi tacitae sint et intus inclusae, solam esse iustitiam
quae nec sibi tantum conciliata sit nec occulta, sed
foras tota promineat et ad bene faciendum prona sit,
ut quam plurimis prosit ; 6. Quasi uero in iudicibus
solis atque in potestate aliqua constitutis iustitia esse
30 debeat et non in omnibus ! Atquin nullus est hominum
ne infimorum quidem ac mendicorum in quem iustitia
cadere non possit. 7. Sed quia ignorabant quid esset,

T

50, 11 mimi *Da Br* : *om. T* ‖ 15 prouidentiam *Pf Br* : -tia *T* ‖
20 plurimi *He Br* : primuli *T* ‖ 31 infimorum *Da Br* : infirm- T

---

1. En fait, Lactance vise précisément les épicuriens, comme le
montre le passage correspondant des *Inst.*

2. *Et cum ... prosit* : comme le signale S. Brandt, le passage
manque dans les *Inst.* Mais il est très proche de deux fragments de
CICÉRON tirés de Nonius (*Rep.*, 2, 69 frg. 1 et 2 = *CUF*, t. 2, p. 47

restent-ils impunis, alors qu'ils honorent des animaux domestiques et toutes sortes de bêtes sauvages en guise de dieux ? Pourquoi joue-t-on des mimes qui ont pour sujet les dieux mêmes, et pourquoi honore-t-on celui qui les a raillés le plus plaisamment ? Pourquoi écoute-t-on les philosophes[1] ? Selon eux, les dieux n'existent pas, ou s'ils existent, ils soutiennent que ces dieux ne se soucient en rien des choses humaines et n'y prêtent pas attention, ou qu'il n'y a absolument aucune providence qui gouverne le monde. 4. Mais, entre tous, on juge impies ceux-là seuls qui suivent Dieu et la vérité. Et comme elle est aussi justice et sagesse, ils la décrient en l'accusant d'impiété ou de folie, et ils ne perçoivent pas la nature de ce qui les induit en erreur, quand ils appellent bien le mal et mal le bien. 5. Certes, la plupart des philosophes, mais surtout Platon et Aristote, ont beaucoup parlé de la justice ; ils ont soutenu et exalté cette vertu par les plus hauts éloges, parce qu'elle attribue à chacun ce qui lui revient et conserve l'équité en toutes choses. Et comme toutes les autres vertus sont pour ainsi dire silencieuses et enfermées à l'intérieur, ils disent que la justice est la seule vertu qui ne soit pas seulement tournée vers elle-même ni cachée, mais qui saille, tout entière tournée vers l'extérieur, et qui incite à bien faire, de telle sorte qu'elle soit utile au plus grand nombre[2]. 6. Comme si vraiment la justice ne devait exister que chez les seuls juges en fonction et chez ceux qui sont investis de quelque pouvoir, et non chez tous les hommes ! Car, à vrai dire, il n'est pas un homme, même misérable

---

Bréguet). Ajoutons que l'expression *intus inclusae* est utilisée par CICÉRON (*Fin.*, 1, 13, 44 ; *Nat. deor.*, 2, 47, 121 ; *Ti.*, 34). Lactance a pu aussi « contaminer » plusieurs passages cicéroniens, et relire CIC., *Rep., 3* (*Épit.*, 50, 5-8 est dans *Rep.*, 3, 10, 11 = *CUF*, t. 2, p. 55-56 Bréguet).

unde proflueret, quid operis haberet, summam illam
uirtutem, id est commune omnium bonum, paucis tri-
35 buerunt eamque nullas utilitates proprias aucupari, sed
alienis tantum commodis studere dixerunt. 8. Nec
inmerito extitit Carneades homo summo ingenio et
acumine, qui refelleret istorum orationem et iustitiam,
quae fundamentum stabile non habebat, euerteret, non
40 quia uituperandam esse iustitiam sentiebat, sed ut illos
defensores eius ostenderet nihil certi, nihil firmi de
iustitia disputare. |

51, 1. Nam si iustitia est ueri dei cultus – quid enim   f. 43
tam iustum ad aequitatem, tam pium ad honorem, tam
necessarium ad salutem quam deum agnoscere ut parentem, uenerari ut dominum eiusque legi et praeceptis
5 obtemperare ? –, nescierunt ergo iustitiam philosophi,
quia nec ipsum deum agnouerunt nec cultum eius
legemque tenuerunt. 2. Et ideo refelli potuerunt a
Carneade, cuius haec fuit disputatio, nullum esse ius
naturale itaque omnes animantes ipsa ducente natura
10 commoda sua defendere et ideo iustitiam, si alienis
utilitatibus consulit, suas neglegit, stultitiam esse dicen-

T

50, 33 proflueret *Pf Br* : -rent *T* ‖ 34 commune *Pf Br* : -nem *T*
‖ 38 refelleret *Pf Br* : -let *T* ‖ istorum *Br* : storum *T*

BTP

51, 1 *post* disputare (**50,** 42) DE OPIFICIO DIVINO LIBER
VIIII EXPLICIT INCIPIT EPITOMEN LIBRI SEPTIMI LIBER X
FELICITER *B in imo fol. 42ᵇ subscriptio haec* exp̄ĭ. de opificio dī.
iñc̄. epitomae *T* CAECILI FIRMIANI DE OPIFICIO DĪ LIB̄.
VIIII EXPLIC̄ INCIPIT DE EPITOME LIBER DECIMVS *P* ‖
nam : *om. P* ‖ enim : *om. P* ‖ 3 deum : *om. P* ‖ 4 dominum :
deum *T* ‖ et : ut *B*¹ aut *B*³ ‖ 6 adgnouerunt *B* ‖ 9 naturae *P* ‖
ducent *T* ‖ 11 consulet *B*¹ (*corr. B*³) ‖ necleget *B*¹ (*corr. B*³)

et mendiant, que la justice ne concerne pas. 7. Mais parce qu'ils ignoraient sa nature, son origine, ses effets, ils ont attribué à peu de gens cette vertu suprême – c'est-à-dire ce bien commun à tous –, et ils ont dit qu'elle ne convoitait aucun intérêt personnel et qu'elle se préoccupait seulement des avantages d'autrui. 8. Et Carnéade, cet homme d'une intelligence et d'une acuité supérieures, n'a pas eu tort de se dresser pour réfuter leurs discours et renverser une justice dépourvue de fondement stable, non pas parce qu'il pensait qu'il y avait lieu de critiquer la justice, mais pour montrer que ses défenseurs ne soutenaient rien de certain et de solide à propos de la justice.

51, 1 [1]. Car si la justice est le culte du vrai Dieu – qu'y a-t-il en effet d'aussi juste en matière d'équité, d'aussi légitime en fait d'honneur, d'aussi nécessaire au salut, que de reconnaître Dieu comme un père, de le respecter comme un maître et d'obéir à sa loi et à ses commandements [2] ? –, les philosophes ont donc ignoré la justice, parce qu'ils n'ont pas reconnu Dieu lui-même, et n'ont respecté ni son culte ni sa loi. 2. Et Carnéade a donc pu les réfuter en argumentant ainsi : le droit naturel n'existe pas ; c'est pourquoi, guidés par la nature en personne, tous les êtres vivants défendent leurs intérêts personnels, et il faut donc dire que si la justice veille sur les intérêts d'autrui, mais néglige les siens, elle n'est que folie. 3. Et si tous les peuples

---

1. La distinction des *Inst.* entre *ius ciuilis* et *ius naturalis* (commentée par HECK, « *Iustitia* », p. 171-184), disparaît ici.
2. Cette incise très oratoire, avec son triple balancement redoublé, n'a pas de correspondant exact dans les *Inst.*.

dam. 3. Quodsi omnes populi penes quos sit imperium
ipsique Romani qui orbem totum possederint iustitiam
sequi uelint ac suum cuique restituere quod ui et armis
15 occupauerunt, ad casas et egestatem reuertentur. Quod
si fecerint, iustos quidem, sed tamen stultos iudicari
necesse est, qui ut aliis prosint, sibi nocere contendant.
4. Deinde si reperiat aliquis hominem, qui aut aurum
pro orichalco aut argentum pro plumbo uendat per
20 errorem atque id emere necessitas cogat, utrum dissi-
mulabit | et emet paruo an potius indicabit ? Si indi-   f. 43
cabit, iustus utique dicetur, quia non fefellit, sed idem
stultus, qui alteri fecerit lucrum, sibi damnum. 5. Sed
facile de damno est. Quid ? Si uita eius in periculum
25 ueniet, ut eum necesse sit aut occidere aut mori, quid
faciet ? Potest hoc euenire, ut naufragio facto inueniat
aliquem inbecillum tabulae inhaerentem aut uicto exercitu fugiens reperiat aliquem uulneratum equo insiden-
tem : utrumne aut illum tabula aut hunc equo
30 deturbabit, ut ipse possit euadere ? Si uolet iustus esse,
non faciet, sed idem stultus iudicabitur, qui dum alterius
uitae parcit, suam prodet. Si faciet, sapiens quidem
uidebitur, quia sibi consulet, sed idem malus, quia
nocebit.

BTP

51, 13 possiderint P^1 (*corr. P^2*) ‖ 14 restituerint P ‖ 15 causas P
‖ 20 coget T cogit B ‖ dissimulauit B^1 (*corr. B^2*) T ‖ 21 et –
indicabit^2 : *om.* P ‖ indicauit$^{1-2}$ B^1 (*corr. B^2*) T ‖ 22 utique : itaque
T ‖ 24 quod B^1 (*corr. B^2*) P ‖ eius : illius P ‖ 25 ueniat P ‖
26 uenire T ‖ 27 haerentem P ‖ 30 deturbauit B ‖ 32 parcet B ‖
prodit TP ‖ 32 sapiens quidem : ~ B ‖ 33 consulit P

détenteurs de la souveraineté et les Romains eux-
mêmes, qui se sont emparés de la totalité du monde,
voulaient observer la justice et rendre à chacun son
bien, qu'ils ont conquis par la violence des armes, ils
reviendraient à leurs cabanes et à leur dénuement. Et
s'ils faisaient cela, on estimerait nécessairement qu'ils
sont justes, mais pourtant fous, étant donné que, pour
rendre service à autrui, ils s'efforceraient de se nuire
à eux-mêmes. 4[1]. Ensuite, si quelqu'un trouvait un
homme qui vende par erreur de l'or en place d'ori-
chalque, ou de l'argent en place de plomb, et que la
nécessité le contraigne à acheter, usera-t-il de dissimulation et achètera-t-il bon marché, ou préférera-t-il
dénoncer l'erreur ? S'il le fait, on l'appellera sûrement
un juste, parce qu'il n'a trompé personne, mais aussi
un fou, parce qu'il aura enrichi autrui de son désavan-
tage. 5. Mais la chose est facile quand il ne s'agit
que d'une perte. Eh quoi ? Si sa vie vient à être
tellement en danger qu'il lui soit nécessaire de tuer ou
de mourir, que fera-t-il ? Il peut se produire qu'à la
suite d'un naufrage, il trouve un homme faible accroché
à une planche, ou qu'après la défaite de son armée,
il rencontre dans sa fuite un blessé à cheval : ne
jettera-t-il pas l'un à bas de sa planche ou l'autre à
bas de son cheval pour pouvoir en réchapper lui-
même ? S'il veut être juste, il ne le fera pas, mais on
le prendra pour un fou de livrer sa vie pour épargner
celle d'autrui. S'il le fait, il apparaîtra bien comme un
sage, du fait qu'il veillera à son intérêt, mais aussi
comme un méchant, parce qu'il portera préjudice à
autrui.

---

1. Lactance ne garde qu'un des deux exemples de Carnéade
(*Inst.*, 5, 16, 7), et laisse tomber celui du vendeur d'un esclave
vicieux.

52, 1. Acuta ista sane, sed respondere ad ea facillime possumus. Inmutatio enim nominum facit, ut sic esse uideatur. Nam et iustitia imaginem habet stultitiae, non tamen est stultitia, et malitia imaginem sapientiae, non
5 tamen sapientia est. 2. Sed sicut malitia ista in conseruandis utilitatibus suis intellegens et arguta non sapientia, sed calliditas et astutia est, ita et ius|titia f. 44ª
non debet stultitia, sed innocentia nominari, quia necesse est et iustum esse sapientem et eum qui sit stultus
10 iniustum. 3. Nam neque ratio neque natura ipsa permittit, ut is qui iustus est, sapiens non sit, quoniam iustus nihil utique facit nisi quod rectum et bonum est, prauum et malum semper fugit. 4. Quis autem discernere bonum et malum, prauum et rectum potest nisi
15 qui sapiens fuerit ? Stultus autem male facit, quia bonum et malum quid sit ignorat, ideo peccat, quia non potest recta et praua discernere. Non potest igitur neque stulto iustitia neque iniusto sapientia conuenire.
5. Ergo stultus non est qui nec tabula naufragum nec
20 equo saucium deiecerit, quia se abstinuit a nocendo, quod est peccatum ; peccatum autem uitare sapientis est. 6. Sed ut stultus prima facie uideatur, illa res efficit, quod extingui animam cum corpore existimant : idcirco omne commodum ad hanc uitam referunt. 7.
25 Si enim post mortem nihil est, utique stulte facit qui alterius animae parcit cum dispendio suae aut qui alterius lucro magis quam suo consulit. Si mors animam

BTP

52, 1 sta *T* ‖ sed : *om. P* ‖ 3 uideantur *P* ‖ 4 est stultitia : ~ *TP* ‖ imaginem : + habet *T* ‖ 5 sed : *om. T* ‖ militia *Pac* ‖ 7 calliditas : auiditas *P* ‖ et¹ : uel *TP* (*fort. recte*) ‖ 9 et¹ : *om. B* ‖ 10 ratione *T* ‖ 11 est : esset *T* ‖ 17 igitur : ergo *T* ‖ 18 iustitia : inius- *P* ‖ iniusto : iusto *T* ‖ 19 ergo stultus : s. igitur *T* ‖ 23 effecit *P* ‖ aestimant *T* ‖ 24 idcircoq *P²* ‖ 27 consulet *B*

52, 1. Ces arguments sont subtils, mais nous pouvons très aisément y répondre. De fait, un changement de nom fait qu'il paraît en être ainsi. Car la justice a l'apparence de la folie sans être pourtant de la folie, et la méchanceté a l'apparence de la sagesse sans être pourtant la sagesse. 2. Mais de même que cette méchanceté qui s'entend finement à sauvegarder ses propres intérêts n'est pas sagesse, mais habileté retorse, de même la justice non plus ne doit pas être appelée folie, mais incapacité à nuire, parce qu'il est nécessaire que le sage soit aussi un juste, et que le fou soit aussi un injuste. 3. Car ni la raison ni la nature même ne permettent que le juste ne soit pas sage, puisque le juste ne fait évidemment rien qui ne soit bon et juste, et qu'il fuit toujours ce qui est immoral et mauvais. 4. Or qui peut distinguer le bien du mal, la malhonnêteté de la droiture, sinon le sage ? Et le fou agit mal, parce qu'il ignore ce qu'est le bien et le mal ; il commet des fautes parce qu'il ne peut distinguer la droiture de la malhonnêteté. Par conséquent, la justice ne peut s'accorder avec le fou, ni la sagesse avec l'injustice. 5. Celui qui ne fait pas tomber de sa planche le naufragé, ou de son cheval le blessé, n'est donc pas fou parce qu'il s'est effectivement abstenu de nuire, ce qui est une faute ; or éviter la faute est le propre du sage. 6. Mais s'il paraît fou à première vue, c'est parce qu'ils pensent que l'âme s'éteint avec le corps : c'est pourquoi ils rapportent tout avantage à la vie d'ici-bas. 7. De fait, s'il n'y a rien après la mort, celui qui épargne la vie d'autrui au détriment de la sienne ou qui veille davantage sur le profit d'autrui que sur le sien, celui-là agit évidemment comme un fou. Si la mort détruit l'âme, il faut veiller à vivre le

delet, danda est opera quo diutius commodiusque uiua-
mus : si autem uita | post mortem superest aeterna et   f. 44ᵇⁱ
30 beata, hanc utique corporalem cum omnibus terrae
bonis iustus et sapiens contemnet, qui scit quale a deo
sit praemium recepturus. 8. Teneamus igitur innocentiam, teneamus iustitiam, subeamus imaginem stultitiae,
ut ueram sapientiam tenere possimus. Et si hominibus
35 ineptum uidetur ac stultum torqueri et mori malle quam
libare diis et abire sine noxa, nos tamen omni uirtute
omnique patientia fidem deo exhibere nitamur. 9. Non
mors terreat, non dolor frangat, quominus uigor animi
et constantia inconcussa seruetur. Stultos uocent, dum-
40 modo ipsi stultissimi sint et caeci et hebetes et pecudibus
aequales, qui non intellegunt esse mortiferum relicto
deo uiuo prosternere se atque adorare terrena, qui
nesciunt et illos aeternam poenam manere qui figmenta
insensibilia fuerint uenerati et eos qui nec tormenta nec
45 mortem pro cultu et honore ueri dei recusauerint, uitam
perpetuam consecuturos. 10. Haec est fides summa,
haec uera sapientia, haec perfecta iustitia. Nihil ad nos

BTP

52, 28 delet danda *BTP*ᵃᶜ : delectanda *P*ᵖᶜ ‖ quo diutius *B*¹ : quo
* iustius *B*³   quod iustius *T*   quod ius *P* ‖ 29 uitam *P* ‖ 30 beatam
P ‖ 31 bonae *P* ‖ quia *P* ‖ scit *B*¹*P* : sciet *B*³*T* ‖ a deo *B*²*TP* :
abeo *B*¹ ‖ 35 et : *om.* *P* ‖ malle : uelle *B* ‖ 36 libare diis *T* : liberā/
dise *B*   liberare dī *P* ‖ tamen : tam *T* ‖ 38 non *T* : nec *B*   ac nec
P ‖ 40 stultissimi sint : ~*P* ‖ stultissimi – hebetes : heuetes et caeci
T ‖ 43 aeternam : *om.* *P* ‖ 44 uenerati : adorati *T* ‖ 45 morte *T* ‖
cultui *T* ‖ recusauerint : non recusauerunt *T* ‖ 46 fides summa :
fidissima (*tert.* i *ras.* *ex* u) *B*   summa P ‖ 47 haec uera sapienta :
om. *T* ‖ iustitia : *om.* *T in ras.* *P*

---

1. *Vigor animi* : l'expression est unique chez Lactance (mais *u.
mentis* en *Inst.*, 5, 15, 9 et 6, 19), elle reprend *uigebit* d'*Inst.*, 5,
18, 11.

plus longuement et le plus commodément possible ; mais s'il reste après la mort une vie éternelle et bienheureuse, un homme juste et sage méprisera assurément cette vie corporelle en même temps que tous les biens de la terre, sachant quelle récompense il recevra de Dieu. 8. Par conséquent, conservons notre innocence, conservons la justice, courons le risque de passer pour fous pour pouvoir conserver la vraie sagesse. Même si les hommes trouvent que c'est une ineptie et une folie de préférer se laisser torturer et mourir plutôt que de faire une libation aux dieux et d'être relâchés sans dommage, efforçons-nous cependant de montrer notre foi en Dieu par tout notre courage et toute notre endurance. 9. Que la mort ne nous terrorise pas, que la douleur ne nous brise pas au point de nous empêcher de conserver la vigueur de l'âme[1] et une constance inébranlable. Ils nous appellent fous, alors qu'ils sont eux-mêmes totalement fous, des aveugles, des êtres stupides et bêtes[2], qui ne comprennent pas qu'il est mortel d'abandonner le Dieu vivant pour se prosterner devant des objets terrestres et les adorer, et qui ignorent qu'un châtiment éternel est réservé aussi à ceux qui auront vénéré des images insensibles, alors que ceux qui n'auront pas refusé les supplices ou la mort, pour le culte et l'honneur du vrai Dieu, obtiendront la vie éternelle. 10. Voilà la foi suprême, la vraie sagesse, la justice parfaite. Nous n'avons rien à voir avec ce que peuvent penser des

---

2. Cascade d'injures parfaitement raisonnée. Chaque élément y entraîne le suivant. *Stultissimi* est une rétorsion de *stultos* ; d'où *caeci* comme quasi-synonyme, puis *hebetes* (l'aveuglement intellectuel poussé jusqu'à l'abrutissement). Le couple *caeci/hebetes* aboutit à assimiler les païens à des bêtes. Quant à *pecudibus aequales*, cette expression est liée (en *Ira*, 7, 4 comme ici) à un développement du thème du *status rectus*.

adtinet quid iudicent stulti aut quid homunculi sentiant :
nos iudi|cium dei expectare debemus, ut eos postmodum   f. 45
50 qui de nobis iudicauerint iudicemus.

53, 1. Dixi de iustitia, quid esset : sequitur ut
ostendam quod sit uerum sacrificium dei, qui iustissimus
ritus colendi, ne quis arbitretur aut uictimas aut odores
aut dona pretiosa desiderari a deo, a quo si fames, si
5 sitis, si algor, si rerum omnium terrenarum cupiditas
abest, non ergo utitur his omnibus quae templis diisque
fictilibus inferuntur. Sed sicut corporalibus corporalia,
sic utique incorporali incorporale sacrificium necessarium
est. 2. Illis autem quae in usum tribuit homini deus,
10 ipse non indiget, cum omnis terra in ipsius sit potestate :
non indiget templo cuius domicilium mundus est, non
indiget simulacro qui est et oculis et mente inconpre-
hensibilis, non indiget terrenis luminibus qui solem cum
ceteris astris in usum hominis potuit accendere. 3.
15 Quid igitur ab homine desiderat deus nisi cultum
mentis,qui est purus et sanctus ? Nam illa quae aut

BTP
52, 48 adtinet : *om. P* ‖ quid iudicent : *om. T* ‖ aut : *om.
T* ‖ 50 iudicant *T*
53, 1 iustitiam *T* ‖ 2 dei : *om. P* ‖ qui : + sit *T* ‖ 3 odorē *P*
‖ 4 a quo : quod *T* ‖ famis *B* ‖ 5 terrenorum *P* ‖ 6 adest *T* ‖
7 corporalia : -ale *B* ‖ 8 sic : *om. P* ‖ incorporali : *om. B¹P*
incorporalibus *B³* ‖ 9 illis *B¹TP* : illi' *B²* ‖ homini : -nibus *P* ‖ 10 in :
om. T ‖ 14 hominis : -nibus *B*

1. Seul exemple du mot chez Lactance. Peut-être est-ce là une
réminiscence de *Matth.* 25, 35 s. et de Sen., *Ep.*, 4, 10, 5 ; 113,
21.
2. Thèse philosophique exprimée en termes généraux : Dieu n'a
besoin de rien de ce qui est terrestre (Cic., *Rep.*, 3, 14 = *CUF*,

fous et opiner des avortons ; nous devons attendre le jugement de Dieu pour juger par la suite ceux qui auront prononcé un jugement sur nous.

53, 1. J'ai dit ce qu'est la justice ; je dois donc montrer quel est le vrai sacrifice divin, le culte le plus juste pour honorer Dieu pour que personne ne pense qu'il désire des victimes, des parfums ou des dons précieux. Car si Dieu ne connaît ni la faim, ni la soif, ni le froid[1], ni le désir de tous les biens terrestres, il n'utilise donc pas toutes les offrandes que l'on porte aux temples et aux dieux en terre cuite. Mais de même que les biens corporels sont nécessaires aux êtres corporels, c'est un sacrifice incorporel qui est nécessaire à un être incorporel[2]. 2. Ces biens dont il a attribué l'usage à l'homme, Dieu lui-même n'en a pas besoin, puisqu'il tient toute la terre en son pouvoir : il n'a pas besoin de temple, ayant le monde pour domicile, il n'a pas besoin de statue[3], étant insaisissable pour les yeux et l'esprit, il n'a pas besoin des lumières terrestres, ayant pu, à l'usage de l'homme, allumer le soleil en même temps que tous les autres astres. 3. Par conséquent, qu'est-ce que Dieu désire de l'homme, sinon un culte spirituel, pur et saint ? Car ces offrandes que

t. 2, p. 57-58 Bréguet ; *Leg.*, 2, 18, 45 ; MIN. FEL., 32, 1 s. ; CYPR., *Idol.*, 9).

3. Ne figure pas en *Inst.*, 6, 2 ou 6, 25 ; mais on peut en rapprocher d'autres passages où Lactance exprime l'idée que l'homme est le vrai « simulacre » de Dieu, ce qui entraîne le corollaire suivant : l'homme qui adore la statue de son Dieu est un sot (*Inst.*, 2, 2, 10 s.). L'idée pourrait venir de Sénèque, cité dans les *Inst.*, mais il est impossible de savoir si ce dernier, dans son traité perdu *De superstitione*, passait des temples aux statues et aux offrandes de luminaires.

digitis fiunt aut extra hominem sunt, inepta fragilia
ingrata sunt. Hoc est sacrificium uerum, | non quod   f. 45ᵇⁱ
ex arca, sed quod ex corde profertur, non quod
20 manu, sed quod mente libatur, haec acceptabilis
uictima est quam de se ipso animus immolauerit.
4. Nam quid hostiae, quid tura, quid uestes, quid
aurum, quid argentum, quid pretiosi lapides conferunt,
si colentis pura mens non est ? Sola ergo iustitia
25 est quam deus expetit : in hac sacrificium, in hac
dei cultus est. De quo nunc mihi disserendum est
docendumque in quibus operibus iustitiam necesse sit
contineri.

54, 1. Duas esse humanae uitae uias nec philosophis
ignotum fuit nec poetis, sed eas utrique diuerso modo
induxerunt. Philosophi alteram industriae, alteram iner-
tiae esse uoluerunt, sed hoc minus recte, quod eas ad
5 sola uitae huius commoda rettulerunt. 2. Melius poetae,
qui alteram iustorum, alteram impiorum esse dixerunt :
sed in eo peccant, quod eas non in hac uita, sed apud
inferos esse aiunt. 3. Nos utique rectius, qui alteram
uitae, alteram mortis et hic tamen esse has uias dicimus.
10 Sed illa dexterior, qua iusti gradiuntur, non in Elysium

BTP
    53, 21 se : *om. T* ‖ ipse *P* ‖ immolat *B* ‖ 22-23 quid argentum
quid aurum *T* ‖ 23 conferuntur *P* ‖ 26 est² : *om. B*
    54, 4 eas ad : ea *P* ‖ 8-9 alteram uitae : *om. P* ‖ 9 esse | has
uias : ∼ *B* ‖ 10 gradientur *B*

    1. Très expressif. L'opposition entre *cor* et *arca* est unique chez
Lactance. Dans ce lieu commun, le verset de *Matth.* 6, 21 vient
« confluer » avec la « diatribe » antique.
    2. Ce chapitre résume très irrégulièrement *Inst.*, 6, 3-9 (surtout

l'on fait avec les doigts, ou qui sont extérieures à l'homme, sont inappropriées, fragiles, et lui déplaisent. Tel est le vrai sacrifice : celui qu'on ne sort pas d'un coffre, mais de son cœur[1], qu'on n'offre pas en libation avec la main, mais avec l'esprit ; voilà la victime acceptable, celle que l'âme immole à partir d'elle-même. 4. Car à quoi servent les victimes, l'encens, les vêtements, l'or, l'argent, les pierres précieuses, si l'âme du fidèle n'est pas pure ? La justice est donc la seule chose que Dieu réclame : c'est là le sacrifice, là le culte divin. A ce propos, je dois maintenant exposer et enseigner quelles œuvres comporte nécessairement la justice.

54, 1[2]. Ni les philosophes, ni les poètes[3] n'ont ignoré que la vie humaine a deux voies, mais ils se sont opposés les uns aux autres sur la manière de les présenter. Les philosophes ont voulu que la première soit celle de l'activité, la seconde celle de la paresse, mais ils les rapportent aux seuls avantages de cette vie, et cela n'est guère exact. 2. Les poètes ont mieux parlé : ils ont dit que l'une était celle des justes, l'autre celle des impies, mais ils se trompent sur le point suivant : ils disent que ces voies ne sont pas dans cette vie, mais aux enfers. 3. Notre avis est certes plus exact : nous disons que l'une est celle de la vie, l'autre celle de la mort, et que ces voies sont situées ici-bas. La première est celle de droite, sur laquelle s'avancent les justes, elle ne conduit pas à l'Élysée, mais au ciel

les ch. 3 et 9), sans en respecter l'ordre, et en complétant par des passages d'*Inst.*, 5.

3. Lactance les annonce dans l'ordre selon lequel il s'apprête à exposer leurs thèses, supprimant ainsi une discordance d'*Inst.*, 6, 3, 1.

fert, sed in caelum – immor|tales enim fiunt –, sinisterior   f. 46ᵃ
ad Tartarum : aeternis enim cruciatibus addicuntur
iniusti. Tenenda est igitur nobis iustitiae uia, quae ducit
ad uitam. 4. Primum autem iustitiae officium est deum
15 agnoscere eumque metuere ut dominum, diligere ut
patrem. Idem enim qui nos genuit, qui uitali spiritu
animauit, qui alit, qui saluos facit, habet in nos non
modo ut pater, uerum etiam ut dominus licentiam
uerberandi et uitae ac necis potestatem, unde illi ab
20 homine duplex honos, id est amor cum timore debetur.
5. Secundum iustitiae officium est hominem agnoscere
uelut fratrem. Si enim nos idem deus fecit et uniuersos
ad iustitiam uitamque aeternam pari condicione gene-
rauit, fraterna utique necessitudine cohaeremus : quam
25 qui non agnoscit, iniustus et. 6. Sed origo huius mali,
quo societas inter se hominum, quo necessitudinis uin-

BTP

54, 11 inmortalis *B* ‖ 13 igitur : *om. B* ‖ 15 agnoscere : + ut
parentem *B* ‖ 16 qui¹ : *om. T* ‖ 22 uelut : ut *P* ‖ et : ut *P* ‖
24 quam : *om. P* ‖ 25 adgnoscit *B*

1. Ne correspond pas exactement à *Inst.*, 6, 9, 1, ni pour le
vocabulaire, ni pour la pensée. Trois verbes caractérisent le premier
devoir de la justice : reconnaître, craindre, chérir Dieu (cf. **2**, 2 : la
conception lactancienne de Dieu *pater familias*). D'autre part, au
primum iustitiae officium du § 4 (amour pour Dieu) répond le
secundum iustitiae officium du § 5 (amour pour l'homme). Cette
bipartition de l'*officium iustitiae*, annoncée ici au début du résumé
d'*Inst.*, 6, vient d'*Inst.*, 6, 10, 2. C'est une sorte de témoin résiduel
d'un plan d'*Inst.*, 6, abandonné par Lactance dans l'*Épit.*

2. Formule très complète, à rapprocher d'*Opif.*, 19, 5 et d'*Ira*,
24, 5, où Lactance montre le rôle de Dieu dans la naissance de
l'homme et dans sa conservation (Cf. Loi, p. 104 ; 126).

– de fait, les justes deviennent immortels –, celle de gauche au Tartare : de fait, les injustes sont voués à des supplices éternels. Par conséquent, nous devons suivre la voie de la justice, qui conduit à la vie. 4[1]. Or le premier devoir de la justice est de reconnaître Dieu, de le craindre comme un maître, et de le chérir comme un père. De fait, c'est lui qui nous a engendrés[2], animés du souffle vital[3], qui nous nourrit[4], qui nous sauve[5] ; et non seulement en tant que père, mais en tant que maître, il a le droit de nous frapper, et pouvoir de vie et de mort. Par suite, l'homme doit l'honorer doublement, c'est-à-dire qu'il doit l'aimer avec crainte. 5. Le second devoir de la justice est de reconnaître l'homme comme un frère. De fait, si le même Dieu nous a faits et nous a tous engendrés dans la même condition, en vue de la justice et de la vie éternelle, nous sommes assurément unis par des liens de fraternité ; celui qui ne les reconnaît pas est injuste. 6. L'origine de ce mal qui a dissous la communauté

---

3. Le verbe *animare* n'est pas souvent employé en ce sens par Lactance. L'expression de l'*Épit.* est une sorte de *uariatio* de la locution la plus fréquente, *inspirare animam* (PERRIN, *L'homme*, p. 314). Il reste que les deux mots impliquent deux images différentes, la vie et le souffle.

4. Cf. la conclusion du *De ira* (24, 5), où Dieu est présenté comme un maître et un père. Même idée chez TERT., *Marc.*, 4, 36, 3 ; *Orat.*, 29, 2 ; *Resurr.*, 61, 2, et chez ARN., 7, 16. La source première du thème est sans doute *Lc* 12, 22 s. : la providence divine nourrit tout être vivant, à commencer par les hommes.

5. Je comprends que l'expression désigne le salut apporté à l'homme par le Christ (comme en *Inst.*, 4, 15, 13, à partir d'*Is.* 35, 6). Mais elle pourrait reprendre *alit* et signifier que Dieu « nous conserve sains et saufs » (cf. *Opif.*, 19, 6 et *Ira*, 24, 5). Troisième éventualité : un jeu de mot sur les deux sens de *saluus*.

culum dissolutum est, ab ignoratione ueri dei nascitur.
Qui enim fontem illum benignitatis ignorat, bonus esse
nullo pacto potest. Inde est quod ex eo tempore quo
30 dii multi consecrari ab hominibus colique coeperunt,
fugata sicut poetae ferunt iusti|tia diremptum est omne   f. 46ᵛ
foedus, dirempta societas iuris humani. 7. Tum sibi
quisque consulens ius in uiribus conputare, nocere
inuicem, fraudibus adgredi, dolis circumscribere,
35 commoda sua aliorum incommodis adaugere, non cognatis, non liberis, non parentibus parcere, ad necem
hominum pocula temperare, obsidere cum ferro uias,
maria infestare, libidini autem qua furor duxerat frena
laxare, nihil denique sancti habere quod non cupiditas
40 infanda uiolaret. 8. Cum haec fierent, tum leges sibi
homines condiderunt pro utilitate communi, ut se interim
tutos ab iniuriis facerent. Sed metus legum non scelera
conprimebat, sed licentiam submouebat. Poterant enim
leges delicta punire, conscientiam punire non poterant.

54, 33 Cf. SALL., *Hist.*, 1, 18

BTP

54, 27 noscitur P¹ (*corr.* P²) ‖ 29 ex : *om.* B¹ (*corr.* B³) P ‖
30 consacrari T ‖ 31 iustitia : + sic (ut *erasum*) B ‖ diremptum B³ :
direptum TP   direptus B¹ ‖ 32 dirempta B³ : direp- B¹TP ‖
33 consulere BP ‖ uiribus : iuribus Tᵘᶜ ‖ 35 incommodis : com- T ‖
38 mari B ‖ qua : quauṇ̣i *et in mg.* rum P ‖ furor : *om.* P ‖ 39-
40 non ‖ cupiditas infanda : ∼ B ‖ 43 conpraemebat Bᵃᶜ cōprimebant
Pᵃᶜ ‖ 44 punire¹ : *om.* P ‖ conscientiam : ** licentiam P ‖ punire²
P : munire BT

humaine et ce lien de parenté, c'est l'ignorance du vrai Dieu, car celui qui ignore cette source suprême de la bonté[1] ne peut être bon en aucune manière. Voilà pourquoi, à partir du moment où les hommes ont commencé à reconnaître une foule de dieux et à leur rendre un culte, la justice fut mise en fuite – comme le rapportent les poètes –, tout pacte rompu, et déchirée la communauté humaine fondée sur le droit. 7. Alors, chacun ne pensant plus qu'à soi, les hommes mesurèrent le droit à la force, se firent réciproquement du tort, s'attaquèrent avec perfidie, se circonvinrent par des ruses, poussèrent leurs avantages au préjudice d'autrui, n'épargnèrent ni leur famille, ni leurs enfants, ni leurs parents, préparèrent des mixtures meurtrières, se livrèrent à des agressions à main armée sur les routes, infestèrent les mers, lâchèrent la bride à leur sensualité partout où leur frénésie les conduisit, ne tinrent enfin rien pour sacré sans le profaner avec une abominable passion. 8. Devant ces faits, les hommes s'établirent des lois pour l'intérêt commun, pour se protéger pendant ce temps-là des injustices. Si la crainte des lois ne réprimait pas les crimes, elle en supprimait la permission. C'est que les lois pouvaient bien punir des délits, mais non la conscience. 9. Aussi se mit-on à

---

1. Malgré LOI, p. 78, *benignitas* ne vient sans doute pas chez Lactance de Tertullien. Il ne se rencontre qu'en *Inst.*, 6, 11, 9 (CIC., *Off.*, 2, 15, 52) ; 6, 11, 11 ; 6, 12, 15. 19, dans une filière cicéronienne. Lactance remploie un terme cicéronien désignant les relations sociales en lui donnant une autre signification.

45 9. Itaque quae ante palam fiebant, clam fieri coeperunt :
circumscribi etiam iura, siquidem ipsi praesides legum
praemiis muneribusque corrupti uel in remissionem
malorum uel in perniciem iustorum sententias uendita-
bant. His accedebant dissensiones et bella et mutuae
50 depraedationes et oppressis legibus saeuien|di potestas   f. 47
licenter adsumpta.

55, 1. In hoc statu cum essent humanae res, misertus
nostri deus reuelauit se nobis et ostendit, ut in ipso
religionem fidem castitatem misericordiam disceremus,
ut errore uitae prioris abiecto simul cum ipso deo
5 nosmet ipsos, quos inpietas dissociauerat, nosceremus
legemque diuinam, quae humana cum caelestibus copulat, tradente ipso domino sumeremus, qua lege uniuersi
quibus inretiti fuimus errores cum uanis et impiis
superstitionibus tollerentur. 2. Quid igitur homini
10 debeamus, eadem illa lex diuina praescribit, quae docet
quidquid homini praestiteris deo praestari. 3. Sed radix
iustitiae et omne fundamentum aequitatis est illud, ut
non facias quod pati nolis, sed alterius animum de tuo

BTP

54, 45 quae : *om. TP* ‖ antea *T* (*fort. recte*) ‖ fiebant clam fieri :
om. T ‖ 47 remissionem *Pf Br* : -ne *T* remuneratione *BP* ‖
48 iustorum : bonorum *T* ‖ 49 his accedebant : *om. P*

55, 1 misertus : + est *B* ‖ 3 relegionem *P²* (reli- *P¹*) ‖
5 nosceremus : disceremus *B* ‖ 7 tradentem *T* ‖ 9 igitur : enim *B* ‖
10 praescribit : pers- *T* ‖ 11 praestari : prestare *B* ‖ 13 facias : +
ulli *B*

1. *Praesides legum* se trouve chez Sen., *Ira*, 1, 6, 3. La
corruption des juges est un thème banal (Cic., *Rep.*, 5, 11, 13, *frg.*
2 = *CUF*, t. 2, p. 99 Bréguet ; frg. tiré d'Amm. Marc., 30, 4, 10).
Mais Lactance pense peut-être aussi à des hommes qui ont persécuté

faire en cachette ce que l'on faisait auparavant au grand jour. Même les lois commencèrent à être tournées, car ceux qui devaient rendre la justice[1], corrompus par les gratifications et les pots-de-vin, vendaient leurs jugements pour acquitter les méchants ou perdre les justes. A cela s'ajoutaient les divisions, les guerres, les pillages réciproques ; et l'étouffement des lois fit que l'on s'arrogea sans mesure le pouvoir de s'acharner sur autrui.

55, 1. Comme l'humanité se trouvait dans cette situation, Dieu eut pitié de nous[2], il se révéla à nous et se montra pour que nous apprenions en sa personne la religion, la fidélité, la chasteté, la miséricorde ; pour que nous rejetions l'erreur de notre vie antérieure, pour qu'en même temps que Dieu en personne, nous nous connaissions nous-mêmes, nous que l'impiété avait éloignés de lui, et que nous recevions la loi divine, qui unit les choses humaines avec les choses célestes, cette loi que le maître en personne nous transmet, loi qui pourrait enlever, avec les superstitions vaines et impies, l'ensemble des erreurs qui nous avaient pris dans leurs filets. 2. Par conséquent, nos devoirs envers l'homme, cette même loi divine nous les prescrit, car elle enseigne que tout ce que l'on a donné à l'homme est donné à Dieu. 3. Mais la racine de la justice et tout le fondement de l'équité consistent à ne pas faire ce que tu ne veux pas qu'on te fasse[3], à mesurer

les chrétiens par cupidité (l'antithèse de *mali* n'est pas ici *boni*, mais *iusti* qui désigne tout particulièrement le peuple des saints, c'est-à-dire les chrétiens).

2. Sur tout ce passage, voir Loi, p. 253.

3. *Matth.* 7, 12 ; le passage est ici un peu plus développé que dans les *Inst.*.

metiaris. Si acerbum est iniuriam ferre et qui eam
15 fecerit uidetur iniustus, transfer in alterius personam
quod de te sentis et in tuam quod de altero iudicas,
et intelleges tam te iniuste facere, si alteri noceas,
quam alterum, si tibi. 4. Haec si mente uoluamus,
innocentiam tenebimus, in qua iustitia uelut primo
20 gra|du insistit. Primum est enim non nocere, proximum   f. 47
prodesse. 5. Sed sicut in rudibus agris priusquam
serere incipias, euulsis sentibus et omnibus stirpium
radicibus amputatis arua purganda, sic de nostris animis
prius uitia detrahenda sunt et tunc demum uirtutes
25 inserendae, de quibus seminatae per uerbum dei fruges
uirtutis oriantur.

56, 1. Tres adfectus uel ut ita dicam tres Furiae
sunt, quae in animis hominum tantas perturbationes
cient et interdum cogunt ita delinquere, ut nec famae
nec periculi sui respectum habere permittant, ira, quae
5 uindictam cupit, auaritia, quae desiderat opes, libido,
quae adpetit uoluptates. 2. His uitiis ante omnia

BTP

55, 14 mitiaris *B*[1] (*corr. B*[3]) ‖ 16 de[1-2] : in *P* ‖ 17 intellegis *BP*
‖ 19 primo : in p. *B* in p. est *P* ‖ 20 consistit *B* institita *P* ‖
proximum *B*[1] *TP* : -imo sed *B*[2] ‖ 21 prodesse *BP*[2] : prodeesse *T om.*
P[1] ‖ sed *B*[1]*TP* : et *B*[2] ‖ sicut : si ut *P* ‖ 22 reuulsis *P* ‖ omnibus
BP[1] : omnium *TP*[2] ‖ stirpum *B* ‖ 26 uirtutis *T* : immortalitatis *BP*
   56, 1 ita : *om. TP* ‖ 2 sunt : *om. P* ‖ 3 cient : scient *TP* ‖
cogunt *BT*[2]*P* : cocunt *T*[1] ‖ 4 iram *T* ‖ 6 adpetit (app- *P*) *B*[3]*TP* :
-tet *B*[1]

1. *Sicut* : l'âme est ici comparée à une terre qu'il faut défricher
avant de songer à la mettre en culture. Le texte classique sur cette
métaphore de la *cultura animi* est *Tusc.*, 2, 5, 13 (cf. J. FONTAINE,
« Valeurs antiques et valeurs chrétiennes dans la spiritualité des
grands propriétaires terriens à la fin du 4e siècle occidental », *Epektasis*
(*Mélanges J. Daniélou*), Paris 1972, p. 585-586, n. 62-65). Cette tradition interfère ici avec celle de la parabole évangélique du semeur.

d'après les tiennes les dispositions d'autrui. S'il est pénible de subir l'injustice et si celui qui l'a commise paraît injuste, reporte sur la personne d'autrui ton jugement sur toi et sur ta personne ton jugement sur autrui, et tu comprendras que, si tu nuis à autrui, tu agis aussi injustement qu'autrui s'il te nuit. 4. Si nous méditons ces pensées, nous garderons l'innocence, dans laquelle la justice s'arrête comme en son premier degré. De fait, ce premier degré consiste à ne pas nuire, le suivant à être utile. 5. Et de même que, dans les friches, avant de se mettre à semer, il faut essarter les futurs champs en arrachant les ronces et en coupant toutes les racines des souches, de même, quand il s'agit de nos âmes, il faut d'abord en extraire les vices, et alors seulement enfouir les vertus, desquelles germeront, semées par le Verbe de Dieu, les moissons de la vertu [1].

56, 1 [2]. Trois passions, ou, pour ainsi dire, trois Furies, causent dans les âmes humaines de tels bouleversements et parfois les contraignent à commettre des fautes telles qu'elles ne permettent pas à l'homme d'avoir égard à sa réputation ou au danger qu'il court lui-même [3] : la colère qui désire la vengeance, la cupidité qui recherche les richesses, la sensualité qui convoite les plaisirs. 2. Il faut avant tout résister à

Inst., 6, 15, 8-9 présente une idée analogue, mais exprimée plus brièvement.

2. Résumé très bref, qui modifie fort sensiblement le plan suivi dans les *Inst.*, et omet la théorie des quatre passions exposées en *Inst.*, 6, 15, 10.

3. L'idée que la passion peut être si forte qu'elle l'emporte sur toute considération n'est pas dans les *Inst.*. La source en est sans doute stoïcienne, *perturbatio* fait partie du vocabulaire stoïcien (Cic., *Tusc.*, 4, 19, 43) ; la thèse de la modération des passions est critiquée chez Cic., *Tusc.*, 4, 18, 42.

resistendum est, hae stirpes eruendae, ut uirtutes inseri
possint. Hos adfectus Stoici amputandos, Peripatetici
temperandos putant, neutri eorum recte, quia neque in
10 totum detrahi possunt, siquidem natura insiti certam
habent magnamque rationem, neque deminui, quoniam
si mala sunt, carendum est etiam mediocribus, si bona,
inte|gris abutendum est. 3. Nos uero neque detrahendos   f. 48ᵛ
neque minuendos esse dicimus. Non enim per se mala
15 sunt quae deus homini rationabiliter inseuit, sed cum
sint utique natura bona, quoniam ad tuendam uitam
sunt adtributa, male utendo fiunt mala. 4. Et sicut
fortitudo, si pro patria dimices, bonum est, si contra
patriam, malum, sic et adfectus, si ad usus bonos habeas,
20 uirtutes erunt, si ad malos, uitia dicentur. Ira igitur ad
coercitionem peccatorum id est ad regendam subiectorum
disciplinam data est a deo, ut metus licentiam conprimat
et conpescat audaciam, sed qui terminos eius ignorant,
irascuntur paribus aut etiam potioribus : inde ad inmania
25 facinora prosilitur, inde ad caedes, inde ad bella consur-
gitur. 5. Cupiditas quoque ad desideranda et conqui-
renda uitae necessaria tributa est, sed qui nesciunt fines
eius, insatiabiliter opes congerere nituntur : hinc uenena,

BTP

56, 7 inseri : seri *BP* ‖ 8 possint *B³TP* : possent *B¹* ‖ amputandos
peripatetici : *om. P* ‖ 9-10 in totum *TP²* : *om. B*   in tutum *P¹* ‖
10 insitī *T* ‖ 10-11 certam habent : ~ *BP* ‖ 11 diminui *T* ‖ 13 est :
om. P ‖ 15 inseuit : inseruit *B* ‖ 16 sint : sit *P* ‖ 17 fiant *B* ‖ et :
om. B ‖ 18 dimicemus *T* ‖ 19 malum : + est *B* ‖ habeat *T* ‖ 22
a deo : *om. T* ‖ 23-24 ignorat irascitur *BP* ‖ 26 quoque : quae *B¹*
(?) * uero *B²*

1. Ne correspond pas exactement aux *Inst.* Même si c'est dans
une comparaison, le texte de l'*Épit.* implique l'acceptation du combat
pour la patrie, donc d'une certaine violence, et finalement aussi de
l'armée. Sur la « non-violence » de Lactance, voir PERRIN, *L'homme*,
p. 515 s. D'autre part, l'idée qu'il y a un bon et un mauvais usage
des passions est chère à Lactance (*Ira*, 18, 11 ; entre autres).

ces vices, il faut arracher ces souches pour pouvoir semer les vertus. Les stoïciens pensent qu'il faut amputer ces passions, les péripatéticiens qu'il faut les modérer, mais ni les uns ni les autres n'ont raison, car on ne peut les arracher totalement, puisque, enfouies là par la nature, elles ont une fonction déterminée et une importance considérable ; ni non plus les affaiblir, car, si ce sont des maux, il ne faut pas en avoir, même modérées, et si ce sont des biens, il faut les utiliser intégralement. 3. Mais nous, nous disons qu'il ne faut ni les arracher ni les diminuer. De fait, elles ne sont pas en soi des maux, ces passions que Dieu a semées rationnellement dans l'homme ; mais, étant donné qu'elles sont évidemment bonnes par nature – puisqu'elles ont été attribuées pour protéger la vie –, c'est un mauvais usage qui en fait des maux. 4. Et, de même que le courage, si l'on combat pour sa patrie, est un bien, mais un mal, si c'est contre elle[1], de même aussi les passions, si l'on en fait un bon usage, seront des vertus ; mais si l'on en fait un mauvais usage, elles seront appelées des vices. Par conséquent, la colère a été donnée par Dieu pour réprimer les fautes, c'est-à-dire pour régler la discipline des inférieurs, afin que la crainte réprimât la licence et enchaînât la témérité, mais ceux qui ignorent ses limites se mettent en colère contre leurs égaux ou même contre leurs supérieurs ; puis on s'élance pour commettre des actes monstrueux, et on se dresse pour massacrer et guerroyer. 5. Le désir a été attribué aussi pour rechercher et rassembler les choses nécessaires à la vie, mais ceux qui ignorent ses bornes s'efforcent insatiablement[2] d'entasser des richesses ; de là viennent les poisons, les escroqueries, les faux testaments, et

2. *Insatiabiliter* ne se trouve qu'ici chez Lactance (souvenir de LVCR., 3, 907 et 6, 978 ?).

hinc circumscriptiones, hinc falsa testamenta, hinc omnia
30 fraudum genera eruperunt. 6. Libidinis autem adfectus
ad procreandos | liberos insitus et innatus est, sed qui   f. 48
limites eius in animo non tenent, utuntur eo ad solam
uoluptatem : inde inliciti amores, inde adulteria et
stupra, inde omnes corruptelae oriuntur. 7. Redigendi
35 sunt ergo isti adfectus intra fines suos et in uiam rectam
dirigendi, in qua etiamsi sint uehementes, culpam tamen
habere non possunt.

57, 1. Cohibenda est ira, cum patimur iniuriam, ut
et malum conprimatur quod ex certamine inpendet et
duas maximas uirtutes, innocentiam patientiamque,
teneamus. Auaritia frangatur, cum habemus quod satis
5 est. 2. Quis enim furor est in his coaceruandis laborare
quae aut latrocinio aut proscriptione aut morte ad alios
necesse sit peruenire ? 3. Libido extra legitimum torum
non euagetur, sed creandis liberis seruiat. Adpetentia
enim nimia voluptatis et periculum parit et infamiam
10 generat et, quod est maxime cauendum, mortem adquirit
aeternam. Nihil est enim tam inuisum deo quam mens
incesta et animus inpurus. 4. Nec hac sola uoluptate
abstinendum sibi quis putet quae capitur | ex feminei   f. 49

BTP

56, 30 fraudium P^2 (-dum P^1) ‖ 31 liberos : filios B ‖ natus B
‖ 32 in : *om.* BP ‖ utuntur : ut in T ‖ 33 inlicent T ‖ 34 corruptulae
B ‖ 35 in : *om.* T ‖ 36 dirigendi : redigendi B ‖ sint : sunt B ‖
uehementius P ‖ 37 possint BP
57, 5 his BTP : iis Br ‖ coaceruandis : congerendis B ‖ 6 aut^3 :
aut ad P ‖ alios : alienos P ‖ 7 extra : *om.* P ‖ 8 adpetentia :
adpenitentiam B^{ac} ‖ 9 nimiae P ‖ 11 enim : *om.* P ‖ 13 quis : *om.*
BP ‖ quae : qui P

1. *Insitus et innatus* reprend une alliance de mots cicéronienne :
Verr., 2, 4, 106 ; *Fin.*, 4, 2, 4 ; *Nat. deor.*, 1, 17, 44 ; etc.
2. Sorte de palmarès des vertus. Lactance a varié sur ce sujet :

toutes les sortes de fraudes. **6.** La passion de la
sensualité est innée, elle a été placée[1] en vue de
procréer des enfants, mais ceux qui n'ont pas à l'esprit
ses limites en usent en vue de la seule volupté ; de là
proviennent les amours illicites, les adultères, les
débauches et toutes les dépravations. **7.** Par conséquent, il faut ramener ces passions à l'intérieur de
leurs frontières, et les diriger sur la voie droite, sur
laquelle, même si elles sont violentes, elles ne peuvent
pas être coupables.

57, 1. Nous devons contenir notre colère quand nous
sommes victimes d'une injustice, pour que soit aussi
réprimé le mal qui nous menace à la suite d'une
rivalité, et que nous conservions les deux plus grandes
vertus, l'innocence et la patience[2]. Que la cupidité
soit brisée, quand nous avons le nécessaire. **2.** De
fait, quelle folie de peiner à amasser des objets qui
iront nécessairement à d'autres par voie de brigandage,
de proscription ou de mort ! **3.** Que la sensualité ne
vagabonde pas hors de la couche légitime, et qu'elle
serve à la procréation des enfants. De fait, une
recherche abusive de la volupté met en danger,
engendre le déshonneur, et, ce dont il faut se garder
le plus, elle attire la mort éternelle. Car Dieu ne hait
rien tant qu'un esprit impudique et une âme impure[3].
4. Que personne ne pense qu'il faille s'abstenir seule-

pietas et aequitas en *Inst.*, 5, 14, 9 ; mais seulement *patientia* en
Inst., 5, 22, 2 ; 6, 18, 30.
   3. Pas de correspondant exact dans les *Inst.* ; mais les démons
sont qualifiés d'*incesti et inpuri* en *Épit.*, 25, 1. Les dangers courus
par les amants surpris sont évoqués par HOR., *Sat.*, 1, 2, 61-63.132-
134. Cela revient à faire de la *libido* le péché capital. Même idée
en *Inst.*, 6, 23, mais plus nettement ici (cf. TERT., *Pudic.*, 16, 14 :
l'adultère n'est précédé que de l'idolâtrie).

corporis copulatione, sed et ceteris uoluptatibus sensuum
15 reliquorum, quia et ipsae sunt uitiosae et eiusdem
uirtutis est eas contemnere. 5. Oculorum uoluptas
percipitur ex rerum pulchritudine, aurium de uocibus
canoris et suauibus, narium de odore iucundo, saporis
de cibis dulcibus : quibus omnibus uirtus repugnare
20 fortiter debet, ne his inlecebris inretitus animus a
caelestibus ad terrena, ab aeternis ad temporalia, a uita
inmortali ad poenam perpetuam deprimatur. 6. In
saporis et odoris uoluptatibus hoc periculum est, quod
trahere ad luxuriem possunt. Qui enim fuerit his deditus,
25 aut non habebit ullam rem familiarem aut si habuerit,
absumet et aget postmodum uitam detestabilem. Qui
autem rapitur auditu, ut taceam de cantibus qui sensus
intimos ita saepe deleniunt, ut etiam statum mentis
furore perturbent, compositis certe orationibus nume-
30 rosisque carminibus aut argutis disputationibus ad impios
cultus facile traducitur. 7. Inde est quod scriptis
caelestibus, quia uidentur incompta, non facile credunt
qui aut ipsi sunt diserti aut di|serta legere malunt : non   f. 49
quaerunt uera, sed dulcia, immo illis haec uidentur esse
35 uerissima quae auribus blandiuntur. Ita respuunt ueritatem, dum sermonis suauitate capiuntur. 8. Voluptas

BTP

57, 14 corporis B^2TP : corpus B^1 ‖ sensuum B^2P : sensum B^1T ‖
17-18 aurium − suauibus : *om.* T ‖ 18 sapore P ‖ 19 dulcioribus B
‖ quibus : quiis B ‖ 22 poenam perpetuam : ∼ B ‖ 23 uoluptatibus :
-tate B u. in P ‖ 24 luxuriam BP ‖ his : *om.* P ‖ 26 absumet
B^3P : ads- B^1T ‖ 27 rapitur BTP : ca- Br ‖ canticis P ‖ 28 saepe :
se T ‖ deleniunt ut B^3T : deliniuntur B^1 deliniunt ut P ‖ 31
transducitur B ‖ 33 quia B ‖ 35 ita : it P ‖ 36 suauitatem T

1. Vision « matérialiste » des conséquences d'une vie de
débauches qui fait contraste avec *Épit.*, 57, 3, et ne trouve aucune
correspondance exacte dans les *Inst.*.

ment de la volupté que procure l'union avec un corps de femme : il faut s'abstenir aussi de tous les autres plaisirs attachés aux autres sens, car ils sont vicieux en soi et il revient à la même vertu de les mépriser. 5. Le plaisir des yeux se ressent en raison de la beauté des choses ; celui de l'oreille, de voix mélodieuses et suaves ; celui des narines, d'une odeur agréable ; celui du goût, de nourritures succulentes : la vertu doit lutter vaillamment contre tout cela, pour éviter que l'âme, prise aux rets de ces séductions, ne soit ravalée du ciel à la terre, de l'éternel au temporel, de la vie immortelle au châtiment perpétuel. 6. Dans les plaisirs du goût et de l'odorat, le danger vient de ce qu'ils peuvent entraîner à la luxure. De fait, celui qui s'y sera adonné, ou bien n'aura plus aucun patrimoine, ou bien, s'il en a encore un, il le dissipera et il mènera pas la suite une vie détestable [1]. Mais, pour ne rien dire des chants qui souvent séduisent les profondeurs de la sensibilité, si bien qu'ils troublent par la folie l'assiette de l'âme, celui qui se laisse ravir par l'ouïe est facilement amené aux cultes impies par des discours soignés et par des poèmes harmonieux, ou par des discussions subtiles. 7. Voilà pourquoi ceux qui sont eux-mêmes diserts ou qui préfèrent lire des œuvres disertes n'ont pas facilement foi dans les saintes Écritures : elles leur paraissent négligées [2] ; ils ne cherchent pas la vérité, mais l'agrément, ou, pis encore, c'est ce qui leur flatte les oreilles qui leur paraît le plus vrai. Ainsi, ils recrachent la vérité, tout en se laissant captiver par la suavité d'un discours. 8. Quant au plaisir qui

2. En reprenant des *Inst.* le jugement des païens sur le style de la Bible, Lactance utilise seulement ici l'adjectif *incomptus*, qui est ancien au sens de grossier (le vieux Romain *intonsus* et *incomptus*), et notamment cicéronien.

uero quae spectat ad uisum multiformis est. Nam quae
percipitur ex rerum pretiosarum pulchritudine, auaritiam
concitat, quae aliena esse debet a sapiente atque iusto,
40 quae autem capitur de specie mulierum, in alteram
cadit uoluptatem, de qua iam superius locuti sumus.

58, 1. Superest de spectaculis dicere, quae quoniam
potentia sunt ad corrumpendos animos, uitanda sapien-
tibus et cauenda sunt, tum, quod ad celebrandos deorum
honores inuenta memorantur. 2. Nam munerum edi-
5 tiones Saturni festa sunt, scaena Liberi patris est, ludi
uero circenses Neptuno dicati putantur, ut iam qui
spectaculis interest, relicto dei cultu ad profanos ritus
transisse uideatur. 3. Sed ego de re malo dicere quam
de origine. Quid tam horribile, tam taetrum quam
10 hominis trucidatio ? Ideo seuerissimis legibus uita nostra
munitur, ideo bella execrabilia sunt. Inuenit tamen
consuetudo | quatenus homicidium sine bello ac sine   f. 50
legibus faciat, et hoc sibi uoluptas quod scelus uindicauit. 4. Quodsi interesse homicidio sceleris conscientia

BTP
   57, 41 iam : *om. T*
   58, 2 potentia B^1TP : -tiora B^2 ‖ uetanda P ‖ 3 tum : tunc P ‖
4 honores BTP^2 : honeris P^1 ‖ 4 numerum T muneru∗B ‖ 5 scaena
(sce- P) B^2TP : caena B^1 ‖ 8 re : + magis P ‖ 10 trucidatio∗∗∗ B
(est *eras.*) T + et P ‖ seuiris P ‖ 13 uindicabit T

   1. La composition est meilleure que dans les *Inst.* : l'origine
des jeux, qui venait à la fin d'*Inst.*, 6, 20, est traitée, logiquement,
au début du chapitre.
   2. Lactance rassemble ici – fort logiquement – les deux raisons
pour lesquelles les chrétiens condamnent les spectacles : l'immoralité
et l'idolâtrie, qui est à l'origine des spectacles et qu'ils rappellent
constamment. En *Inst.*, 6, 20, les deux raisons sont exposées
séparément.

regarde la vue, il prend bien des formes. Car le plaisir que l'on prend à la beauté des objets précieux suscite une cupidité qui doit être étrangère au sage et au juste, et celui qu'on retire de la beauté des femmes conduit à l'autre volupté, dont nous avons déjà parlé plus haut.

58, 1[1]. Il reste à parler des spectacles[2] : étant donné qu'ils sont puissants pour corrompre les âmes, les sages doivent les éviter et s'en garder, étant donné aussi qu'ils ont été inventés, on s'en souvient, pour être des célébrations en l'honneur des dieux. 2. Car les spectacles de gladiateurs sont des fêtes dédiées à Saturne, le théâtre revient à Liber Pater, et l'on pense que les jeux du cirque ont été dédiés à Neptune, en sorte que celui qui assiste aux spectacles paraît déjà avoir abandonné le culte de Dieu pour passer aux rites païens. 3. Quant à moi[3], je préfère parler de la méchanceté du fait plutôt que de son origine. Qu'y a-t-il d'aussi horrible, d'aussi hideux que l'assassinat d'un homme ? C'est pourquoi notre vie est protégée par les lois les plus sévères, c'est pourquoi les guerres sont exécrables. La coutume a cependant trouvé le moyen de commettre un homicide qui échappe à la guerre et aux lois, et le plaisir a revendiqué pour lui-même ce que revendiquait le crime[4]. 4. Si assister à un

---

3. Lactance viserait-il ici les longs développements sur l'origine des spectacles auxquels se livre TERT., *Spect.*, 5 s. ?

4. La phrase n'a pas son équivalent exact dans les *Inst.*. Le raisonnement fait appel aux sentiments d'humanité que tout homme, chrétien ou païen, devrait éprouver. Cf. SEN., *Ep.*, 7, 3 (les jeux de gladiateurs) ; 95, 30 (la guerre).

15 est et eidem facinori spectator obstrictus est cui et
admissor, ergo et in his gladiatorum caedibus non minus
cruore perfunditur qui spectat quam ille qui facit, nec
potest esse inmunis a sanguine qui uoluit effundi, aut
uideri non interfecisse qui interfectori et fauit et prae-
20 mium postulauit. 5. Quid ? Scaena num sanctior ? In
qua comoedia de stupris et amoribus, tragoedia de
incestis et parricidiis fabulatur. 6. Histrionum etiam
inpudici gestus, quibus infames feminas imitantur, libi-
dines, quas saltando exprimunt, docent. Nam mimus
25 corruptelarum disciplina est, in quo fiunt per imaginem
quae pudenda sunt, ut fiant sine pudore quae uera
sunt. 7. Spectant haec adulescentes, quorum lubrica
aetas, quae frenari ac regi debet, ad uitia et peccata
his imaginibus eruditur. 8. Circus uero innocentior
30 existimatur, sed maior hic furor est, siquidem mentes
spectantium tanta efferuntur insania, ut non modo in
conuicia, sed etiam in rixas et proelia et contentiones
saepe consurgant. 9. | Fugienda igitur omnia specta-   f. 50
cula, ut tranquillum mentis statum tenere possimus,
35 renuntiandum noxiis uoluptatibus, ne deleniti suauitate
pestifera in mortis laqueos <et> plagas incidamus.

BTP

58, 15 spectator : peccator *T* ‖ et² : *om. P* ‖ 19 interficisse *P* ‖
fauet *P* ‖ 20-21 in qua comoedia : *om. P*¹ in quas -ae *P*² *in mg.*
‖ 21 de¹ : di *P* ‖ sturis *T* ‖ amoris *T* ‖ 22 parricidis *B* ‖ fabulatur :
fabula *P* ‖ histrionici *B* ‖ etiam : et *P* ‖ 24 nam : nec *T* ‖ mimus
*BP*² : minus *TP*¹ ‖ 26 pudenda *TP* : non *B* ‖ 32 rixas et *P* : rixased
T rixas nec non et in *B* ‖ 33 consurgant *B²TP* : -ntur *B*¹ ‖
expectacula *B* ‖ 35 renuntiandum : + est *P* ‖ deliniti *BPᵃᶜ* ‖
36 laqueos <et> plagas *scripsi* : laqueos *BP* plagas *T*

---

1. *Lubrica aetas* est sans doute un souvenir de Cyp., *Ep.*,
4, 21 (à propos des vierges) : « Quando et sexus infirmus et *aetas*

homicide est s'en faire complice, et si le spectateur est
chargé du même forfait que son auteur, dans ces
massacres de gladiateurs aussi, celui qui regarde n'est
pas moins inondé de sang que celui qui agit ; celui qui
a voulu que le sang soit répandu ne peut pas ne pas
être taché par le sang, ni celui qui a applaudi l'assassin
et demandé pour lui une prime, avoir l'air d'être
étranger à l'assassinat. 5. Quoi ? Le théâtre est-il plus
vénérable ? Dans la comédie, ce ne sont que fables de
stupres et d'amours ; dans la tragédie, d'incestes et de
parricides. 6. De plus, les attitudes impudiques des
acteurs, qui imitent des femmes de mauvaise vie,
enseignent la débauche qu'ils expriment par la danse.
Car le mime est une école de corruption, on y fait
semblant de faire des choses dont on devrait rougir,
en sorte que les actes réels s'accomplissent sans
pudeur. 7. Des jeunes gens regardent cela, et leur
âge instable [1], qu'il faut réfréner et diriger, est
instruit, par ces représentations, des vices et des
péchés. 8. Le cirque est plus innocent, croit-on, mais
la folie y est plus grande, puisque les âmes des
spectateurs sont emportées par une démence telle qu'ils
se déchaînent souvent non seulement en invectives,
mais aussi en rixes, combats et querelles. 9. Nous
devons donc fuir tous les spectacles, pour pouvoir
conserver calmement l'assiette de notre âme, nous
devons renoncer aux voluptés coupables pour éviter
d'être séduits par une douceur fatale et de tomber
dans les lacets et les filets de la mort.

---

adhuc *lubrica* per omnia *frenari* a nobis *et regi debeat...* » Lieu
commun antique de la jeunesse comme âge instable, ou l'on peut
glisser sur une mauvaise pente (CIC., *Verr.*, 5, 137 ; SEN., *Con.*, 2,
6, 4 ; TAC., *Ann.*, 13, 2).

59, 1. Placeat sola uirtus, cuius merces inmortalis est, cum uicerit uoluptatem. Superatis autem adfectibus et perdomitis uoluptatibus facilis in conprimendis ceteris labor est ei qui sit dei ueritatisque sectator. Non
5 maledicet umquam, qui sperabit a deo benedictionem non peierabit ne deum ludibrio habeat, sed ne iurabit quidem ne quando uel necessitate uel consuetudine in periurium cadat. 2. Nihil subdole, nihil dissimulanter loquetur ; neque abnegabit quod spoponderit neque
10 promittet quod facere non possit ; non inuidebit cuiquam qui se suoque contentus sit, nec detrahet aut male alteri uolet in quem forsitan beneficia dei proniora sunt. Non furabitur nec omnino quidquam concupiscet alie- num ; non dabit in usuram pecuniam – hoc est enim
15 de alienis malis lucra captare – nec tamen negabit, si quem necessitas coget mutuari. 3. Non sit asper in filium neque in seruum : meminerit quod et ipse patrem habeat ac dominum. | Ita cum his agat quemadmodum   f. 51
secum agi uolet. 4. Munera superabundantia non

BTP

59, 1 merces TP^2 : -cis BP^1 ‖ immortalis BT : -itas P ‖ 4 ei qui sit : *om.* TP (*fort. recte*) ‖ uẹritashisq P ‖ sectatur P ‖ 5 sperauit TP ‖ 6 peierabit B^2P : -auit B^1 peiorauit T ‖ ne^1 BT^1P : nec T^2 ‖ iurauit BT ‖ 9 loquatur P ‖ abnegabit B^2P : -auit B^1T ‖ sponderit T ‖ 10 quicquam P ‖ 11 contentus sit T : c. est P est c. B ‖ 13 quicquam BP ‖ concupiscit B ‖ 14 usuram P^2 : -ra BP^1 usu T ‖ 15 de alienis : *om.* T ‖ malis : *om.* P ‖ capere T ‖ negabit B^2TP : -uit B^1 ‖ si : si qui si T ‖ 16 quem : quidem B^{ac} ‖ coget TP^1 : -git BP^2 ‖ 19 superabundantiam T

---

1. Par rapport aux *Inst.*, on remarque des ajouts sur la malédiction, la règle d'or, l'adulation ; mais l'ordre dans lequel est développé ce catalogue n'est pas justifié : on a l'impression que Lactance procède par association d'idées.

2. Ce refus de la malédiction ne figurait pas dans les *Inst.* (oubli pur et simple ?). Voir à ce sujet J. GAUDEMET, *L'Église dans l'Empire Romain*, Paris 1958, p. 574-577.

59, 1[1]. Que plaise la vertu seule, dont le salaire est immortel quand elle a vaincu la volupté. Or, une fois les passions surmontées et les voluptés complètement domptées, réprimer tout le reste est une tâche aisée pour le disciple de Dieu et de la vérité. Il ne se répandra jamais en malédictions[2], celui qui espère la bénédiction de Dieu ; non seulement, il ne se parjurera pas pour ne pas traiter Dieu avec dérision, mais il ne jugera même pas, de peur de tomber parfois dans le parjure sous l'effet de la nécessité ou de la coutume. 2. Il ne dira rien qui sente l'artifice ou la dissimulation ; il ne refusera pas de tenir ses promesses et ne promettra pas ce qu'il ne serait pas capable de faire ; il ne portera envie à personne, en homme qui se contente de soi et de son bien, et il ne se montrera ni dénigrant ni malveillant envers un autre à l'égard de qui peut-être la bienfaisance divine est plus complaisante. Il ne volera pas et il ne désirera absolument aucun bien d'autrui[3], il ne prêtera pas de l'argent à intérêt – ce qui consiste à chercher à tirer profit[4] des malheurs d'autrui –, mais il ne refusera pas de prêter, si la nécessité contraint quelqu'un à lui emprunter. 3[5]. Qu'il ne soit dur ni pour son fils, ni pour son esclave : qu'il se souvienne que lui aussi a un père et un maître. Ainsi, qu'il agisse envers eux comme il voudrait qu'on agisse envers lui[6]. 4. Qu'il n'accepte

3. Seulement ici chez Lactance. Cf. le commandement de *Mc* 10, 19 et Tert., *Iud.*, 2, 3-5 (avec les deux verbes *furari* et *concupiscere*).

4. L'expression *lucra captare* est unique chez Lactance, mais elle est attestée chez Sénèque, Ovide, dans l'*Itala*, etc.

5. Le passage est un ajout par rapport aux *Inst.* ; il renforce le caractère chrétien du paragraphe, dont l'inspiration vient du *Décalogue* et de S. Paul (*Col.* 3, 21 et *Éphés.* 6, 4).

6. Reprise, sur le mode positif, de la règle d'or, déjà exprimée en **55**, 2.

20 accipiat a tenuioribus : nec enim iustum est augeri
patrimonia locupletium per damna miserorum. 5. Vetus
praeceptum est non occidere : quod non sic accipi
debet, tamquam iubeamur ab homicidio tantum, quod
etiam legibus publicis uindicatur, manus abstinere,
25 <sed> hac iussione interposita nec uerbo licebit periculum mortis inferre nec infantem necare aut exponere
nec se ipsum uoluntaria morte damnare. 6. Item non
adulterare : sed hoc praecepto non solum corrumpere
alienum matrimonium prohibemur, quod etiam communi
30 gentium iure damnatur, uerum etiam prostitutis corporibus abstinere. Supra leges enim dei lex est : ea quoque
quae pro licitis habentur uetat, ut iustitiam consummet.
7. Eiusdem legis est falsum testimonium non dicere,
quod et ipsum latius patet. Nam si falsum testimonium
35 mendacio nocet ei contra quem dicitur et fallit eum
apud quem dicitur, numquam igitur mentiendum est,
quia mendacium semper aut fallit aut nocet. Non est
ergo uir iustus qui etiam sine noxa in otioso sermone
mentitur. 8. | Huic uero nec adulari licet – perniciosa   f. 51
40 est enim ac deceptrix adulatio –, sed ubique custodiet
« ueritatem ». Quae licet sit ad praesens insuauis, tamen
cum fructus eius atque utilitas apparuerit, non « odium
pariet », ut ait poeta, sed gratiam.

BTP

59, 22-23 non | sic accipi debet : ~ *B* ‖ 24 uindicetur *B* ‖ 25 sed
edd. : *om. BTP* ‖ licebit *BTP*² : nocebit *P*¹ ‖ 27 nec *B*²*TP* : sed *B*¹
‖ 29 prohibemur *B*²*TP*² : -bimur *P*¹ prohiuemur *B*¹ ‖ 30 damnetur *B*
‖ 34 nam si : etsi *B* ‖ 35 mendaci nocent *P* ‖ 35-36 et fallit –
dicitur : fallit – dicitur *P om. T* ‖ 38 ergo : igitur *P* ‖ 39 adolari
B ‖ 40 adolatio *B*

---

1. Tert., *Andr.*, 1, 1, 41, cité aussi en *Inst.*, 5, 9, 6 ; 5, 21,
1 et *Épit.*, 47, 5. Mais, dans ces trois derniers cas, Lactance approuve
Térence : le persécuteur hait la vérité que représente le chrétien.

pas de cadeaux trop somptueux venant de petites gens ;
en effet il n'est pas juste que le patrimoine des riches
augmente au préjudice des misérables. 5. Ne pas tuer
est un précepte ancien. On ne doit pas le comprendre
au sens où il nous serait ordonné de tenir nos mains
à l'écart de l'homicide seulement – ce que punissent
aussi les lois de l'État ; mais, du fait de cet ordre, il
ne nous est plus permis, même par la parole, de mettre
quelqu'un en danger de mort, ni de mettre à mort ou
d'exposer un petit enfant, ni de nous condamner nous-
même à une mort volontaire. 6. De même il n'est
pas permis de commettre d'adultère ; mais par ce
précepte, il nous est interdit non seulement de corrompre le ménage d'autrui – ce que condamne même
le « droit des gens » –, mais nous devons même nous
abstenir des corps livrés à la prostitution. De fait, la
loi de Dieu surpasse les lois : elle va jusqu'à interdire
des actes tenus pour licites, afin d'accomplir la justice
à la perfection. 7. La même loi prescrit de ne pas
porter de faux témoignage : cet interdit aussi a une
extension plus large. Car si, par le mensonge, un faux
témoignage nuit à celui contre qui il est porté et
trompe celui devant qui il est prononcé, il ne faut
donc jamais mentir, parce que le mensonge est toujours
trompeur ou nuisible. Celui qui ment, même sans
causer de préjudice, dans une conversation à bâtons
rompus, n'est donc pas un homme juste. 8. Et il ne
lui est pas permis non plus de se livrer à l'adulation
– en effet l'adulation est funeste et trompeuse –, mais
il sauvegardera partout la vérité. Même si elle est
déplaisante sur le moment, il n'en reste pas moins que,
quand son profit et son utilité auront apparu, elle
n'aura pas pour résultat « d'engendrer la haine [1] »,
comme dit le poète, mais la reconnaissance.

60, 1. Dixi de iis quae uetantur : dicam nunc breuiter quae iubentur. Innocentiae proxima est misericordia. Illa enim malum non facit, haec bonum operatur, illa incohat iustitiam, haec conplet. 2. Nam cum inbecillior
5 sit hominum natura quam ceterarum animantium, quas deus et instructas ad inferendam et munitas ad uim repellendam figurauit, adfectum nobis misericordiae dedit, ut omne praesidium uitae nostrae in mutuis auxiliis poneremus. 3. Si enim ficti ab uno deo et orti
10 ab uno homine consanguinitatis iure sociamur, omnem igitur hominem diligere debemus. Itaque non tantum inferre iniuriam non oportet, sed ne inlatam quidem uindicare, ut sit in nobis perfecta innocentia, et ideo iubet nos deus etiam pro inimicis precem facere sem-
15 per. 4. Ergo animal commune atque consors esse debemus, ut nos inuicem praestandis et accipiendis auxiliis muniamus. Multis enim casibus et incommodis |
fragilitas nostra subiecta est. 5. Spera et tibi accidere f. 52ᵛ
posse quod alteri uideas accidisse : ita demum excitaberis
20 ad opem ferendam, si sumpseris eius animum qui opem tuam in malis constitutus inplorat. 6. Si quis uictu

---

BTP
60, 1 de iis : quiis *Tᵃᶜ* de his *BP* ‖ 2 innocentia *B* ‖ misericordiae *B* ‖ 3 haec *B³TP* : et h. *B¹* ‖ 4 incohat *P* : incoat *T* inchoat *B* ‖ conplet : con //// *P¹* cōsūmaᵗ *P²* ‖ 6 structas *P* ‖ ferendam *T* ‖ 7-8 adfectum – dedit : *om. T* ‖ 9-10 deo – uno : *om. P* ‖ 12 quidem : *om. P* ‖ 14 pro inimicis proinimicis *B* ‖ 15 concors *TP* ‖ 16 et accipiendis : *om. P* ‖ 18 nostra : *om. T* ‖ accedere *B* ‖ 19 accidisse : accidit *B* ‖ excitaberis *B²TP²* : -aue- *B¹P¹* ‖ 20-21 opem tuam : operam *T* ‖ 21 malůmis *T* ‖ uictum *B*

---

1. Seul passage où Lactance rapproche ainsi l'*innocentia* et la *misericordia*. En *Inst.*, 6, 10, 2, le couple est *iustitia/misericordia*, parce que Lactance y a adopté une division entre devoirs à l'égard des hommes.

60, 1. J'en ai fini avec les interdits, je parlerai maintenant brièvement des commandements. La miséricorde est la vertu la plus proche de l'innocence[1]. Car la seconde ne fait pas le mal, et la première pratique le bien ; la seconde est le début de la justice, la première en est l'accomplissement. 2. Car l'homme étant par nature plus faible que tous les autres vivants que Dieu, en les créant, a armés pour exercer la violence et fortifiés pour la repousser –, Dieu nous a donné le sentiment de la miséricorde, pour que nous placions toute la protection de notre vie dans les secours mutuels. 3. Car, s'il est vrai que nous avons été créés par un seul Dieu, si nous sommes issus d'un seul homme et alliés par les droits de la consanguinité, nous devons donc chérir tout homme. C'est pourquoi il faut non seulement ne pas commettre d'injustice, mais ne pas même venger celle qui est commise contre nous, afin que l'innocence soit parfaite en nous ; et c'est pour cette raison que Dieu nous ordonne de toujours prier même pour nos ennemis[2]. 4. Nous devons donc être un animal sociable et fraternel[3], pour nous affermir mutuellement grâce à l'aide donnée et reçue. Notre fragilité a été en effet soumise à beaucoup de malheurs et de désagréments. 5. Crains qu'il ne puisse t'arriver, à toi aussi, ce que tu vois être arrivé à autrui : tu ne seras incité à porter secours que si tu fais tiens les sentiments de celui qui se trouve dans le malheur et implore ton secours. 6. Si quelqu'un

---

2. Prier même pour ses ennemis possède une résonance chrétienne évidente (*Matth.* 5, 44), mais la référence biblique ne figure pas dans les *Inst.*, sauf peut-être en *Inst.*, 6, 19, 8.

3. Sur cette définition de l'homme, voir PERRIN, *L'homme*, p. 394.

indiget, inpertiamus, si quis nudus occurrerit, uestiamus,
si quis a potentiore iniuriam sustinet, eruamus. Pateat
domicilium nostrum uel peregrinis uel indigentibus tecto.
25 Pupillis defensio, uiduis tutela nostra non desit. 7.
Redimere ab hoste captiuos magnum misericordiae opus
est, aegros item <et> pauperes uisere atque refouere.
Inopes aut aduenae si obierint, non patiamur insepultos
iacere. Haec sunt opera, haec officia misericordiae, quae
30 si quis obierit, uerum et acceptum sacrificium deo
immolabit. 8. Haec litabilior uictima est apud deum,
qui non pecudis sanguine, sed hominis pietate placatur,
quem deus, quia iustus est, suamet ipsum lege, sua et
condicione prosequitur : miseretur eius quem uiderit
35 misericordem, inexorabilis est ei quem precantibus cernit
inmitem. 9. Ergo ut haec omnia quae deo placent
facere possimus, contemnenda est pecunia et ad caelestes
transferenda thensauros, | ubi nec fur effodiat nec   f. 52ᵛ
robigo consumat ᵈ nec tyrannus eripiat, sed nobis ad
40 aeternam opulentiam deo custode seruetur.

BTP

60, 22 occurret *T* ‖ uestiamus : induamus *P* ‖ 23 sustinet : *om.*
P ‖ pateat *B TP²* : patiatur *P¹* ‖ 24 uel¹ : dᴏᴍɪᴄɪʟɪɪ *T* ‖ tecto : esto
P ‖ 26 captiuum *P* ‖ 27 aegros item <et> pauperes *Br* : a. i. p.
T a. p. *BP* ‖ uisere : uisitare *B* ‖ fouere *B* ‖ 28 aduenae *TP¹* : -
nas *P²* pauperes *B* ‖ obierit : perfecerit *B* ‖ 31 immolabit *B²* : -
auit *B¹TP* ‖ litabilior *B²T¹* : let- *T²* laet- *B¹P* ‖ 33 et : *om. TP*
34 eius : ei *B* ‖ 35 misericordia *Tᵘᶜ* ‖ 37 caelestes *BTP²* : -tis *P¹* ‖
38 fures fodiant *P*

---

d. Cf. Matth. 6, 19 s. ; Lc 12, 33

---

1. *Potentior* a ici le sens sociologique de l'époque.
2. *Litabilis* est rare (à partir, sans doute, de Mɪɴ. Fᴇʟ., 32, 2).
Mais le thème est très fréquent chez Lactance.
3. Le sens général de la phrase impose que *suamet* renvoie à
ipsum. Ce tour, assez courant chez Lactance, remonte en fait à
l'époque classique (Lᴇᴜᴍᴀɴɴ, p. 175²).

manque de nourriture, partageons avec lui ; si quelqu'un accourt à nous dans la nudité, vêtons-le ; si quelqu'un est victime d'une injustice de la part d'un puissant[1], tirons-le de là. Que notre demeure soit ouverte aux voyageurs et aux sans-logis. Ne cessons de défendre les intérêts des orphelins, d'assurer notre protection aux veuves. 7. C'est une grande œuvre de miséricorde que de racheter à l'ennemi les prisonniers, de visiter et de réconforter les malades et les pauvres. Si des miséreux ou des étrangers viennent à mourir, ne supportons pas qu'ils gisent sans sépulture. Voilà les œuvres, voilà les devoirs de la miséricorde ; si quelqu'un en prend l'initiative, il immolera à Dieu un sacrifice authentique et acceptable. 8. Cette victime est plus agréable[2] à Dieu, que l'on n'apaise pas par le sang des animaux, mais par la pitié de l'homme. Dieu étant juste, il traite l'homme exactement selon sa propre règle de conduite et selon sa propre condition : il a pitié de celui qu'il a vu miséricordieux, mais il est inexorable pour celui dont il voit la dureté envers les suppliants[3]. 9. Par conséquent, pour que nous puissions accomplir tous ces actes qui plaisent à Dieu, il faut mépriser l'argent et le transférer dans les trésors divins, là où le voleur ne creuse pas, où la rouille ne ronge pas[d], où le tyran ne pille pas[4], mais où il est conservé pour nous, sous la garde de Dieu, en vue d'une opulence éternelle[5].

4. L'adjonction du *tyrannus* à la citation doit viser les empereurs persécuteurs.

5. L'image de ce *transfert* de biens temporels aux biens éternels n'est pas exactement dans les *Évangiles* (mais *Lc* 12, 23 ; 18, 22 ; *Matth.* 19, 21 en sont fort proches) ; elle doit venir de CYPRIEN (*Mort., 26 ; Eleem.*, 22). En *Inst.*, 6, 12, 40 on remarque la même idée que chez Cyprien ; dans l'*Épit.*, idée et mots sont semblables.

61, 1. Fides quoque magna iustitiae pars est : quae maxime a nobis, qui nomen fidei gerimus, conseruanda est, praecipue in religione, quia deus prior est et potior quam homo. 2. Et si est gloriosum pro amicis, pro
5 parentibus, pro liberis, id est pro homine suscipere mortem et qui hoc fecerit, diuturnam memoriam laudemque consequitur, quanto magis pro deo, qui potest aeternam uitam pro temporali morte praestare ? 3. Itaque cum inciderit eiusmodi necessitas, ut desciscere
10 a deo atque ad ritus gentium transire cogamur, nullus nos metus, nullus terror inflectat, quominus traditam nobis fidem custodiamus. Deus sit ante oculos, deus in corde, cuius interno auxilio dolorem uiscerum et adhibita corpori tormenta superemus. 4. Nihil tunc aliud quam
15 uitae immortalis praemia cogitemus : ita facile, etsi dissipandi aut urendi artus fuerint, tolerabimus uniuersa quae in nos tyrannicae crudelitatis amentia molietur.
5. Postremo ipsam mortem non inuiti | aut timidi, sed   f. 53ᵃ
libentes et interriti subire nitamur, cum sciamus quali
20 apud deum gloria simus futuri triumphato saeculo ad
promissa uenientes. 6. Quibus bonis, quanta beatitudine

BTP

61, 3 potentior *B* ‖ 4 quam : *om. T* ‖ 9 disciscere *B* ‖ 10 nullus *BTP²* : -los *P¹* ‖ 12 deus¹ − deus² : ds̄ habeatur *P* ‖ 13 cuius : + nos *P* ‖ interno *BT¹P* : ineterno *T²* ‖ dolor *B* ‖ et : atque *P* ‖ 14 corpori tormenta : *om. P* ‖ superemus *T* : -rentur *B* -rabit *P* ‖ nihil : cuius n. *P* ‖ 15 inmortalis : et -litatis *P* ‖ praemium *P* ‖ etsi : si *P* ‖ 16 aut urendi : *om. T* ‖ 17 crudelitatis : dominationis *B* ‖ 19 nitamur *BTPᶜ* : -temur *P* tinamur *Tᵘᶜ* ‖ cum *B¹TP* : ut *B³* ‖ 20 sumus *P* ‖ 20-21 triumphato − uenientes : *om. T* ‖ 21 bonis : nobis *P*

---

1. On retrouve exceptionnellement à l'intérieur de ce chapitre le plan d'*Inst.*, 6 qui a été abandonné dans l'*Épit.* (cf. Introd., p. 28).
2. Plus précis que *uirtus est mortem contemnere* d'*Inst.*, 6, 17, 25.

61, 1 [1]. La fidélité constitue aussi une grande part de la justice ; et nous, qui portons le nom de fidèles, c'est nous surtout qui devons conserver la fidélité, principalement en matière de religion, parce que Dieu est premier par rapport à l'homme et préférable à lui. 2. Et s'il est glorieux d'affronter la mort pour des amis, des parents, des enfants, c'est-à-dire pour l'homme [2], si celui qui le fait obtient une mémoire et une gloire durables, combien est-il plus glorieux encore de le faire pour Dieu, qui peut assurer la vie éternelle en échange d'une mort temporelle ? 3. C'est pourquoi, quand on veut nous contraindre à abandonner Dieu et à passer aux rites païens, qu'aucune crainte, qu'aucune terreur ne nous fléchisse et ne nous empêche de garder la foi qui nous a été transmise. Que Dieu soit devant nos yeux, que Dieu soit dans notre cœur : c'est justement par son aide intérieure [3] que nous triomphons de la douleur subie par nos entrailles et des tortures appliquées à notre corps. 4. A ce moment-là, ne pensons à rien d'autre qu'aux récompenses de la vie éternelle. Ainsi, même si nos membres doivent être déchiquetés ou brûlés, nous supporterons facilement toutes les tortures que la folie d'une cruauté tyrannique mettra en œuvre contre nous [4]. 5. Enfin, efforçons-nous de subir la mort même non pas contre notre gré, ou même avec crainte, mais volontiers et sans panique. Car nous qui venons recevoir ce qui nous a été

3. Parce que Dieu est « dans » le cœur de l'homme, qui est un organe « interne ». *Internus* a donc son sens propre et concret. Ce passage est l'équivalent d'*Inst.*, 6, 25, 15 : le cœur de l'homme est le temple de Dieu.

4. *Molietur* indique le raffinement des tortures inventées ou perfectionnées à l'intention des chrétiens (*Mort. pers.*, 15, 5). Tout ce passage rappelle le *De mortibus persecutorum*.

breuia haec poenarum mala et huius uitae damna
pensemus. Quodsi facultas huius gloriae deerit, habebit
fides etiam in pace mercedem. Teneatur ergo in omnibus
25 uitae officiis, teneatur in matrimonio. Non enim satis
est, si aut alieno toro aut lupanari abstineas. 7. Qui
habet coniugem, nihil quaerat extrinsecus, sed contentus
ea sola casti et inuiolati cubilis sacramenta custodiat.
Adulter est enim deo et incestus qui abiecto iugo uel
30 in liberam uel in seruam peregrina uoluptate luxuriat.
8. Sed sicut femina castitatis uinculis obligata est ne
aliud concupiscat, ita et uir eadem lege teneatur,
quoniam deus uirum et uxorem unius corporis conpage
solidauit. Ideo praecipit non dimitti uxorem nisi crimine
35 adulterii reuictam, ut numquam coniugalis foederis uin-
culum nisi quod perfidia ruperit resoluatur. 9. Illud
quoque ad consummandam pudicitiam iungitur, ut non
modo peccatum absit, uerum | etiam cogitatio. Pollui   f. 53ᵇ
enim mentem quamuis inani cupiditate manifestum est,
40 itaque iustum hominem quod sit secus nec facere
oportere nec uelle. 10. Purganda est igitur conscientia,
quam deus peruidet, qui falli non potest. Emaculetur
omni labe pectus, ut templum dei esse possit, quod
non auri nec eboris nitor, sed fidei et castitatis fulgor
45 inlustret.

BT(P)

61, 22 uitae : *hic desinit P* ‖ 28 cubili *T* ‖ 32 et : *om. B* ‖ 33
quoniam : quo *B* ‖ uirum et : ex uiro *B* ‖ 38 obsit *T* ‖ 39
manifestum est : *om. T* ‖ 40 itaque : ita *T* ‖ 45 inlustret *BT* : -rat *Br*

1. Chez Lactance, les seuls autres emplois de *promissum* comme
substantif sont dans *Mort. pers.*, 27, 4 ; 45, 4 (2 fois).
2. Cf. *Mort. pers.*, 16, 5.
3. *In pace* : « dans la paix de l'Église » (*Inst.*, 5, 13, 10 ; 5, 21,
4 ; *Mort. pers.*, 1, 3 et 3, 5). Ce sens est déjà ancien : TERT., *Fuga*,
3, 1 ; CYPR., *Ep.*, 19, 2 ; et, en 314, le 3ᵉ canon du concile d'Arles.
4. Voir note complémentaire, p. 274.

promis[1] après avoir triomphé du siècle[2], 6. nous savons quelle sera notre gloire auprès de Dieu, nous savons contre quels biens, contre quelle béatitude nous échangerons les brefs malheurs que sont les supplices et les dommages que nous subissons en cette vie. Et si la possibilité de cette gloire vient à manquer, la fidélité aura son salaire même dans la paix[3]. Conservons-la donc dans tous les devoirs de cette vie, conservons-la dans le mariage. Car il ne suffit pas de s'abstenir de la couche d'autrui ou de la maison de tolérance. 7. Que celui qui a une femme ne cherche rien en dehors de son mariage, qu'il se contente d'elle seule et conserve les engagements d'une couche sainte et inviolée. De fait, Dieu considère comme adultère et impudique celui qui rejette le joug conjugal et se livre à la débauche en prenant un plaisir contraire à la morale avec une femme, libre ou esclave. 8[4]. Et, de même que la femme se trouve engagée par les liens de la chasteté à ne pas désirer d'autre objet, de même l'homme doit être aussi tenu par la même loi, puisque Dieu a uni mari et femme en les alliant en un seul corps. C'est pour cette raison qu'il prescrit de ne pas renvoyer sa femme, sauf si elle est convaincue du crime d'adultère, pour que les liens de l'union conjugale ne soient jamais déliés, sauf ceux que l'infidélité a rompus. 9. Pour atteindre la chasteté parfaite, il faut encore ajouter ceci : non seulement le péché doit être absent, mais même sa pensée. Il est clair, en effet, que l'âme est souillée même par un vain désir, et c'est pourquoi le juste ne doit ni faire ni vouloir ce qui est mal. 10. Il faut donc purifier la conscience que Dieu voit à fond, lui qu'on ne peut tromper. Otons donc de notre cœur toute souillure, pour qu'il puisse être le temple de Dieu, qu'illumine non l'éclat de l'or et de l'ivoire, mais le rayonnement de la foi et de la chasteté.

62, 1. Sed enim haec omnia difficilia sunt homini
nec patitur condicio fragilitatis esse quemquam sine
macula. Vltimum ergo remedium illud est, ut confugia-
mus ad paenitentiam, quae non minimum locum inter
5 uirtutes habet, quia sui correctio est, ut cum forte aut
re aut uerbo lapsi fuerimus, statim resipiscamus ac nos
deliquisse fateamur oremusque a deo ueniam, quam
pro sua misercordia non negabit nisi perseuerantibus in
errore. 2. Magnum est paenitentiae auxilium, magnum
10 solacium. Illa est uulnerum peccatorumque sanatio, illa
spes, illa portus salutis : quam qui tollit, uiam uitae
sibi amputat, quia nemo esse tam iustus potest, ut
numquam sit ei paenitentia necessaria. 3. Nos uero,
etiamsi nullum sit peccatum, confiteri tamen debemus
15 deo et | pro delictis nostris identidem deprecari, gratias   f. 54ᵃ
agere etiam in malis. Hoc semper obsequium domino
deferamus. Humilitas enim cara et amabilis deo est.
Qui cum magis suscipiat peccatorem confitentem quam
iustum superbum ᵉ, quanto magis iustum suscipiet confi-
20 tentem eumque in regnis caelestibus faciet pro humilitate
sublimem ! 4. Haec sunt quae debeat cultor dei exhibere, hae sunt uictimae, hoc sacrificium placabile, hic
uerus est cultus, cum homo mentis suae pignora in

BT

62, 1 enim haec : ~ *T* ‖ 21 debet *B* ‖ 22 hae : haec *T* ‖
23 pignera *B*

e. Cf. Lc 15, 7 ; 18, 10-14

1. La définition d'*Inst.*, 6, 13, 2 est plus détaillée et plus
« ecclésiale ». L'*Épit.* est plus concret et plus brutal : *correctio sui*
(le terme, chez Lactance, ne se trouve qu'ici et en *Ira*, 17, 18.21).

62, 1. Mais, de fait, tout cela est difficile pour l'homme, et la fragilité de la condition humaine ne permet à personne d'être sans tache. Par conséquent, voici le remède suprême : réfugions-nous dans la pénitence, dont la place n'est pas la moindre parmi les vertus parce qu'elle est correction de soi-même[1]. En conséquence, s'il nous arrive de tomber en actes ou en paroles[2], venons aussitôt à résipiscence, reconnaissons que nous avons péché, et prions Dieu de nous pardonner, ce qu'il ne refusera pas de faire en raison de sa miséricorde, sauf si nous persévérons dans l'erreur. 2. Grand est le secours de la pénitence, grand est le soulagement qu'elle apporte. C'est la guérison des blessures causées par les péchés, c'est l'espoir, le port du salut : qui la supprime se retranche de la voie de la vie parce que personne ne peut être assez juste pour que la pénitence ne lui soit jamais nécessaire. 3. Quant à nous, à supposer même que nous n'ayons aucun péché, nous devons cependant nous reconnaître pécheurs devant Dieu, l'implorer tout pareillement pour nos fautes, et lui rendre grâces même dans les malheurs. Portons toujours cet hommage à notre Seigneur. Car l'humilité est chère et aimable à Dieu. Comme il agrée le pécheur qui se reconnaît tel, plutôt que le juste orgueilleux[e], combien agréera-t-il davantage le juste qui se reconnaît pécheur et l'élèvera-t-il dans les royaumes célestes, en proportion de son humilité. 4. Voilà ce que doit faire l'adorateur de Dieu, voilà les victimes, voilà le sacrifice qui plaît à Dieu, voilà le vrai culte, quand l'homme apporte sur l'autel de Dieu sa propre

2. En *Inst.*, 6, 13, 5, les péchés sont classés selon qu'ils relèvent de l'action, de la parole ou de la pensée. Lactance ne retient ici que les deux premières catégories.

aram dei confert. Summa illa maiestas hoc cultore
25 laetatur, hunc ut filium suscipit eique idoneum praemium
immortalitatis impertit : de qua nunc mihi disserendum
est et arguenda persuasio eorum qui extingui animas
cum corporibus arbitrantur. Qui quia nec deum sciebant
nec arcanum mundi perspicere poterant, ne hominis
30 quidem animaeque rationem conprehenderunt. 5. Quomodo enim possent sequentia peruidere qui summam
non tenebant ? Negantes igitur esse ullam prouidentiam,
utique deum, qui fons et caput rerum est, negauerunt.
6. Sequebatur ut ea quae sunt, aut semper fuisse
35 dicerent aut sua sponte esse nata aut minutorum semi-
num conglobatione concreta. Semper fuisse non potest
quod et est et uisui subiacet : ipsum enim esse sine
aliquo initio non potest. Sua sponte autem nihil | nasci   f. 54ᵇ
potest, quia nulla est sine generante natura. 7. Semina
40 uero principalia quomodo esse potuerunt, cum et semina
ex rebus oriantur et uicissim res ex seminibus ? Nullum
igitur semen est quod originem non habet. Sic factum

BT

62, 23-24 in aram : ni iram *T* ‖ 24 hoc cultore : occultore *T* ‖
25 eique *B* : atque *Br om. T* ‖ idoneum praemium *T* : donum *B*
‖ 29 prospicere *T* ‖ 35-36 dicerent – fuisse : *om. T* ‖ 36 non : dici
non *B* ‖ 37 et est et uisui : testesui *B* ‖ ipsum : et i. *B* ‖ 41 res
ex seminibus : rexexeminibus *T* ‖ 42 quod originem non habet : *om.
B¹ (suppl. in mg. B³)*

1. Forte expression qui n'a pas son correspondant dans les *Inst.*
Chez TERT., *Resurr.*, 51, 2, c'est la chair et le sang qui sont qualifiés
de *pignus.*

2. Sur cette expression, voir LOI, p. 25-27.

3. *Suscipit* a son sens fort, quasi technique et « romain ». Le
père de famille soulève l'enfant qui vient de naître pour témoigner
qu'il le reconnaît comme sien.

4. *Opif.*, 1 : les philosophes païens ont une théologie et une
cosmologie défectueuse ; ils n'ont donc pu avoir une anthropologie
cohérente.

âme en gage[1]. Cette très haute majesté[2] se réjouit de cet adorateur, elle l'accueille comme un fils[3] et lui attribue la récompense appropriée : l'immortalité. Je dois maintenant faire un exposé sur ce point, et réfuter la conviction de ceux qui jugent que les âmes s'éteignent en même temps que les corps. Parce que ces gens-là ne connaissaient pas Dieu et qu'ils ne pouvaient voir pleinement le mystère caché du monde, ils n'ont même pas compris la condition de l'homme et de son âme[4]. 5. De fait, comment ceux qui ne tenaient pas le principe suprême auraient-ils pu en pénétrer les conséquences ? Donc, en niant qu'il existe une providence, ils ont évidemment nié l'existence d'un Dieu, source et tête de toutes choses. 6. Il s'ensuivait, disaient-ils, que les choses qui existent, ou bien avaient toujours existé, ou bien étaient nées spontanément, ou bien s'étaient agglomérées par accumulation de petites semences. Il n'est pas possible qu'ait toujours existé une chose qui existe et tombe sous le regard : en effet, l'existence elle-même ne peut être dépourvue de quelque commencement. Et rien ne peut naître spontanément, parce qu'il n'y a pas de naissance sans quelqu'un pour engendrer[5]. 7. Quant aux semences initiales, comment ont-elles pu exister, alors que les semences naissent des choses et que, vice versa, les choses naissent des semences ? Il n'y a donc pas de semence dépourvue

---

5. En *Épit.*, 62, 6-7, le raisonnement est beaucoup plus serré que dans le passage correspondant des *Inst.*. Lactance utilise contre les épicuriens le procédé logique de la remontée à l'infini des causes pour montrer qu'il y a forcément une cause première. Et il retourne, en usant du procédé rhétorique de la rétorsion, l'affirmation de LUCRÈCE, 1, 155 s.

est ut, cum putarent mundum nulla prouidentia factum,
ne hominem quidem putarent aliqua ratione generatum ;
45 quodsi nulla esset in fingendo homine ratio uersata,
inmortalem igitur animam esse non posse. 8. Alii uero
ex aduerso et deum esse unum et ab eo mundum
factum et hominum causa factum et animas esse immor-
tales existimauerunt. Sed cum uera sentirent, huius
50 tamen diuini operis atque consilii nec causas nec rationes
nec exitus perspexerunt ut omne ueritatis arcanum
consummarent atque aliquo ueluti fine concluderent.
9. Sed quod illi facere non potuerunt, quia ueritatem
perpetuo non tenebant, nobis faciendum est, qui eam
55 cognouimus deo adnuntiante.

63, 1. Consideremus ergo quae ratio fuerit huius
tanti tamque inmensi operis fabricandi. Fecit deus

BT

62, 49 sed cum uera sentirent *T* : *om.* *B*¹ sed cur ea senserint
*B*³ ‖ 52 aliquo : *om.* *B*

63, 2 tamquam *T* ‖ operis *B*³*T* : -ibus *B*¹

---

1. A la différence des *Inst.*, Lactance ne nomme pas les sectes
opposées, parce qu'il n'importe pas à son propos que ce soient les
uns plutôt que les autres qui aient soutenu telle ou telle thèse.
2. Critique du platonisme. Comme **63**, 1-5 n'a pas d'équivalent
exact dans la rédaction courte des *Inst.* et qu'on y traite du problème
du mal, on retrouve ici la question des passages dualistes. Sur ce
chapitre, voir notamment HECK, *DZ*, p. 68-70 ; 100-104 ; PERRIN,
« Platon », p. 226-228, et le commentaire de C. Ingremeau sur *Ira*,
3, 2 (*SC* 289, p. 230 s.). Selon E. Heck, ce chapitre marquerait une
étape dans l'évolution des idées de Lactance sur le problème du
mal. Ici Lactance ne formule pas la thèse que Dieu fait le bien *et*
le mal (c'est seulement implicite). La conséquence rigoureuse ne sera
affirmée que dans le passage « dualiste » d'*Inst.*, 2, 8. Mais, en

d'origine. Par suite, comme ils pensaient que le monde n'avait pas été fait par une providence, ils ont pensé que l'homme non plus n'avait pas été engendré selon une certaine rationalité ; que si aucune rationalité n'avait été inhérente au façonnement de l'homme, l'âme ne pouvait donc être immortelle. 8. Mais d'autres[1], à l'opposé, ont estimé qu'il n'y a qu'un Dieu, que le monde a été fait par lui, et fait pour l'homme, et que les âmes sont immortelles. Mais leur sentiment eut beau être conforme à la vérité, ils ne virent pleinement ni les causes, ni la rationalité, ni les résultats de cet ouvrage et de ce dessein divins au point de venir à bout du secret total de la vérité et pour ainsi dire d'achever cette connaissance en la menant à bonne fin. 9. Mais ce qu'ils n'ont pu faire, parce qu'ils ne détenaient pas la vérité jusqu'au bout, c'est nous qui devons le faire, nous qui l'avons connue parfaitement parce que Dieu nous l'a annoncée.

63, 1[2]. Considérons donc quelle rationalité a présidé à la création de cette œuvre si grande et immense.

Épit., 63, Lactance ne traite pas vraiment du problème du mal ; ce dernier n'est abordé qu'au cours d'une critique des positions de Platon. Autrement dit, Lactance n'affirme pas une position personnelle, mais montre *ab absurdo* que celle de Platon est intenable, parce que incohérente. On n'a donc pas le droit de transférer cette discussion, qui porte sur les thèses de Platon, à une autre discussion, qui touche à la théodicée. De plus, l'argumentation est placée dans la bouche de l'athée Théodore, qualifié de *peruersus* en **63**, 2 : Lactance ne la prend pas telle quelle à son compte.

mundum, sicut Plato existimauit, sed cur fecerit non
ostendit. « Quia bonus est » inquit « et inuidens nulli,
5 fecit quae bona sunt ». Atquin uidemus in re|rum natura   f. 55ᵛ
et bona esse et mala. 2. Potest ergo existere peruersus
aliquis, qualis fuit atheus ille Theodorus, et Platoni
respondere : « Immo quia malus est, fecit quae mala
sunt ». Quomodo illum redarguet ? Si quae bona sunt
10 deus fecit, unde igitur mala eruperunt, quae plerumque
etiam praeualent bonis ? « In materia » inquit « conti-
nebantur ». 3. Si mala, ergo et bona, ut aut nihil
fecerit deus aut si bona tantum fecit, aeterniora sint
mala, quae facta non sunt, quam bona, quae habuerunt
15 exordium. Finem igitur habebunt quae aliquando coeperunt et permanebunt quae semper fuerunt. 4. Mala
ergo potiora sunt. Si autem potiora esse non possunt,
ne aeterniora quidem possunt. Ergo aut utraque semper
fuerunt et deus otiosus aut utraque ex uno fonte

63, 4 s. PLAT., *Tim.*, 29E

BT

63, 4 est : *om. B* ‖ 5 sunt : *om. B¹* ‖ 6 ergo : *om. T* ‖ 7 atheus
B³T : acheus *B¹* ‖ ille : + et *B* ‖ et *BT¹* : ut *T²* ‖ 8 mala *BT* :
tanta m. *Br* ‖ 11 praeualent bonis : ∼ *B* ‖ 13 sunt *T* ‖ 16 quae :
om. T

---

1. Voir LOI, p. 79 ; 129. *Épit.*, 63, 1-5 est à comparer à *Inst.*,
2, 8, 30 s., à *Ira*, 13-15, et au passage dualiste d'*Inst.*, 7, 5, 27.
2. Théodore est un personnage souvent associé à Diagoras
comme exemple d'athée fameux (voir le commentaire de C. Ingremeau
sur *Ira*, 9, 7 = *SC* 289, p. 265).
3. Même question en *Ira*, 13, 21.
4. On discute encore la question de savoir si, pour Platon et
ses successeurs, la matière est source du mal. HECK, *DZ*, p. 69,
n. 61, pense à PLOTIN (*Enn.*, 1, 8, 3). Voir cependant *Théétète*,
176A et EVS., *Pr. eu.*, 7, 22 (= *SC* 215, p. 283-313).

Dieu a créé le monde[1], comme l'a pensé Platon, mais sans montrer pourquoi il l'avait créé. « Parce qu'il est bon, dit-il, et qu'il est exempt d'envie, il a fait ce qui est bon. » Nous voyons pourtant qu'il y a dans la nature du bon et du mauvais. 2. Il peut donc se trouver un esprit pervers, tel Théodore[2], le célèbre athée, pour répondre à Platon : « Bien au contraire, c'est parce qu'il est mauvais qu'il a créé du mauvais. » Comment Platon le réfutera-t-il ? Si Dieu n'a créé que des biens, d'où sont donc sortis soudainement les maux qui généralement prévalent même sur les biens[3] ? « Ils étaient contenus, dit Platon, dans la matière[4]. » 3. Si les maux y sont, les biens y sont donc aussi, et par conséquent ou bien Dieu n'a rien fait, ou bien, s'il n'a fait que les biens, les maux, qui n'ont pas été faits, seraient plus éternels que les biens, qui ont eu un début. Les choses qui ont commencé un jour auront donc une fin, et celles qui ont toujours été resteront. 4. Les maux sont donc plus puissants. Mais s'ils ne peuvent être plus puissants[5], ils ne peuvent pas non plus être plus éternels. Par conséquent, ou bien les uns et les autres ont toujours été et Dieu n'a rien fait[6], ou bien les uns et les autres ont découlé d'une

---

5. Lactance est si fondamentalement optimiste qu'il ne peut envisager que les maux soient aussi puissants que les biens, qui ont été créés par Dieu, car cela impliquerait que Dieu serait moins puissant que les maux. Raisonnement analogue dans TERT., *Herm.*, 2 ; 6 ; 8 ; etc., à propos des rapports entre Dieu et la nature.

6. *Deus otiosus* vise Épicure (cf. aussi *Ira*, 13). Voir H.C. PUECH, « La gnose et le temps », *Eranos Jahrbuch* 20, 1951, p. 57-113. Comme source de Lactance, on peut penser à CIC., *Nat. deor.*, 3, 39, 93.

20 fluxerunt. Est enim conuenientius ut deus omnia fecerit
potius quam nihil. Ergo secundum sententiam Platonis
idem deus et bonus est, quia bona fecit, et malus, quia
mala. 5. Quod si fieri non potest, apparet non ideo
factum esse a deo mundum, quia bonus est [mundus] :
25 omnia enim conplexus est et bona et mala. Nec fiet
propter se quidquam, sed propter aliud. 6. Domus
aedificatur non ad hoc solum, ut sit domus, sed ut
susci|piat et tueatur habitantem. Item nauis fabricatur   f. 55 ᵛ
non ut nauis tantum uideatur, sed ut in ea possint
30 homines nauigare. Vasa item fiunt non ut uasa sint
solum, sed ut capiant ea quae sunt usui necessaria. 7.
Sic et mundum deus ad usum aliquem fecerit necesse
est. Stoici aiunt hominum causa factum, et recte :
homines enim fruuntur his omnibus bonis quae mundus
35 in se continet. Sed ipsi homines cur facti sint aut quid
in illis utilitatis habeat fabricatrix illa rerum prouidentia,
non explicant. 8. Inmortales esse animas idem Plato
adfirmat : sed cur aut quomodo aut quando aut per
quem immortalitatem adsequantur aut quod sit omnino
40 tantum illud mysterium, cur ii qui sunt inmortales futuri
prius mortales nascantur, deinde decurso temporalis
uitae spatio atque abiectis fragilium corporum exuuiis
ad aeternam illam beatitudinem transferantur, non

BT
    63, 24 bonum *T* ‖ mundus *del. Br* ‖ 25 est : *om. B* ‖ fiet : fecit
B ‖ 26 quicquam *B* ‖ 34 his *BT* : iis *Br* ‖ 35 sint *Bᵖᶜ* : sunt *BᵃᶜT* ‖
40 ii : hi *B*

---

1. Le principe logique et rhétorique de non contradiction ou
de cohérence permet à Lactance de réfuter Platon : Dieu ne peut
être à la fois bon *et* méchant.

2. Sur l'emploi de *fabricatrix*, voir Loi, p. 113.

source unique. De fait, il est plus convenable que Dieu ait tout fait plutôt que rien. D'après l'avis de Platon, Dieu a donc été, en même temps, bon parce qu'il a fait les biens, et mauvais parce qu'il a fait les maux[1]. 5. Et si cela ne se peut, il est clair que ce n'est pas parce que le monde est bon qu'il a été fait par Dieu : de fait, il contient toutes choses, les bonnes comme les mauvaises. Et rien ne se fera pour soi, mais pour autre chose. 6. Une maison n'est pas seulement bâtie pour être une maison, mais pour accueillir et protéger celui qui l'habite. De même, on construit un navire non pas pour qu'il ait simplement l'air d'être un navire, mais pour que des hommes puissent s'en servir pour naviguer. De même on ne fait pas des récipients pour qu'ils soient seulement des récipients, mais pour qu'ils contiennent des choses nécessaires à l'usage. 7. Ainsi, Dieu a nécessairement fait le monde, lui aussi, en vue de quelque usage. Les stoïciens disent qu'il a été fait pour l'homme, et ils ont raison : de fait, les hommes jouissent de tous les biens que contient le monde. Mais pourquoi les hommes eux-mêmes ont-ils été faits, ou quelle sorte d'usage en fait la Providence, elle qui a façonné le monde[2] ? Cela les stoïciens ne l'expliquent pas. 8. Platon affirme aussi que les âmes sont immortelles ; mais pourquoi, comment, quand, par quel intermédiaire parviennent-elles à l'immortalité, ou plus généralement quel est ce si grand mystère ? Pourquoi ceux qui sont destinés à être immortels[3] naissent-ils d'abord mortels, puis après avoir parcouru la durée d'une existence temporelle et rejeté les dépouilles de leurs corps fragiles, passent-ils ensuite à cette béati-

---

3. La succession des interrogatifs (absente du passage correspondant des *Inst.*) donne à la phrase un tour pressant, qui fait mieux ressortir les lacunes de Platon en la matière.

conprehendit. 9. Denique nec iudicium dei nec discri-
45 men iusti et iniusti explicauit : sed animas quae se
sceleribus inmerserint hactenus condemnari putauit, ut
in pecudibus renascantur, et ita peccatorum suorum
luere poenas, donec rursus ad figuras hominum reuer-
tantur ; | et hoc fieri semper nec esse finem trans- f. 56
50 meandi. Ludum mihi nescio quem inducit somnio
similem, cui nec ratio ulla nec dei gubernatio nec
consilium aliquod inesse uideatur.

64, 1. Dicam nunc quae sit illa summa, quam ne ii
quidem qui uera dixerunt, conlatis in unum causis atque
rationibus conectere potuerunt. Factus est a deo mundus, ut homines nascerentur ; nascuntur autem homines,
5 ut deum parentem agnoscant, in quo est sapientia ;
agnoscunt, ut colant, in quo est iustitia ; colunt, ut
mercedem inmortalitatis accipiant ; accipiunt inmortali-
tatem, ut in aeternum deo seruiant. 2. Videsne quemadmodum sibi conexa sint et prima cum mediis et
10 media cum extremis ? Inspiciamus singula et uideamus
utrumne illis ratio subsistat. 3. Fecit deus mundum
propter hominem. Hoc qui non peruidet, non multum
distat a pecude. Quis caelum suspicit nisi homo ? Quis
solem, quis astra, quis omnia dei opera miratur nisi

BT

63, 45 se : *om. T*

64, 1 ne : nec *B* ‖ ii : hi *B* ‖ 3 est : *om. B* ‖ 5-6 in – agnoscunt :
om. B ‖ 6 est iustitia : ~ *B* ‖ 8 in aeternum : aeterno *T* ‖ 9 sunt
T ‖ 10 inspiciantur *B* ‖ 11 ratio : + quoque *B* ‖ subsistant *B^{ac}* ‖
12 peruidet : uidet per *B* ‖ 13 suspiciat *B* ‖ quis² : qui *B* ‖ 14 quis² :
qui *B* ‖ dei opera : ~ *B*

tude éternelle ? Tout cela, Platon ne le comprend pas.
9. Enfin, il n'a expliqué ni le jugement de Dieu, ni
la séparation entre le juste et l'injuste ; mais il a pensé
que les âmes qui s'étaient plongées dans le crime
étaient simplement condamnées à renaître dans des
animaux, qu'elles payaient ainsi le châtiment de leurs
fautes, jusqu'à leur retour à la forme humaine ; que
cela continuait de se produire, et que ces transmigra-
tions se succédaient sans fin. Il me monte un spectacle
illusoire semblable à un rêve, et dépourvu, semble-t-il,
de toute raison, de toute intervention divine, voire de
tout sens !

64, 1. Je dirai maintenant ce qu'est cette explication
totale[1], que même ceux qui ont dit des choses vraies
n'ont pu assembler en enchaînant causes et raisons. Le
monde a été fait par Dieu pour que les hommes
naissent ; et les hommes naissent pour reconnaître Dieu
comme leur père – en cela consiste la sagesse ; ils le
reconnaissent pour l'honorer – en cela consiste la
justice ; ils l'honorent pour recevoir le salaire de
l'immortalité ; ils reçoivent l'immortalité afin de servir
Dieu pour l'éternité. 2. Vois-tu comment les premières
assertions sont liées à celles du centre, en même temps
que celles du centre aux toutes dernières ? Examinons-
les une par une, et voyons si elles sont substantiellement
rationnelles. 3. Dieu a fait le monde pour l'homme.
Celui qui ne distingue pas cela ne diffère pas beaucoup
d'une bête. Qui regarde vers le ciel, sinon l'homme ?
Qui admire le soleil, les astres, toutes les œuvres de
Dieu, sinon l'homme ? Qui cultive la terre ? Qui en

1. Sur la notion de *summa* chez Lactance, voir WLOSOK, p. 194,
n. 34 ; PERRIN, *L'homme*, p. 534.

15 homo ? Quis colit terram ? Quis ex ea fructum capit ?
Quis nauigat mare ? Quis pisces, quis uolatilia, quis
quadrupedes habet in potestate nisi homo ? Cuncta
igitur propter hominem deus fecit, quia usui hominis
cuncta cesserunt. 4. Recte ergo uiderunt hoc philoso-
20 phi, sed illud quod | sequitur non uiderunt, quod ipsum   f. 56ᵗ
hominem propter se fecerit. Erat enim consequens et
pium et necessarium ut, cum hominis causa tanta opera
molitus sit, cum tantum illi honoris, tantum dederit
potestatis ut dominetur in mundo, et homo agnosceret
25 deum tantorum beneficiorum auctorem, qui et ipsum
fecit et mundum propter ipsum eique cultum et honorem
debitum redderet. 5. Hic Plato aberrauit, hic perdidit
quam primo arripuerat ueritatem, cum de cultu eius
dei quem « conditorem rerum ac parentem » fatebatur
30 obticuit, nec intellexit hominem deo pietatis uinculis
esse religatum, unde ipsa religio nominatur, et hoc esse
solum propter quod inmortales animae fiant. 6. Sensit
tamen aeternas esse, sed non per gradus ad eam
sententiam descendit. Amputatis enim mediis incidit

64, 29 PLAT., *Tim.*, 28C

BT

64, 18 usui *B³T* : ut suam *B¹* ‖ homini∗ *B* ‖ 21-22 et pium | et
necessarium : ∼ *B* ‖ 22 tantam operam *B* ‖ 23 tantum illi honoris
T : *om. B¹* -tos i. -res *B³* ‖ 25 deum : dominum *B* ‖ qui et : *om.*
B ‖ 28 primum *B* ‖ 30 pietatis *T* : potestatis *B*

1. Série d'interrogations oratoires qui reprennent celles d'*Inst.*,
7, 4, 18, où Lactance cite le traité *De prouidentia dei* de son ami
Asclépiade. L'ordre dans lequel les différents éléments sont énumérés

recueille les fruits ? Qui navigue sur la mer ? Qui tient
en sa puissance les poissons, les oiseaux, les quadru-
pèdes, sinon l'homme ? Dieu les a donc tous faits pour
l'homme, parce que tous sont échus en usage à
l'homme[1]. 4. Les philosophes ont donc bien vu ce
point, mais ils n'en ont pas vu la conséquence : l'homme
lui-même, Dieu l'a fait pour lui. Puisque Dieu a fait
de si grandes œuvres pour l'homme, qu'il lui a donné
tant d'honneur et tant de puissance afin de le faire
maître du monde, il était effectivement logique, bon
et nécessaire[2] que l'homme reconnût comme l'auteur
de si grands bienfaits Dieu qui l'a lui-même créé et
qui a créé le monde pour lui, et qu'il lui rendît le
culte et l'honneur qui lui sont dûs. 5. C'est ici que
Platon s'est fourvoyé[3], ici qu'il a perdu la vérité qu'il
avait commencé à saisir, quand il garda le silence sur
le culte du Dieu qu'il reconnaissait comme « créateur
et père du monde », et ne comprit pas que l'homme
avait été « relié » à Dieu par les chaînes de la piété
– d'où le nom même de « religion » –, et que c'était
la seule raison pour laquelle les âmes sont créées
immortelles. 6. Il s'est pourtant rendu compte qu'elles
étaient éternelles, mais il n'est pas descendu par degrés
logiques[4] jusqu'à cette pensée. Du fait de la sup-

---

dans l'*Épit.* ne correspond pas totalement à celui des *Inst.*, et l'*Épit.*
est paradoxalement plus développé que les *Inst.* Enfin, dans l'*Épit.*,
l'inspiration biblique est plus manifeste encore que dans les *Inst.* :
Lactance ajoute la séquence *pisces*, *uolatiles*, *quadrupedes*, à partir
de *Gen.* 1, 28. Même thème en *Ira*, 13, 8.

2. Les trois adjectifs forment une gradation : conformité à la
logique intellectuelle, puis conformité à ce que doivent être les
rapports entre Dieu et l'homme ; enfin, caractère nécessaire.

3. Voir PERRIN, « Platon », p. 223-225.

4. L'idée est développée dans *Ira*, 2, 2-7.

35 potius in ueritatem quasi per abruptum aliquod prae-
cipitium nec ulterius progressus est, quoniam casu, non
ratione uerum inuenerat. 7. Colendus est igitur deus,
ut per religionem, quae eadem iustitia est, accipiat
homo a deo immortalitatem ; nec est ullum aliud
40 praemium piae mentis : quae si est inuisibilis, non
potest ab in|uisibili deo nisi inuisibili mercede donari.   f. 57

65, 1. Plurimis uero argumentis colligi potest aeternas
esse animas. Plato ait, quod per se ipsum semper
mouetur nec principium motus habet, etiam finem non
habere ; animum autem hominis per se semper moueri :
5 qui quia sit ad cogitandum mobilis, ad inueniendum
sollers, ad percipiendum facilis, ad discendum capax, et
quia praeterita teneat praesentia conprehendat, futura
prospiciat multarumque rerum et artium scientiam
conplectatur, immortalem esse, siquidem nihil habeat in
10 se de terreni ponderis labe concretum. 2. Praeterea
ex uirtute ac uoluptate intellegitur aeternitas animae.
Voluptas omnibus est communis animalibus, uirtus solius
est hominis : illa uitiosa est, haec honesta, illa secundum

BT

64, 36-37 casu – inuenerat : c. ad eam non ratione perue- *B* ‖
39 aliud *B³T* : alium *B¹* ‖ 40 mentis : merentis *Bᵃᶜ* ‖ quae *B³T* : quia
B¹ ‖ 41 nisi inuisibili : *om. T.*

65, 3 habeat *B* ‖ 4 habere *T* : here *B¹* hebere *B³* ‖ 5 qui : *om.*
B ‖ 6 dicendum *T* ‖ 7 quia : qui *B* ‖ 12 est *T* : e (*erasum*) *B*

1. Jeu de mot sur *incidere* (« tomber sur » et « tomber dans »),
prolongé par *casus*. S'y ajoute une forte image.

2. Sur l'identité entre *religio* et *iustitia*, voir Loi, p. 262.

3. Lactance omet volontairement les témoignages d'ordre religieux ; il résume *Inst.*, 7, 8-14, en changeant l'ordre d'exposition et
en laissant de côté beaucoup d'arguments (cf. Perrin, *L'homme*,
p. 334-370), ainsi, toute la polémique des *Inst.* contre les thèses
épicuriennes est purement et simplement omise.

pression des degrés intermédiaires, il est plutôt tombé[1] sur la vérité comme dans un précipice abrupt, et il n'a pas progressé au-delà, du fait qu'il avait trouvé le vrai par hasard et non par méthode. 7. Il faut donc honorer Dieu, pour que par la religion, qui équivaut à la justice[2], l'homme reçoive de Dieu l'immortalité. Un esprit pieux n'a pas d'autre récompense, et, s'il est invisible, d'un dieu invisible, il ne peut recevoir qu'un salaire invisible.

65, 1[3]. Or de très nombreux arguments permettent de conclure que les âmes[4] sont immortelles. Selon Platon, ce qui se meut toujours par soi-même, et dont le mouvement n'a pas de commencement, n'a pas non plus de fin ; or l'esprit de l'homme se meut toujours par lui-même : puisqu'il est mobile pour penser, ingénieux pour trouver et rapide à percevoir, capable d'apprendre, et puisqu'il se souvient du passé, comprend le présent, discerne l'avenir, et embrasse la connaissance de beaucoup de choses et de savoirs, il est immortel, car il n'a rien en lui qui soit une concrétion terrestre, pesante et souillée[5]. 2. En outre, l'éternité de l'âme se comprend à partir de la vertu et du plaisir. Le plaisir est commun à tous les êtres vivants, mais la vertu appartient à l'homme seul : l'un est vicieux, l'autre est honorable ; l'un est selon la nature, l'autre

---

4. *Animas* s'oppose à *animus* de la citation de PLATON, *Phèdre*, 245C (en fait : CIC., *Tusc.*, 1, 23, 53, dans *Inst.*, 7, 8, 4). Il est remarquable que Lactance revienne à *anima* en **65**, 2.

5. Le passage glose librement CIC., *Tusc.*, 1, 27, 66 (cité en *Inst.*, 7, 8, 5-6) ; voir aussi SEN., *Helu.*, 6, 7 ; CYP., *Zelo*, 14 ; LACT., *Ira*, 5, 7.

naturam, haec aduersa naturae, nisi anima inmortalis
15 est. 3. Virtus enim pro fide, pro iustitia nec egestatem
timet nec exilium metuit nec carcerem perhorrescit nec
dolorem reformidat nec mortem recusat : quae quia
naturae contraria sunt, aut stultitia est uirtus, si et
commoda impedit et uitae nocet, aut si stultitia non
20 est, ergo anima inmortalis est et ideo praesentia bona
contemnit, | quia sunt alia potiora quae post dissolutio- f. 57
nem corporis sui adsequatur. 4. Illud etiam maximum
argumentum immortalitatis est, quod deum homo solus
agnoscit. In mutis nulla suspicio religionis est, quia
25 terrena sunt in terramque prostrata : homo ideo rectus
aspicit caelum, ut deum quaerat. Non potest igitur non
esse inmortalis qui inmortalem desiderat, non potest
esse solubilis qui cum deo et uultu et mente communis
est. 5. Denique caelesti elemento, quod est ignis, solus
30 homo utitur. Si enim lux per ignem, uita per lucem,
apparet eum qui habeat usum ignis non esse mortalem,
quoniam id illi proximum, id familiare est sine quo
non potest nec lux nec uita constare. 6. Sed quid
argumentis colligimus aeternas esse animas, cum habea-
35 mus testimonia diuina ? Id enim sacrae litterae ac uoces
prophetarum docent. Quod si cui parum uidetur, legat

BT

65, 22 etiam : enim *B* ‖ 23 homo solus : ~ *T* ‖ 24-25 religio<nis
est> quia terre<na sunt in terramque> : <...> *paene euanida in B*
‖ 26 aspicit caelum : ~ *B* ‖ non[1] *T* : *om. B* ‖ 28 soluibilis *T*ᵘᶜ ‖
29 denique : deī.qu∗e (a *er.*) *B* ‖ 31 ignis *B*³*T* : in his *B*¹ ‖ 32 id¹
*B*² : *om. B*¹*T*

---

1. Gradation ascendante des moyens de pression, qui se comprend
bien en période de persécution.

contraire à la nature si l'âme n'est pas immortelle.
3. De fait, pour défendre la foi et la justice, la vertu
ne craint pas le dénuement et ne redoute pas l'exil,
elle ne s'épouvante pas devant la prison, elle n'est pas
terrorisée par la douleur et ne refuse pas la mort[1].
Or, puisque ces attitudes sont contraires à la nature,
ou bien la vertu est une folie si elle empêche de se
procurer des avantages et nuit à la vie, ou bien, si
elle n'est pas une folie, l'âme est immortelle et méprise
les biens présents parce qu'elle en poursuit d'autres,
plus importants, après la dissolution du corps auquel
elle est liée. 4. Voici même le plus grand argument
en faveur de l'immortalité : l'homme est seul à reconnaître Dieu. Les animaux privés de la parole ne
soupçonnent rien de la religion parce qu'ils sont des
êtres terrestres et prostrés à terre, mais l'homme, parce
qu'il se tient droit, dirige ses regards vers le ciel, pour
y chercher Dieu. Celui qui aspire à l'immortalité ne
peut donc pas ne pas être immortel, celui qui commu-
nique avec Dieu par le visage et l'esprit ne peut être
sujet à la dissolution. 5. Enfin, seul l'homme use de
l'élément céleste qu'est le feu. Car si la lumière existe
par le feu et la vie par la lumière, il apparaît que
celui qui a l'usage du feu n'est pas mortel, puisque
l'élément sans lequel ni la lumière ni la vie ne peuvent
exister est très proche et lui est familier. 6. Mais
pourquoi rassembler des arguments sur l'éternité de
l'âme, alors que nous possédons des témoignages
divins[2] ? C'est effectivement ce qu'enseignent les

2. Lactance omet Hermès Trismégiste cité en *Inst.*, 7, 13, 3,
parce que les païens pouvaient le placer au nombre des philosophes
comme Platon ou Pythagore.

carmina Sibyllarum, Apollinis quoque Milesii responsa
consideret, ut intellegat delirasse Democritum et Epicurum et Dicaearchum, qui soli omnium mortalium
40 quod est euidens negauerunt.

7. Confirmata inmortalitate superest docere a quo
et quibus et quomodo et quando tribuatur. | Cum certa   f. 58
et constituta diuinitus tempora compleri coeperint, interitum et consummationem rerum fieri necesse est, ut
45 innouetur a deo mundus. Id uero tempus in proximo
est, quantum de numero annorum deque signis quae
praedicta sunt a prophetis colligi potest. 8. Sed cum
sint innumerabilia quae de fine saeculi et conclusione
temporum dicta sunt, ea ipsa quae dicuntur nuda
50 ponenda sunt, quoniam ut testimoniis utamur inmensum
est. Si quis illa desiderat aut nobis minus credit, adeat
ad ipsum sacrarium caelestium litterarum, quarum fide
instructior errasse philosophos sentiat, qui aut aeternum
esse hunc mundum aut infinita esse annorum milia
55 putauerunt ex quo fuerit instructus. 9. Nondum enim
sex milia conpleta sunt : quo numero consummato tunc
demum malum omne tolletur, ut regnet sola iustitia.
Quod quatenus euenturum sit paucis explicabo.

BT
      65, 39 mortalium : *om.* *T* ‖ 42 quibus – quando : *paene euanida
in B* ‖ et quomodo : *om.* *B* ‖ 43 ceperint *T* ‖ 44 rerum : *om.* *T* ‖
47 praedicata *T* ‖ sunt *B²T* : sint *B¹* ‖ 48 sint : *om.* *T* ‖ 51 nobis
minus : nouissimus *T* ‖ 52 ad : *del.* *B³* ‖ ipsum : *om.* *B* ‖ 53 instructus
T (fort. recte) ‖ 55 fuerint *T^{uc}* ‖ 57 tollatur *T* ‖ 58 uenturum *T*

saintes Écritures et les paroles des prophètes. Et si l'on trouve cela insuffisant, qu'on lise les poèmes des Sibylles, que l'on considère aussi les réponses de l'Apollon de Milet, et l'on comprendra le délire de Démocrite, d'Épicure et de Dicéarque qui, seuls de tous les mortels, ont nié l'évidence.

7. Une fois confirmée l'immortalité, il reste à montrer par qui, à qui, comment et quand elle est attribuée. Quand les temps fixés et définis par la divinité auront commencé à être accomplis, la disparition et la consommation des choses se produiront nécessairement pour que Dieu rénove le monde. Or ce temps est très proche, autant qu'on puisse en conclure à partir du décompte des années et des signes qui ont été prédits par les prophètes. 8. Mais comme une infinité de paroles ont été prononcées au sujet de la fin du siècle et de l'achèvement des temps, on proposera tout simplement ce qui est dit, puisque c'est une tâche trop démesurée pour qu'on recoure aux témoignages. Si quelqu'un en regrette l'absence, ou ne nous fait pas crédit, qu'il aille au sanctuaire même des lettres sacrées, pour que, mieux édifié par un témoignage digne de foi, il comprenne que les philosophes se sont trompés en pensant que notre monde était éternel, ou qu'une infinité de millénaires nous séparait du moment où il a été édifié. 9. De fait, six mille ans n'ont pas encore été accomplis ; quand ce chiffre sera consommé, alors seulement tout mal sera enlevé pour que la justice règne seule. Je vais expliquer en peu de mots comment ceci arrivera.

66, 1. Haec autem a prophetis, sed et a uatibus futura dicuntur. Cum coeperit mundo finis ultimus propinquare, malitia inualescet, omnia uitiorum et fraudum genera crebrescent, iustitia interibit, fides pax
5 misericordia pudor ueritas non erit, uis et audacia praeualebit, nemo quidquam | habebit nisi manu partum   f. 58
manuque defensum. 2. Si qui erunt boni, praedae ac ludibrio habebuntur. Nemo pietatem parentibus exhibebit, nemo infantis aut senis miserebitur, auaritia et
10 libido uniuersa corrumpet. Erunt caedes et sanguinis effusiones, erunt bella non modo externa et finitima, uerum etiam intestina. Ciuitates inter se belligerabunt, omnis sexus et omnis aetas arma tractabit. 3. Non imperii dignitas conseruabitur, non militiae disciplina,
15 sed more latrocinii depraedatio et uastitas fiet. Regnum multiplicabitur et decem uiri occupabunt orbem et partientur et deuorabunt et existet alius longe potentior ac nequior, qui tribus deletis Asiam possidebit et ceteris in potestatem suam redactis et adscitis uexabit omnem
20 terram. Nouas leges statuet, ueteres abrogabit ; rem publicam suam faciet, nomen imperii sedemque mutabit. Tunc erit tempus infandum et execrabile, quo nemini

BT

66, 1 et a : ut *T* ‖ 6 quicquam *B* ‖ manu : male *B* ‖ 10 corrempet *B* ‖ 13 tractabunt *B* ‖ 16 et² : *om. T* ‖ 17 uorabunt *B* ‖ et² : *om. T* ‖ alius : *om. B* ‖ 18 et : *om. B* ‖ 19 potestate sua *B* ‖ uexabit *B²T* : -auit *B¹* ‖ 20 abrogabit *B²T* : -auit *B¹* ‖ 21 mutabit *B²* : -auit *B¹T* ‖ 22-23 quo – uiuere : *om. T* ‖ 22 nemini *T* : -nem *B*

1. Lactance suit de près les *Inst.*, mais il supprime le nom d'Hystaspe. Les couleurs si vives dont il avait usé semblent quelque peu estompées et la chute de l'Empire romain est moins déplorée.

66, 1 [1]. Selon les prophètes, mais aussi selon les oracles, voici ce qui arrivera. Quand la fin dernière du monde approchera, la méchanceté croîtra, toutes les sortes de vices et de tromperies se multiplieront, la justice périra, la fidélité, la paix, la miséricorde, le respect, la vérité ne seront plus, la violence et l'audace prévaudront, personne ne possédera rien qu'il n'ait acquis et défendu à la force de son bras. 2. Les bons, s'il en reste, seront maltraités et tournés en dérision. Personne ne manifestera de piété à l'égard de ses parents, personne n'aura pitié du petit enfant ou du vieillard, la cupidité et le dérèglement corrompront l'univers. Il y aura des massacres et des effusions de sang, il y aura des guerres non seulement extérieures et frontalières, mais aussi intestines. Les cités se feront la guerre entre elles, chaque sexe et chaque âge maniera les armes. 3. On ne conservera ni la dignité de l'Empire, ni la discipline militaire, mais, suivant la coutume des bandits, ce ne sera que pillage et dévastation. Le pouvoir souverain sera divisé, dix hommes s'empareront de la terre, la partageront, la dévoreront. Et il en viendra un autre, de loin plus puissant et plus vicieux ; après en avoir détruit trois, il possédera l'Asie, réduira tous les autres en son pouvoir, se les adjoindra et mettra alors toute la terre à mal. Il établira de nouvelles lois, abrogera les anciennes ; il fera de l'État sa chose, il changera le nom et le siège de l'Empire. Alors ce sera un temps abominable et exécrable, où personne n'aimerait vivre.

Le paragraphe est tissé de souvenirs d'Hystaspe (cf. BIDEZ-CUMONT, t. 2, p. 369 ; 371-373), de l'*Apocalypse* de Jean et des *Oracles sibyllins* (voir les références dans les chapitres correspondants d'*Inst.*, 7 de l'édition de S. Brandt).

libeat uiuere. 4. Denique in eum statum res cadet, ut
uiuos lamentatio, mortuos gratulatio sequatur. Ciuitates
25 et oppida interibunt modo ferro et igni, modo terrae
motibus crebris, modo aqua|rum inundatione, modo   f. 59
pestilentia et fame. Terra nihil feret aut frigoribus nimiis
aut caloribus sterilis. Aqua omnis partim mutabitur in
cruorem, partim in amaritudinem uitiabitur, ut nihil sit
30 nec ad cibos utile nec ad potum salubre. 5. His malis
accedent etiam prodigia de caelo, ne quid desit hominibus ad timorem. Cometae crebro apparebunt, sol
perpetuo pallore fuscabitur, luna sanguine inficietur nec
amissae lucis damna reparabit, stellae omnes decident
35 nec temporibus sua ratio constabit, hieme atque aestate
confusis. 6. Tunc et annus et mensis et dies breuiabitur : et « hanc esse mundi senectutem ac defectionem »
Trismegistus elocutus est. Quae cum euenerint, adesse
tempus sciendum est quo deus ad commutandum sae-
40 culum reuertatur. 7. Inter haec autem mala exurget
rex impius, non modo generi hominum sed etiam deo
inimicus. Hic reliquias illius prioris tyranni conteret

BT
   66, 27 rigoribus *B* ‖ 29 cruore *T* ‖ in amaritudinem *Br* : a. *T*
in -ne *B* ‖ uitiabitur *B²T* : -auitur *B¹* ‖ 30 potu *T* ‖ 31 acce<dent
etiam> prodi<gia de caelo ne quid desit> : <...> *paene euanida in
B* ‖ ne : nec *T* ‖ 32 cometae *B²T* : comit- *B¹* ‖ 33 luna – inficietur :
lunam color sanguinis obumbrabit *B* ‖ 34 reparabit *B²* : -auit *B¹T* ‖
36 confusi *T* ‖ 38 uenerint *B* ‖ 39 quo : quod *T* ‖ 42 priorib. *T*

---

1. Alors que Lactance cite « la » Sibylle en *Inst.*, 7, 16, 11, il
choisit ici d'invoquer le témoignage d'Hermès (*Ascl.*, 26). *Senectus*

4. Enfin la situation en arrivera à un point tel qu'on se lamentera d'être encore vivant, et qu'on jugera heureux les morts. Les cités et les bourgs périront, tantôt par le fer et le feu, tantôt par de fréquents tremblements de terre, tantôt par inondation catastrophique, tantôt par épidémie et famine. La terre ne portera rien et deviendra stérile à cause de l'excès de froid ou de chaleur. Toutes les eaux pour partie se changeront en sang, pour partie se gâteront en devenant amères, de telle sorte qu'il n'y aura plus rien d'utilisable pour se nourrir ou de sain pour boire. 5. A ces malheurs s'ajouteront aussi des prodiges célestes, pour qu'aucun objet de crainte ne manque à l'homme. Des comètes apparaîtront fréquemment, le soleil sera teinté d'une pâleur perpétuelle, la lune sera souillée de sang et ne compensera pas la perte de la lumière, toutes les étoiles tomberont et les saisons ne conserveront pas leur régularité : l'hiver et l'été s'entremêleront. 6. Alors l'année, le mois et le jour seront abrégés : selon Trismégiste[1], « telle est la vieillesse et le déclin du monde ». Quand ces événements se seront produits, il faut savoir que proche est le temps où Dieu reviendra pour changer ce monde. 7. Au milieu de ces malheurs, se dressera un roi impie, ennemi non seulement du genre humain, mais aussi de Dieu[2]. Il détruira les survivants de la précédente tyrannie, il les châtiera, les

mundi pourrait bien être un souvenir de Cyprien (J. Daniélou, *Histoire des doctrines chrétiennes avant Nicée*, t. 3. *Les origines du christianisme latin*, Paris 1978, p. 207 s.)

2. Cette précision manquait en *Inst.*, 7, 17, 1-2.

cruciabit uexabit interemet. Tunc erunt lacrimae iuges
et gemitus perpetes et ad deum cassae preces, nulla
45 requies a formidine nec somnus ad quietem. Dies
cladem, nox metum semper augebit. | Sic orbis terrarum   f. 59
paene ad solitudinem, certe ad raritatem hominum
redigetur. 8. Tunc et impius iustos homines ac dicatos
deo duobus et quadraginta mensibus persequetur et se
50 coli iubebit ut deum : se enim dicet esse Christum,
cuius erit aduersarius. Vt credi ei possit, accipiet potestatem mirabilia faciendi, ut ignis descendat a caelo, ut
sol resistat a cursu suo, ut imago quam posuerit
loquatur. 9. Quibus prodigiis inliciet multos ut adorent
55 eum signumque eius in manu aut fronte suscipiant[f]. Et
qui non adorauerit signumque susceperit, exquisitis cruciatibus morietur. Ita fere duas partes exterminabit,
tertia in desertas solitudines fugiet. 10. Sed ille uecors,
ira inplacabili furens, adducet exercitum et obsidebit
60 montem quo iusti confugerint. Qui cum se uiderint
circumsessos, implorabunt auxilium dei uoce magna et
exaudiet eos et mittet illis liberatorem.

BT
66, 43 interemet B^1T : -rimet B^2 ‖ iuges B^2T : iugis B^1 ‖
45 formidinem B ‖ quietem : requiem T ‖ 46 metum : tecum T ‖
semper augebit : ∼ B ‖ 47 : solitud<inem certe ad rar>itatem :
<...> *paene euanida in* B ‖ 48 et : *om.* B ‖ 49-50 se coli BT^2 :
saeculi T^1 ‖ 50 deum B^3T : dominum B^1 ‖ 50-51 esse − credi T :
esse deum cum sit antechristus. qui ut erit aduersarius et ut credi
B ‖ 52 a : e B ‖ 53 suo : *om.* B ‖ 56 adorauerint B^{ac} ‖ 57 exterminabit
B^2T : -auit B^1 ‖ 59 obsidebit B^2 : -sedebit T -sedit B^1 ‖ 62 illis :
eis B

torturera, les malmènera, et les fera périr. Alors les larmes seront intarissables, les gémissements sans fin ; on adressera en vain des prières à Dieu, la crainte empêchera de prendre aucun repos : point de sommeil non plus pour se reposer. Le jour verra toujours augmenter le massacre, et la nuit la crainte. Ainsi le monde sera-t-il ramené presque à la solitude, et en tout cas les hommes se feront rares. 8. Alors, pendant quarante deux mois, l'impie persécutera les hommes justes et consacrés à Dieu et il ordonnera qu'on l'adore comme Dieu : il dira en effet qu'il est le Christ – dont il sera l'adversaire. Pour qu'il lui soit possible de se faire croire, il recevra le pouvoir d'accomplir des miracles : faire descendre le feu du ciel, arrêter le soleil dans sa course, faire parler une image érigée par lui. 9. Par ces prodiges il en séduira beaucoup, si bien qu'ils l'adoreront et recevront son signe à la main ou au front [f]. Et si quelqu'un ne l'adore pas et ne reçoit pas son signe, il mourra dans des tortures raffinées. C'est ainsi qu'il exterminera les deux tiers des hommes, et le troisième tiers fuira dans les solitudes du désert. 10. Mais ce dément, rendu fou furieux par une colère implacable, amènera une armée et assiégera le mont où les justes se seront réfugiés. Quand ils se verront assiégés, ils imploreront l'aide de Dieu à grands cris ; il les exaucera et leur enverra un libérateur.

f. Cf. Apoc. 13, 16 ; 14, 9

67, 1. Tunc caelum intempesta nocte patefiet et descendet Christus in uirtute magna et anteibit eum claritas ignea et uirtus inaestimabilis angelorum et extinguetur omnis illa multitudo impiorum et torrentes
5 sanguinis current et ipse ductor effugiet atque exercitu saepe reparato quartum proelium faciet, | quo captus   f. 60 cum ceteris omnibus tyrannis tradetur exustioni. 2. Sed et ipse daemonum princeps auctor et machinator malorum catenis alligatus custodiae dabitur, ut pacem mundus
10 accipiat et uexata tot saeculis terra requiescat. 3. Pace igitur parata conpressoque omni malo ex ille iustus et uictor iudicium magnum de uiuis et mortuis faciet super terram et uiuentibus quidem iustis tradet in seruitium gentes uniuersas, mortuos autem ad aeternam uitam
15 suscitabit et in terra cum iis ipse regnabit et condet sanctam ciuitatem et erit hoc regnum iustorum mille annis. 4. Per idem tempus et stellae candidiores erunt et claritas solis augebitur et luna non patietur deminutionem. Tunc descendet a deo pluuia benedictionis
20 matutina et uespertina, et omnem frugem terra sine labore hominum procreabit. 5. Stillabunt mella de rupibus, lactis et uini fontes exuberabunt. Bestiae deposita feritate mansuescent, lupus inter pecudes errabit

BT

67, 1 intempestate T ‖ 3 uirtus : uis T ‖ 7 traditur T ‖ 9 catenis : + igneis B ‖ 10 et B^1T : + ut B^2 ‖ pacem T ‖ 11 parta B ‖ 15 suscitabit B^{pc} : -auit $B^{ac}T$ ‖ iis : his B ‖ regnabit B^{pc} : -auit B^{acT} ‖ 17 et : *om.* B ‖ 21 procreabit B^2 : - auit B^1T ‖ 23 errabit : -auit T

1. Lactance résume très fortement *Inst.*, 7, 19-26, en omettant pratiquement les ch. 20-23. Jugeait-il son livre déjà assez long, et était-il pressé de terminer ?

2. *Exustio* est plus imagé que *luat poenas* d'*Inst.*, 7, 19, 6.

3. Cf. BIDEZ-CUMONT, t. 2, p. 375-376.

4. *Auctor* et *machinator* développent *Inst.* 7, 24, 5 (*m.* seul). On trouve des variantes de ces expressions en *Mort. pers.*, 7, 1 (= Dioclétien) et surtout *Opif.*, 19, 8 bis, 4 (le diable).

67, 1[1]. Alors, au cœur de la nuit, le ciel s'ouvrira et le Christ descendra dans la grandeur de sa puissance, précédé par une clarté de feu et par la puissance inconcevable des anges ; toute cette multitude des impies sera anéantie, des torrents de sang couleront, leur chef lui-même s'enfuira, et après avoir maintes fois reconstitué son armée, il livrera un quatrième combat, y sera fait prisonnier avec tous les autres tyrans et livré à l'anéantissement par le feu[2]. 2[3]. Et le prince des démons lui-même, l'auteur et le machinateur des maux[4], sera lié de chaînes et placé sous bonne garde[5], pour que le monde reçoive la paix et que la terre maltraitée pendant tant de siècles se repose. 3[6]. Alors, la paix rétablie et tout mal écrasé, ce roi juste et victorieux[7] procédera sur terre à un grand jugement des vivants et des morts, et aux justes qui seront encore en vie, il livrera en esclavage l'ensemble des nations ; quant aux morts, il les fera lever pour la vie éternelle, il régnera lui-même sur la terre avec eux, il fondera une cité sainte, et ce sera pendant mille ans le règne des justes. 4. Pendant le même temps, les étoiles seront plus brillantes, la clarté du soleil sera augmentée, et la lune ne subira pas de décroissance. Alors, matin et soir, une pluie de bénédiction descendra de Dieu[8], et la terre produira ses fruits sans le travail des hommes. 5. Du miel suintera des rochers, les sources déborderont de lait et de vin. Laissant leur sauvagerie, les fauves s'apprivoiseront, le loup errera parmi les troupeaux sans leur faire mal, le

5. Caractéristique du droit romain. Le prévenu ou le condamné est chargé de chaînes et confié à la surveillance d'un soldat.

6. Cf. BIDEZ-CUMONT, t. 2, p. 375.

7. Cf. LOI, p. 231.

8. *Tunc ... uespertina* ne figure pas dans les *Inst*. Le passage fait allusion à *Joel* 2, 23 ou *Deut*. 11, 14.

innoxius, uitulus cum leone pascetur, columba cum
25 accipitre congregabitur, serpens uirus non habebit, nullum animal uiuet ex sanguine. Omnibus enim deus
copiosum atque innocentem uictum ministrabit.
6.|Peractis uero mille annis ac resoluto daemonum   f. 60ᵇ
principe, rebellabunt gentes aduersus iustos et ueniet
30 innumerabilis multitudo ad expugnandam sanctorum ciuitatem.   7. Tunc fiet ultimum iudicium dei aduersus
gentes. Concutiet enim a fundamentis suis terram et
corruent ciuitates, et pluet super impios ignem cum
sulphure et grandine et ardebunt et se inuicem truci-
35 dabunt. Iusti uero sub terra paulisper latebunt, donec
perditio gentium fiat, et exibunt post diem tertium et
uidebunt campos cadaueribus opertos. Tunc fiet terrae
motus et scindentur montes et subsident ualles in
altitudinem profundam et congerentur in eam corpora
40 mortuorum et uocabitur nomen eius Polyandrium.   8.
Post haec renouabit deus mundum et transformabit
iustos in figuras angelorum, ut inmortalitatis ueste donati
seruiant deo in sempiternum. Et hoc erit regnum dei,
quod finem non habebit. Tunc etiam impii resurgent,
45 non ad uitam, sed ad poenam. Eos quoque secunda
resurrectione facta deus excitabit, ut ad perpetua tormenta damnati et aeternis ignibus traditi merita pro
sceleribus suis supplicia persoluant.

BT

   67, 27 uictu *T* ‖ ministrabit *B²T* : -auit *B¹* ‖ 29 uenient *Tᵘᶜ* ‖
30 expugnandam : + delendamque *B* ‖ 30-31 <ciui>tatem <tunc fiet
ul>timum <iudicium dei aduersus> : <...> *paene euanida in B* ‖
35 terram *B* ‖ 36 gentium fiat : ~ *B* ‖ 38 scindentur : -dent se *B* ‖
38-39 in altitudinem ualles profundae *B* ‖ 39 eam : ea *B* ‖
42 inmortalitatis : -tali *T* ‖ 43 et hoc – habebit : *om.* *B* ‖ 44 etiam :
et *T* ‖ 46 tormenta : urmenta *Tᵘᶜ* ‖ 48 sup<plicia> : <...> *paene
euanida in B*

veau paîtra avec le lion, la colombe se rapprochera
de l'épervier, le serpent n'aura plus de venin, aucun
être vivant ne vivra plus de sang : c'est que Dieu four-
nira à tous une nourriture abondante et innocente[1].
6. Mais, les mille ans accomplis et le prince des démons
libéré, les nations se révolteront contre les justes et
une innombrable multitude se précipitera à l'assaut de
la cité des saints. 7. Alors aura lieu l'ultime jugement
de Dieu contre les nations. De fait, il ébranlera la
terre sur ses bases, les cités s'effondreront, il fera
pleuvoir sur les impies du feu mêlé de soufre et de
grêle, ils brûleront, et s'extermineront mutuellement.
Quant aux justes, ils se cacheront quelque temps sous
terre, jusqu'à ce que s'accomplisse la perte des nations,
ils en sortiront le troisième jour et verront les plaines
couvertes de cadavres. Alors la terre tremblera, les
montagnes se fendront, les vallées s'enfonceront dans
la profondeur de l'abîme, les corps des morts s'y
entasseront, et on appelera l'endroit du nom de
Polyandrion[2]. 8. Après cela, Dieu renouvellera le
monde, et il transformera les justes en leur donnant
figure d'anges, pour qu'ils reçoivent le vêtement d'immortalité et servent Dieu pour l'éternité. Et ce sera le
règne de Dieu qui n'aura pas de fin. Alors, même les
impies ressusciteront, non pas pour la vie, mais pour
le châtiment. La seconde résurrection accomplie, Dieu
les fera se lever pour les condamner à des tortures
sans fin et les livrer aux feux éternels, afin qu'ils
subissent intégralement les supplices qu'ils ont mérités
pour leurs crimes.

1. F. Cumont, « La fin du monde suivant les mages occidentaux »,
RHR 103, 1931, p. 90, n. 3. Le trait manque dans les *Inst.*

2. Ce tremblement de terre qui enterre les impies n'est pas
dans les *Inst.*, pas plus que le nom de *Polyandrion*, qui vient d'*Éz.*
39, 11. Cette absence provient peut-être, comme le note S. Brandt
(*CSEL* 19, p. 666) d'une chute du passage dans les *Inst.*

68, 1. Quare cum haec omnia | uera et certa sint   f. 61
prophetarum omnium consona adnuntiatione praedicta,
cum eadem Trismegistus, eadem Hystaspes, eadem
Sibyllae cecinerint, dubitari non potest quin spes omnis
5 uitae ac salutis in sola dei religione sit posita. 2.
Itaque nisi homo susceperit quem deus ad liberationem
misit atque missurus est, nisi summum deum per eum
cognouerit, nisi mandata eius legemque seruauerit, in
eas incidet poenas de quibus locuti sumus. 3. Proinde
10 fragilia contemnenda sunt ut solida consequamur, sper-
nenda terrena ut caelestibus honoremur, temporalia
fugienda ut ad aeterna ueniamus. 4. Erudiat se quisque
ad iustitiam, reformet ad continentiam, praeparet ad
agonem, instruat ad uirtutem, ut si forte aduersarius
15 indixerit bellum, nulla ui, nullo terrore, nullis cruciatibus
a recto et bono depellatur. Non se substernat insensi-
bilibus figmentis, 5. Sed uerum et solum deum rectus
agnoscat, abiciat uoluptates, quarum inlecebris anima
sublimis deprimitur ad terram, teneat innocentiam, prosit
20 quam plurimis, incorruptibiles sibi thensauros bonis

BT

68, 1-2 <quare cum haec om>nia uera <et certa sint prophe-
t>arum : <...> *paene euanida in B* ‖ 2 consonanti *T* ‖ 6 homo : +
christum *T* ‖ 7 per eum : christum *T* ‖ 12 ueniamus : fugiamus *T* ‖
13 reformet : for- *B* ‖ 13-14 praeparet ad agonem : *om.* *T* ‖
16 depellatur : diuel- *B* ‖ subternat *T* ‖ 20 bonis *BT*² : uobis *T*¹ ‖
FIRMIANI.LACTANTI.DE FINE.SAECULI.EXPLICIT *atramento*,
EPITOMA DE DIUINA PROUIDENTIA *rubro scriptum T* EPI-
TOMEN LIBRI SEPTIMI LIB.EXP.FELICITER LEGENTI VITA
B

1. A la différence de l'introduction de l'*Épit.*, qui est nouvelle,
Lactance n'a pas cru utile de rédiger une conclusion à nouveaux
frais. Dans les *Inst.*, cette notice concernant les sources figurait avant
le développement sur les fins dernières ; dans l'*Épit.*, elle introduit
la conclusion et la renforce en la rendant irréfutable. En revanche,

68, 1. Aussi, comme tous ces événements vrais et certains ont été prédits et annoncés unanimement par tous les prophètes[1], comme Trismégiste, Hystaspe et les Sibylles les ont aussi prédits, on ne peut douter que tout espoir de vie et de salut ne repose dans la seule religion divine[2]. 2. C'est pourquoi, si l'homme n'accueille pas[3] celui que Dieu a envoyé et enverra pour le libérer, s'il ne connaît pas par son intermédiaire le Dieu suprême, s'il n'observe pas ses commandements et sa loi, il tombera sous le coup des châtiments dont nous avons parlé. 3. Par conséquent, nous devons mépriser les choses fragiles pour rechercher les choses solides, nous devons rejeter les choses terrestres pour honorer les choses célestes, nous devons fuir les choses temporelles pour arriver aux choses éternelles. 4. Que chacun s'instruise pour la justice, qu'il se convertisse à la maîtrise de soi, qu'il se prépare au combat, qu'il s'arme pour la vertu ; de la sorte, si par hasard l'Adversaire déclare la guerre[4], aucune violence, aucune crainte, aucune torture ne le détournera de ce qui est juste et bon. Qu'il ne se prosterne pas devant des statues insensibles, 5. mais que, debout, il reconnaisse le Dieu vrai et unique, qu'il rejette les plaisirs, dont les charmes jettent à terre l'âme élevée, qu'il conserve son innocence, qu'il se rende utile au plus grand nombre, qu'il s'acquière par ses bonnes œuvres

on voit mal pourquoi Lactance modifie l'ordre des *Inst.* (Hystaspe, Hermès, la Sibylle), en inversant les deux premiers noms.

2. Espoir de vie, c'est-à-dire de salut (*Inst.*, 1, 1, 12 ; 4, 30, 11 ; *Épit.*, 47, 1 ; 62, 2).

3. A la différence des *Inst.*, le tour est négatif, et la phrase sonne comme une menace à l'égard des païens rebelles à la conversion.

4. Il n'est pas exclu que la persécution revienne (cf. WLOSOK, p. 189, n. 21 ; HECK, *DZ*, p. 138, n. 1 ; *Opif.*, 1, 7).

operibus adquirat, ut possit deo iudice pro uirtutis suae meritis uel coronam fidei uel praemium inmortali|tatis adipisci.   f. 61

des trésors incorruptibles, afin de pouvoir, par le jugement de Dieu, obtenir pour prix de sa vertu la couronne de la foi et la récompense de l'immortalité.

NOTE COMPLÉMENTAIRE

Épit., 61, 8 est un passage délicat, qui commente l'incise de *Matth.* 19, 9. En *Inst.*, 6, 23, 33, Lactance, pour montrer que la loi divine du mariage est plus stricte que celle des païens, envisage successivement deux cas où l'homme est adultère : celui qui épouse une femme renvoyée par son mari, et celui qui, mis à part le cas de l'adultère, a renvoyé sa femme dans l'intention d'en épouser une autre. Dans l'*Épit.*, Lactance envisage la chose sous un autre angle. Il s'agit d'une prescription divine : ne pas renvoyer sa femme, sauf si l'adultère a été préalablement prouvé. Je me range à l'avis de J. MOINGT, « Le divorce pour " motif d'impudicité " : Matth. 5, 32 ; 19, 9 », *Recherches de Science Religieuse* 56, 1968, p. 348 : « Les Pères (Lactance et Basile) comprennent que le second mariage est toléré là où le renvoi est permis, et bien plus ordonné, et qu'il ne remplit pas la définition de l'adultère parce que le renvoi ainsi motivé rompt légitimement la première union sans être entaché d'une intention adultérine. La manière dont Lactance cite le v. 9 (= *Matth.* 19, 9) exprime bien cette idée : la preuve en est qu'elle coïncide avec l'explication donnée par Tertullien (*Marc.*, 4, 34, 4) de l'interdiction « conditionnelle » du divorce dans *Lc* 16, 18. » Lactance exprimerait en substance la même doctrine que l'Ambrosiaster. De son côté, MONAT (t. 1, p. 258 s.) arrive sensiblement à la même conclusion.

INDEX

I. INDEX SCRIPTURAIRE

Les références sont données au paragraphe. à la subdivision et à la lettre de l'apparat scripturaire.

II. INDEX DES NOMS PROPRES

Les références sont données au paragraphe et à la subdivision. Quand les noms propres apparaissent à l'intérieur d'une citation, la référence est précédée d'un astérisque.

Iohannes : 37, 8.
Isis : 11, 4 ; 18, 5.
Israhel : 39, *5.*6 ; 41, 8.
Iudaei : 38, 3 ; 40.1.4.8 ; 41, 7 ;
    43.1.3. 44, 1.2.
Iuno : 11, 4.
Iuppiter (I. Capitolinus, I. Cre-
    ticus, I. Cyprius, I. Pistor) ;
    2, 7 ; 10, 1.4 ; 11, 2 ; 12, 2
    (x 2), 13, 2.*3.*4 (x 2) ; 15,
    5 ; 16, 3 ; 18, 1.10 ; 19, 2.4 ;
    20, 12 (x 2).

Lamia : *17, 3.
Lampsaceni : 18, 8.
Laomedon : 7, 2.
Larentinalia : 15, 2.
Lares : 16, 2.
Latium : 17, 1.
Latona : 9, 1.
Leda : 10, 2.
Liber : 8, 5 ; 58, 2.
Lindos : 18, 9.
Libyssa : v. Sibylla.
Lucilius : 17, 3.
Lucretius : 20, 4.
Lupa : 15, 2.

Malachiel : 43, 5.
Marcellus : 15, 6.
Maro : v. Vergilius.
Mars : 8, 3.
Mater Magna : v. Cybele.
Megara : 7, 4.
Melissa : 19, 2.
Melisseus : v. Apollo.
Mens : 15, 6.
Mercurius : 2, 7 ; 8, 4 ; *14, 3.
Messenius : 13, 1.
Milesius : v. Apollo.
Minerua : 2, 7 ; 9, 2.
Moyses : 38, 3 ; 39, 6 ; 41, 4.
Muta : 16, 2.

Neptunus : 2, 7 ; 12, 2 ; 58, 2.
Noctes Atticae : 24, 5.
Numa : 17, 2.*3.

Occidens : 12, 2.
Oetaeus mons : 7, 5.
Olympus mons : 12, 2.
Omphale : 7, 4.
Optimus Maximus : v. Iuppiter.
Oriens : 12, 2.
Orpheus : 3, 2.
Osee : 42, 2.
Osiris : 18, 5.
Ouidius : 3, 5.

Pallor : 15, 6.
Paradisus : 22, 2.4.
Pauor : 15, 6.
Pax : 16, 1.
Pentadius : pr., 1.
Peripatetici : 28, 8 ; 56, 2.
Persae : v. Sibylla.
Phrygia : v. Sibylla.
Phrygia : 8, 6.
Picus : 17, 1.
Pietas : 16, 1.
Pistor : v. Iuppiter.
Plato : 4, 1 ; *24, 9 ; 33, 1 ; 35,
    5 ; 37, 4 ; 50, 5 ; 63, 1.2.4.8 ;
    64, 5 ; 65, 1.
Pluto : 12, 2.
Pollux : 8, 3.
Polyandrium : 67, 7.
Pompilius : v. Numa.
Pontius Pilatus : 40, 8.
Priamus : 7, 2.
Priapus : 18, 8.
Prometheus : 20, 12 (x 2).
Proserpina : 9, 1 ; 18, 7.
Pudicitia : 16, 1.
Pyrrhonius : 28, 11.
Pythagoras : 4, 3 ; 31, 7.9.
Pythius : v. Apollo.

III. INDEX THÉMATIQUE

Les références sont données au paragraphe et, le cas échéant, à la subdivision.

âme : sa « culture » : 55, 5 ; ne s'éteint pas avec le corps : 62, 4.7s. ; 63, 8 ; est immortelle : 64, 5s. ; 65.

anges : 22, 9s.

colère : 57, 1-2.

conversion : nécessaire pour le salut : 47.

culte (vrai) : identifié à la justice : 53.

cultes païens : leurs abominations inhumaines : 18.

démons : ne sont pas des dieux : 23 ; ont inventé l'astrologie, l'augurat, l'haruspicine : 23, 5s.

deux voies : 54.

diable : tente l'homme : 22, 3s.

Dieu : est unique : 2 ; 4 ; 5 ; ses attributs : 3 ; est créateur du monde : 3 ; est Père et Fils : 37 ; 44 ; nous donne la loi divine pour nous sauver : 54 ; 68.

dieux païens : leur impuissance : 20 ; sottise de l'adoration des statues : 20, 11s.

éléments du monde : ne sont pas des dieux : 21.

épicuriens : nient la Providence : 1.

Esprit-Saint : 42, 3s.

evhémérisme : les dieux païens ne sont que des hommes : 7 ; leurs actions le prouvent : 7-12 ; origine de l'erreur païenne : 14 ; les dieux particuliers des Romains : 15-17 ; origine datée des religions : 19.

fiction poétique : 12.

fidélité : 61.

fin du monde : 66s.

fraternité humaine : 54, 5s.

homicide : 59, 5.

homme : sa création : 22, 2s. ; devient mortel : 22, 5 ; est un animal sociable : 29 ; 60, 4s. ; est immortel : 65 ; son jugement et la seconde résurrection : 67.

immortalité : 30 ; ses modalités : 65.

Institutions : leur rapport avec l'*Épitomé* : praef.

IV. INDEX DES PASSAGES PARALLÈLES DANS LES INSTITUTIONS

Ce qui concerne l'*Épitomé* est en caractères romains : en gras le paragraphe ; en maigre la ligne et, le cas échéant, certains mots du texte.

Ce qui concerne les *Institutions* est en italiques : on indique le livre, le chapitre et, le cas échéant, la subdivision et certains mots du texte.

1   1-7 = *1, 2, 1-4* ‖ 8-14 = *1, 2, 5*

2   1-35 = *1, 3, 1-24* ‖ 1-5 = *1, 3, 1 (– multorum)* ‖ 5-9 = *4, 3, 7.11.13-23* ‖ 9-20 = *1, 3, 1 (nemo –)-3.18.19* ‖ 9-11 = *1, 3, 18 (nisi – constare)* ‖ 11-12 = *1, 3, 20s. (– pluribus posse)* ‖ 13-17 : *haec non sunt in Inst.* ‖ 17-20 = *1, 3, 19* ‖ 20-35 = *1, 3, 4-18 (– constare)* ‖ 28-39 : *haec non sunt in Inst.* ; *ad 31 (non Iuppiter – Asclepius), cf. tamen 4, 27, 12 (uel quia – Aesculapi)* ‖ 34-35 = *1, 3, 7s. (uirtutis –)*

3   1-4 = *1, 3, 23 (– subiectus)* ‖ 5-6 = *1, 3, 14s.* ‖ 7 (ut – prophetis) = *1, 5, 1* ‖ 7-8 (– praedicatoribus) = *1, 4, 1* ‖ 8 (poetae – philosophi) = *1, 5, 2s.* ‖ 9-11 = *1, 5, 4-7* ‖ 12-17 = *1, 5, 11 s.* ‖ 17-19 = *1, 5, 13*

4   1-2 = *1, 5, 15* ‖ 2-4 = *1, 5, 23* ‖ 4-6 = *1, 5, 22* ‖ 6-7 = *1, 5, 18* ‖ 7-10 (Thales – Zenon) = *1, 5, 16-20* ‖ 10 (Seneca) = *1, 5, 26s.* ‖ 11 (Tullius) = *1, 5, 24s.* ‖ 11-14 = *1, 5, 24 (ab eo igitur – naturam)* ‖ 14-22 = *1, 6, 2-5* ‖ 22-26 : *locus non est in Inst.*

5   1-6 = *1, 6, 6-10 (Cumanam).12* ‖ 6-12 = *1, 6, 10.11.13 (confusi).9 (Erythraeam)* ‖ 12-13 = *1, 6, 13 (quindecimuiris –)* ‖ 14-19 = *1, 6, 14 (omnes – praedicant) - 16*

6   *1-4 = 1, 8, 1* ‖ *4-9 = 1, 8, 3.5s.* ‖ *9-7,* 3 = *1, 8, 8 (illos igitur –)*

7   *3-12 = 1, 9, 1.10 (Laomedonti)* ‖ *13-16 = 1, 9, 7* ‖ *17-18 = 1, 9, 10 (idem – interemit)* ‖ *18-23 = 1, 9, 11*

8   *1-6 = 1, 10, 1s.* ‖ *6-9 = 1, 10, 3* ‖ 9 : *locus Ouidii non est in Inst.* ‖ *9-11 = 1, 10, 4* ‖ *11-14 = 1, 10, 5s.* ‖ *14-16 = 1, 10, 7 ; 1, 17, 9 (androgynus)* ‖ *16-20 = 1, 10, 8s.* ‖ *20-25 = 1, 17, 7*

9   *1-2 = 1, 17, 6 (Ceres ... Latona)* ‖ *2-5 = 1, 17, 9s.* ‖ *5-8 = 1, 17, 11-13* ‖ 8 (tamquam fungus) = *7, 4, 3* ‖ *8-13 = 1, 17, 15-17*

10   *1-6 = 1, 10, 10* ‖ *5-7 = 1, 10, 11* ‖ *7-8 = 1, 10, 12 (– stuprum)* ‖ *9-10 = 1, 10, 11 (uirgines)* ‖ *9-18 = 1, 11, 9-11.15s. (– et nihili)* ‖ *16-17 = 1, 10, 13*

11   *1-6 = 1, 11, 17.36* ‖ *6-12 = 1, 11, 18* ‖ *12-16 = 1, 11, 19* ‖ *16-21 = 1, 11, 20s.*

12   *1-4 = 1, 11, 23-30* ‖ *4-11 = 1, 11, 30-32.34s.* ‖ *5 = 1, 11, 35 (mons Olympus)* ‖ *11-17 = 1, 11, 23 (28s.)-30*

13   *1-9 = 1, 11, 33s. (– uerba sunt)* ‖ *9-11 = 1, 14, 6* ‖ *11-19 = 1, 11, 45s.* ‖ *19-20 = 1, 11, 44*

14   *1-5 = 1, 11, 50-54* ‖ *5-9 = 1, 11, 61* ‖ *9-13 = 1, 13, 14* ‖ *14-15 = 1, 18, 1s.6 (stultissime).18-25*

15   *1-10 = 1, 20, 1s. 4-6* ‖ *10-12 = 1, 20, 11 (– inposuit)* ‖ *12-14 = 1, 20, 27* ‖ *15-18 = 1, 20, 33* ‖ *18-21 = 1, 20, 11-13*

16   *1-4 = 1, 20, 24-25 (fides – pudicitia)* ‖ *3-4 = 1, 20, 18 (non enim – collocatae)* ‖ *5-6 = 1, 20, 19-20 (atquin – extra hominem)* ‖ 6 (Robiginem – Febrem) = *1, 20, 17* ‖ *7 = 1, 20, 24 (falsas consecrationes)* ‖ *8-12 = 1, 20, 35s. (– induxit)* ‖ *13-14 = 1, 20, 34.36* ‖ *14-19 = 1, 20, 37-42*

17   *1-5 = 1, 22, 9.11 (– nominant)* ‖ *9 = 1, 22, 1.4* ‖ *9-16 = 1, 22, 13* ‖ *17-20 = 1, 17, 1s.* ‖ *20-21 = 1, 15, 16s.*

saepe dixi)-47 = *2, 17, 1* ; *3, 29, 13-20* ; *5, 7, 3-10* ; *5, 22, 11-17* ; *6, 3, 4 (passim)* ; *6, 5, 12* ; *6, 15, 5-9* ; *6, 22, 2s.* ; *7, 4, 12* ; *7, 5, 7s.*

25 1-10 = *2, 17, 12* ‖ 1-4 = *2, 17, 6* ‖ 4-6 = *2, 17, 8-9* ‖ 6-10 = *2, 17, 10-12* ‖ 11-19 = *2, 19, 3-6* ; *3, 2, 1* ; *3, 1, 5-8.13-16* ‖ 19-40 = *3, 2, 3-10* ‖ 35-40 = *3, 16, 7s.*

26 1-2 = *3, 3, 1* ‖ 2-4 (philosophorum principes) = *3, 4, 2* ‖ 4-5 = *3, 3, 7* ; *3, 4, 1* ‖ 6-7 = *3, 13, 9s.* ‖ 8-21 = *3, 3, 15-16* ‖ 21-26 = *3, 4, 1-2 (– sublata est)* ; *3, 4, 11s.* ‖ 22 (id – ignorat) = *3, 3, 8*

27 1-7.16-19 = *3, 4, 3s.9s.* ‖ 7-16 = *3, 4, 11 - 3, 5, 8* ‖ 19-20 (at – labat) = *3, 6, 5s.* ‖ 20-22 = *3, 7, 1-5*

28 1-2 = *3, 7, 6* ‖ 1-6 = *3, 9, 1* ‖ 3-5 = *3, 8, 3* ‖ 6-9 = *3, 9, 2s.* ‖ 9-12 (Aristippus) = *3, 7, 7* ; *3, 8, 6-10* ‖ 12-17 (Hieronymi, Diodori) = *3, 7, 7* ; *3, 8, 13s.* ; *3, 10, 1s.* ‖ 17-20 (Zeno) = *3, 7, 8* ; *3, 8, 20-23* ‖ 21-22 (Epicurus) = 3, 7, 7 ; *3, 8, 5* ‖ 22-25 = *3, 10, 1s.* ‖ 25-30 (Dinomachus et Callipho) = *3, 7, 7* ; *3, 8, 15* ‖ 30-38 (Peripatetici) = *3, 7, 7* ; *3, 8, 16-19* ‖ 38-44 (stoici) = *3, 7, 8* ; *3, 8, 32-37* ; *3, 11, 9* ‖ 44-47 (Aristoteles) = *3, 7, 8* ; *3, 8, 38-42* ‖ 47 (Herillus)-58 = *3, 7, 8* ; *3, 8, 24-31* ‖ 58-65 = *3, 7*

29 1-39 = *3, 11s.* ; *6, 9-12* ‖ 1-2 = *3, 9, 1 (– bonum)* ‖ 2-8 = *6, 25, 8-9* ‖ 8 (cum – commune) = *6, 10, 9-10* ; *6, 17, 20* ‖ 10-14 : *haec non sunt in Inst.* ‖ 14-21 = *3, 9, 19* ‖ 17-27 = *3, 12, 28s.* ‖ 22-23 = *3, 13, 10* ‖ 23-25 (quid deo – religionem) = *3, 9, 11. 13.17.19* ; *3, 10, 1.14* ‖ 23-25 (quid homini – caritatem) = *3, 9, 19* ‖ 27-30 = *6, 25, 8s.* ; *6, 9, 22* ; *3, 11, 9 (quia uis – posita est)* ‖ 30-39 = *3, 11, 7s.12-14* ; *6, 10-12* ; *6, 17, 5-10*

30 1-6 = *3, 11, 9-16* ; *3, 12, 7-8* ‖ 6-10 = *3, 12, 10-18* ‖ 11-13 (tantum – sumus) = *3, 12, 19-25* ‖ 13-15 = *3, 12, 25-27* ‖ 15-16 (de – disseremus) = *3, 13, 1-3* ‖ 16-18 = *3, 13, 4-5* ‖ 18-24 = *3, 16, 6-7*

31 1-2 = *3, 17, 1* ‖ 2-3 = *3, 17, 16* ‖ 7 (nihil – curat) = *3, 17, 4* ‖ 11 (nunc – sustulisti)* : *hoc non est in Inst., cf. tamen 3, 17, 39 (haec – docet)* ‖ 11-20 = *3, 17, 21-27* ‖ 21 (quid –

facit) = *3, 17, 30-43* ‖ 24 (ipsae – prophetarum) = *3, 19, 3* ‖
26-29 = *3, 18, 1-3* ‖ 32 (suem uel canem) = *3, 8, 9* ‖ 32-38
= *3, 18, 15-17 ; 7, 23, 8* ‖ 39-40 = *3, 19, 19* (sed uidelicet –
commeare)

32   1-7 = *3, 20, 1s.* ‖ 3-6 = *3, 20, 5-8* ‖ 4 (physicos) = *3,
21, 1* ‖ 8-9 = *3, 20, 10* ‖ 14 (quam – repudiauit) = *3, 20, 12*
(sed nimirum – seruiendum) ‖ 15-21 = *3, 20, 15-17*

33   1-18 = *3, 21, 2-10* ‖ 18-22 = *3, 22, 10s.* ‖ 22-32 = *3,
23, 8-10* ‖ 25-28 = *6, 10, 11* ‖ 28-32 = *6, 10, 2-4* ‖ 33-43 :
haec non sunt in Inst.

34   1-5 = *3, 23, 12s.* ‖ 6-9 = *3, 24* ‖ 9-10 (Anaxagoras) =
3, 23, 11 ‖ 11-12 = *3, 23, 4* ‖ 19-21 = *3, 15, 20s.* ‖ 23-26 =
3, 15, 15.19 ‖ 26-44 = *3, 18, 5-10*

35   1-12 = *3, 28, 10-13* ‖ 4-6 (neque – doctores) = *3, 29, 19*
‖ 7-8 (Socraten) = *3, 28, 17* ‖ 12-13 = *3, 28, 14-22* ‖ 14-20
= *3, 30, 1-8 ; 4, 1, 12* (– conprehendi) ‖ 14-15 : *Platonis locus
non est in Inst.*

36   1-4 = *3, 30, 9s.* ‖ 4-5 (et quidem – dicendum est) = *4,
3, 10* ‖ 5-20 = *4, 3, 3-10 ; 4, 4, 1-4*

37   1-2 = *4, 5, 1 ; 4, 10, 4* (quid – uersari) ‖ 2-5 = *4, 6, 1*
‖ 6 (ratio – sapientia) = *4, 9, 1* ‖ 6 (sermo) = *4, 8, 6* ‖ 7-9
= *4, 6, 9* ‖ 9-12 = *4, 6, 2* ‖ 12-13 = *4, 8, 16 hic de Platone
locus non est in Inst.* ‖ 14-25 = *4, 6, 5* ‖ 25 (prophetae) = *4,
6, 3* ‖ 26-27 (Solomon) = *4, 6, 6-8* ‖ 26-29 = *4, 8, 13s.* (–
hymnorum) ‖ 30-31 (huius – patri).32-33 (Hermes) = *4, 7, 2.3*
(οὗ – λαληθῆναι) ‖ 30-31 : *locus non est in Inst.* ‖ 33-39 = *4,
7, 4-8 ; 4, 12, 6* (Iesus – saluator).9

38   4-7 = *4, 8, 1s.* ‖ 9-11 = *2, 16* ‖ 12-16 = *4, 10, 5s.* ‖
16-17 (Iudaei) = *4, 10, 14* ‖ 18-20 = *4, 10, 11s.* ‖ 20-27 = *4,
11, 1s.* ‖ 27-29 = *4, 11, 3* ‖ 29-32 = *4, 11, 7* ‖ 32-49 = *4,
11, 14 – 4, 12, 1 ; 4, 13, 1* ‖ 38 (humanum corpus) = *4, 12,
7* ‖ 40-45 = *4, 13, 2-6 ; 4, 25, 3s.*

39   2-5 = *4, 12, 3* ‖ 5-6 = *4, 12, 4* ‖ 6-7 = *4, 12, 7*
(Emmanuel – deus) ‖ 7-11 = *4, 13, 5s.* ‖ 11-15 = *4, 13, 7* ‖
15-20 = *4, 13, 8* ‖ 20-24 = *4, 13, 10* ‖ 24-27 = *4, 13, 4*

40   1-5 = *4, 15, 1.4.12* ‖ 5-12 = *4, 15,* 6-11 ‖ 12-17 = *4, 15, 16-25* ‖ 17-22 = *4, 16, 5.12* ‖ 22-38 = *4, 16, 7-10* ‖ 38-40 = *4, 16, 17 ; 4, 18, 1s.* ‖ 40 (conprehensum).45-55 = *4, 17, 1s. ; 4, 18, 4 (obicientes)* ‖ 55-56 : *hoc non est in Inst.* ‖ 56-60 = *4, 19, 2*

41   1-5 = *4, 18, 13* ‖ 5-7 = *4, 18, 16* ‖ 7-11 = *4, 18, 14* ‖ 11-13 = *4, 18, 18* ‖ 13-17 = *4, 18, 30* ‖ 17-21 = *4, 18, 29* ‖ 22-26 = *4, 19, 3* ‖ 26-29 = *4, 19, 4* ‖ 30-35 = *4, 21, 2 (sed et futura –)-5* ‖ 35-45 = *4, 18, 32s.* ‖ 45-47 = *4, 16, 17 (ut – aduenerat)*

42   1-5 = *4, 19, 6s.* ‖ 5-8 = *4, 19, 8* ‖ 8-13 = *4, 19, 9* ‖ 13-21 = *4, 20, 1 ; 4, 21, 1s. (– confirmari)* ‖ 21-28 = *4, 12, 12* ‖ 28-31 = *4, 12, 17*

43   1-4 = *4, 12, 21* ‖ 4-6 = *4, 18, 23* ‖ 6-10 = *4, 18, 22* ‖ 10-12 = *4, 20, 11* ‖ 12-16 = *4, 20, 7* ‖ 16-20 = *4, 11, 8* ‖ 20-22 = *4, 11, 10* ‖ 22-27 = *4, 20, 12*

44   4-8 = *4, 28, 1s.* ‖ 10-25 = *4, 29* ‖ 12 (prophetas)-15 = *4, 29, 10-12* ‖ 15-21 = *4, 29, 1-4.8s.13* ‖ 21-25 = *4, 29, 13-15*

45   1-24 = *4, 22-25 ; 4, 26, 24-27* ‖ 1-9 = *4, 22, 2s. ; 4, 23, 1-7* ‖ 9-14 = *4, 23, 8s.* ‖ 10-12 (contumax, praesenti opere) = *4, 23, 7 ; 4, 24, 10 (contumacia – exemplo)* ‖ 14-24 = *4, 23, 10 – 4, 24, 17 ; 4, 25, 1*

46   1 = *4, 26, 1* ‖ 1-10 = *4, 26, 29s.* ‖ 10-14 = *4, 26, 31-33 (– redderetur)* ‖ 14-21 = *4, 26, 33 (illa quoque –)-36* ‖ 21-28 = *4, 27, 1s.3-5 ; 5, 21, 3-5* ‖ 28-31 = *4, 27, 6-15* ‖ 30-31 (quos – negant) = *4, 27, 15 (Homero)*

47   1-8 = *4, 28, 1s. ; 3, 30, 3-8* ‖ 8-13 = *5, 1, 1.3-7* ‖ 13-21 = *5, 9, 2-8* ‖ 26-27 = *5, 21, 1*

48   1-50 = *5, 19, 1-24* ‖ 1 = *5, 19, 20 (sed – sacra)* ‖ 2-11 = *5, 20, 2* ‖ 4-6 = *5, 20, 4* ‖ 14-18 = *5, 20, 10* ‖ 23-33 = *5, 20, 5s.7s.* ‖ 24-27 = *5, 19, 22s.* ‖ 26-27 = *5, 19, 6* ‖ 29-33 = *5, 19, 11* ‖ 29-30 = *5, 19, 6-8* ‖ 30-31 = *5, 19, 11 (uerbis – uerberibus)* ‖ 34-41 : *haec non sunt in Inst.* ‖ 41-44 = *5, 20, 5 (– recusanti)* ‖ 44-50 = *5, 12, 3s. (si uobis –*

amplectimur) ; 5, 13, 10s. ‖ 48-49 : *Vergilii locus non est in Inst.*

49   4-8 = *5, 19, 23.11 (non est – potest)* ‖ 8-16 = *5, 13, 6-10 (– redeant)* ‖ 16-36 = *5, 11, 11-17* ‖ 19-21 = *5, 9, 12* ‖ 26 = *5, 9, 10* ‖ 30-36 = *5, 9, 13s. ; 5, 19, 6s.17*

50   1-8 = *5, 19, 3-5* ‖ 8-15 = *5, 20, 12-14* ‖ 15-20 = *5, 19, 7s. (– inpiorum)* ‖ 20-24 (aequitatem).32-36 = *5, 14, 5 (ut Aristotelen – patronos)* ; *5, 14, 7-13.15* ; *5, 14, 19 – 5, 15, 2* ; *5, 17, 4s.* ‖ 24-28 : *locus non est in Inst.* ‖ 28-32.34-35 = *5, 14, 16-20 (cf. 18 nemo deo – iustitia indiget)* ‖ 32-36 = *5, 15, 1* ‖ 36-42 = *5, 14, 3-5 ; 5, 16*

51   3-5 = *5, 18, 14-16* ‖ 5-34 = *5, 16* ‖ 5-7 = *5, 14, 12s.* ‖ 7-17 = *5, 16, 3s.* ‖ 18-23 = *5, 16, 7s.* ‖ 23-34 = *5, 16, 9-11*

52   1 (Acuta ista sane) = *5, 16, 13 (arguta – sunt)* ‖ 1-2 (sed – possumus) = *5, 17, 2-8* ‖ 2-22 = *5, 14, 2 ; 5, 17, 1 ; 5, 19, 7-8 (nomina – inmutent, bonis – imponere)* ‖ 3-18 = *5, 17, 25-28* ‖ 19-22 = *5, 17, 10.20-22.27.31* ‖ 22-32 = *5, 18, 1-3* ‖ 36-46 = *5, 18, 8-13.16* ‖ 46-50 = *5, 23*

53   1-27 = *6, 25* ‖ 1-3 = *6, 1, 2 (– coli oporteat)* ‖ 4-9 = *6, 1, 5s. ; 6, 2, 1s.* ‖ 9-11.13-14 = *6, 2, 3-5* ‖ 15-21 = *6, 1, 4 ; 6, 2, 12s.* ‖ 22 (nam quid hostiae) = *6, 2, 9* ‖ 24-28 = *6, 2, 14*

54   1-3 = *6, 3, 1* ‖ 3-4 (– uoluerunt) = *6, 3, 2 (– uitiorum)* ‖ 4-5 = *6, 3, 4-6 (– spectat) ; 6, 3, 9 (ad – rettulerunt)* ‖ 5-8 = *6, 3, 9 (poetae – proposuerunt)* ‖ 8-9 = *6, 3, 10s.* ‖ 10-13 = *6, 4, 1s. 5* ‖ 13-14 (tenenda – uitam) = *6, 4, 14* ‖ 14-16 = *6, 9, 1* ‖ 14-20 = *6, 9, 24 ; 5, 18, 14-16* ‖ 21-29 = *5, 6, 12 ; 6, 9, 24 – 6, 10, 6.8* ‖ 29-32 = *5, 5, 9.13s ; 5, 6, 10s.* ‖ 32-40 = *5, 9, 15-17 (– profanent)* ‖ 40-42 (cum communi) = *6, 9, 2s. (gentis – utile)* ‖ 42-43 (sed – submoueat) = *6, 9, 5* ‖ 46-48 = *5, 9, 17 (si qui iudices –)* ‖ 49-51 = *5, 8, 6 ; 5, 5, 11.*

55   1-9 = *5, 7, 1s.* ‖ 3 (religionem... misericordiam) = *6, 10, 2 (sed – nominatur)* ‖ 5-6 (legemque diuinam) = *6, 8, 6 (– caelestis)* ‖ 6 (quae – copulat) = *6, 10, 2* ‖ 7 (tradente ipso domino) = *6, 8, 12* ‖ 9-11 = *6, 10, 1* ‖ 12-18 = *6, 23, 32*

(nos ipsos –) ‖ 18-20 = *5, 17, 21.31 ; 5, 22, 5 ; 6, 18, 12* ‖
20-21 (primum – prodesse) = *6, 11, 2 (ergo si – necesse est)* ‖
21-25 = *6, 15, 8s.*

56   1-6 = *6, 19, 4 ; 6, 13, 8-10 ; 6, 15, 5s.* ‖ 6-38 = *6, 14,
2s.7s.15 ; 6, 16, 1-6 ; 6, 17, 9 ; 6, 19, 1* ‖ 7-8 = *6, 15, 8s.* ‖
13-15 (– inseuit) = *6, 15, 3s.* ‖ 13-20 = *6, 16, 7s. ; 6, 17 ; 6,
19, 5* ‖ 18-20 = *6, 14, 3s* ‖ 20-26 = *6, 16 10 (irasci) ; 6, 19,
6-10* ‖ 26-30 = *6, 16, 10 (cupere) ; 6, 19, 6.9s. ; 6, 17, 10.14*
‖ 30-34 = *6, 16, 9s. (libidine commoueri) ; 6, 19, 6.9s.* ‖ 34-
57, 2 = *6, 16, 11 ; 6, 17, 9.12 ; 6, 19, 11.*

57   1-4 = *6, 18, 17-26. 29-32* ‖ 4-7 = *6, 12, 33-36* ‖ 7-8 =
6, 23, 13s. ‖ 9-12 : *hoc non est in Inst.* ‖ 14-16 = *6, 20, 1* ‖
16-22 = *6, 20, 2-5* ‖ 19-22 = *6, 22, 3-5* ‖ 23-24 = *6, 22, 1* ‖
24-26 : *haec non sunt in Inst.* ‖ 27-36 = *6, 21* ‖ 36-40 = *6,
20, 6s.* ‖ 40-42 = *6, 23, 5s.*

58   1-3 = *6, 20, 8s.* ‖ 3-8 = *6, 20, 34-36* ‖ 8-20 = *6, 20, 10-
14.26* ‖ 20-29 = *6, 20, 27-31* ‖ 29-36 = *6, 20, 32s.*

59   1-4 = *6, 18, 2-4* ‖ 5-6 = *6, 18, 10* ‖ 6-8 : *haec non sunt in
Inst.* ‖ 8-10 = *6, 12, 11 ; 6, 18, 4-6* ‖ 10-12 = *5, 22, 4-10* ‖
13-16 = *6, 18, 7-9* ‖ 16-19 : *haec non sunt in Inst.* ‖ 19-21 =
6, 18, 10 ‖ 21-26 = *6, 20, 15 (non enim –)-17* ‖ 26 = *6, 20,
18-23* ‖ 27 (nec – damnare) = *3, 18, 5-10* ‖ 27-32 = *6, 23,
13-25* ‖ 33-37 = *6, 18, 4-6* ‖ 37-39 : *haec non sunt in Inst., cf.
tamen ad 1, 15, 13s.*

60   1-9 = *6, 10, 2-4* ‖ 3-4 : *hoc non est in Inst.* ‖ 9-11 = *6,
10, 4-6* ‖ 11-13 = *6, 10, 11s.17* ‖ 14-15 : *hoc ipsum non est in
Inst., similia sunt 5, 12, 4 ; 6, 19, 8 (ex. ipsius dei praeceptis...)*
‖ 15-21 = *6, 10, 10.24s.* ‖ 21-22 = *6, 12, 3.32 ; 6, 11, 15* ‖
24 = *6, 12, 6-12* ‖ 25 = *6, 12, 21-23* ‖ 26-27 = *6, 12, 16* ‖
28 = *6, 12, 24s.* ‖ 29-36 = *6, 12, 24 (summae –).31.39-41* ‖
36-40 = *6, 12, 33-36.*

61   1-19 = *6, 17, 5-9. 24-26* ‖ 2 = *7, 26, 9* ‖ 20-23 = *6, 4,
17* ‖ 24-34 = *6, 23, 13-25.29-32* ‖ 34-36 = *6, 23, 33* ‖ 36-45
= *6, 23, 34-36* ‖ 41-42 = *6, 24, 11-20 (– peruia est)* ‖ 43-45
= *6, 25, 1-7.15.*

62 1-13 = *6, 13, 2 (deus enim –) -5 (-oneratus est)* ; *6, 24, 1-10.21-23* ‖ 13-25 (– suscipit) = *6, 25, 12-16* ‖ 17 (humilitas) = *6, 24, 25 (sit humilis)* ‖ 18-19 : *hoc non est in Inst.* ‖ 21-26 = *6, 24, 26-29* ‖ 26-**64**, 27 = *7, 1-5* ‖ 25-26 = *7, 1, 3s.* ‖ 28-32 = *7, 2, 2s.7-11* ‖ 32-41 = *7, 3, 20-26* ‖ 46-52 = *7, 3, 1-19* ‖ 49-55 = *7, 7, 1-5.14* ‖ 53-55 = *7, 3, 14.*

63 2-4 = *7, 3, 12* ‖ 4-26 : *haec non sunt in Inst., ad 5-11, cf. tamen 7, 4, 11* ‖ 26-31 = *7, 4, 4-9* ‖ 32-37 = *7, 3, 4.13.25* ‖ 37-44 = *7, 7, 12* ; *7, 8, 2* ‖ 45-50 = *3, 19, 19s.*

64 1-10 = *7, 5* ; *7, 6, 1.9* ‖ 1-3 = *7, 7, 1.14* ‖ 11-19 = *7, 4, 18s* ‖ 19-21 = *7, 5, 1s.* ‖ 21-27 = *7, 5, 3-6.27* ‖ 21-24 (ut cum – mundo) = *7, 5, 9-13 (– praeparauit)* ‖ 30-32 = *4, 28, 2s. (– accepit)* ‖ 32-37 = *7, 7, 12* ; *7, 8, 2* ‖ 37-40 = *7, 5, 27* ‖ 38-40 = *7, 8, 1.*

65 1-10 = *7, 8, 3-6* ‖ 10-21 = *7, 9, 15-18* ‖ 21-29 = *7, 9, 10-12* ‖ 29-33 = *7, 9, 13s.* ‖ 33-40 = *7, 13, 1-8* ‖ 41-43 = *7, 14, 1* ‖ 43-44 = *7, 14, 6* ‖ 45 (id – proximo est) = *7, 14, 3 (cuius – ostendam)* ‖ 52 (caelestium –)-58 = *7, 14, 4-6.11s.*

66 1-2 = *7, 14, 15-17* ‖ 2-13 = *7, 15, 7-11* ‖ 3-14 = *7, 17, 9* ‖ 13-20 = *7, 16, 1-8 (– pisces)* ‖ 30-37 (– breuiabitur) = *7, 16, 8 (prodigia –)-10* ‖ 37-38 : *hoc locus Trismegisti non est in Inst., cf. tamen 7, 14, 16* ‖ 38-43 = *7, 17, 1 (– conclusione).2 (alter – deleat)* ‖ 43-48 = *7, 16, 12-14* ‖ 48-57 = *7, 17, 4-7* ‖ 48-50 = *7, 17, 8* ‖ 57-58 = *7, 16, 14 (de cultoribus –)* ‖ 58-62 = *7, 17, 10s.* ; *7, 19, 2 (– liberatorem).*

67 1-7 = *7, 19, 2 (tum –)-7* ‖ 7-10 = *7, 24, 5* ‖ 8-11 = *7, 19, 8* ‖ 11-17 = *7, 20, 1* ; *7, 24, 1-4.6* ‖ 17-26 = *7, 24, 7s.* ‖ 19-20 (tunc-uespertina) : *hoc non est in Inst.* ‖ 26-27 = *7, 24, 15 (– uitam)* ‖ 28-30 = *7, 26, 1* ‖ 31-39 (– mortuorum) = *7, 26, 2-4 (– ossibus tecta)* ‖ 40 (Polyandrion) : *locus non est in Inst.* ‖ 40-48 = *7, 26, 5-7.*

68 1-4 = *7, 18, 1 (prophetae).2 (Hystaspes).3s. (Hermes).5-8 (Sibyllae)* ; *7, 26, 8 (prophetarum)* ‖ 4-23 = *7, 27, 1-16.*

V. INDEX BIBLIOGRAPHIQUE

On ne trouvera ici que les références complètes des ouvrages, articles ou collections plusieurs fois cités sous une forme abrégée. Pour ceux qui n'apparaissent qu'une fois, les références sont données *ad loc.* Une bibliographie de Lactance figurera dans l'*Introduction Générale*.

BIDEZ-CUMONT = J. BIDEZ et F. CUMONT, *Les mages hellénisés*, t. 1-2, Paris 1938.

BRANDT, *Prosaschriften* = S. BRANDT, *Ueber die Entstehungsverhältnisse der Prosaschriften des Lactantius und des Buches « De mortibus persecutorum »*, Sitzungsberichte der Akademie der Wissenschaften in Wien, Phil.-Hist. Klasse, 125, 1892, Abh. 6.

BRAUN = R. BRAUN, *Deus Christianorum*, Paris 1962.

CH = *Corpus Hermeticum*, éd. A.D. Nock et A.S. Festugière, *CUF*, t. 1-4, Paris 1954-1960.

CLA = E.A. LOWE, *Codices Latini Antiquiores*, t. 1-11 et suppl., Oxford 1934-1971.

CSEL = *Corpus Scriptorum Ecclesiasticorum Latinorum*, Vienne.

CUF = *Collection des Universités de France*, Paris.

DAMMIG = J. DAMMIG, *Die Divinae Institutiones des Laktanz und ihre Epitome (ein Beitrag zur Geschichte und Technik der Epitomierung)*, Diss. phil. Münster, 1957. Ce livre introuvable en France nous a été prêté directement par la Bibliothèque Universitaire de Münster.

DACL = *Dictionnaire d'Archéologie chrétienne et de Liturgie*, Paris.

DLAC = A. BLAISE, *Dictionnaire latin-français des auteurs chrétiens*, Turnhout 1954.

GERHARDT = M. GERHARDT, *Das Leben und die Schriften des Lactantius*, Diss. phil. Erlangen, 1924.

HECK, « Bemerkungen » = E. HECK, « Bemerkungen zum Text von Lactanz, De opificio Dei », *VChr* 23, 1969, p. 273-292.

HECK, *DZ* = E. HECK, *Die dualistischen Zusätze une die Kaiseranreden bei Lactantius (Untersuchungen zur Textgeschichte der « Divinae Institutiones » und der Schrift « De opificio dei »)*, Abhandlungen der Heidelberger Akademie der Wissenschaften, Phil.-hist. Klasse, Heidelberg 1972.

HECK, « *Iustitia* » = E. HECK, « *Iustitia civilis – iustitia naturalis* : à propos du jugement de Lactance concernant les discours sur la justice dans le *De republica* de Cicéron », *Lactance et son temps*, p. 171-184.

Lactance et son temps = *Lactance et son temps, Recherches actuelles*. Actes du 4ᵉ colloque d'études historiques et patristiques, Chantilly 1976, édités par J. FONTAINE et M. PERRIN (*Théologie historique* 48), Paris 1978.

LAUSBERG = M. LAUSBERG, *Untersuchungen zu Senecas Fragmenten*, Berlin 1970.

LEUMANN = M. LEUMANN, J.B. HOFMANN et A. SZANTYR, *Lateinische Syntax und Stilistik*, Munich 1965.

LOI = V. LOI, *Lattanzio nella storia del linguaggio e del pensiero teologico pre-niceno*, Zurich 1970.

MONAT = P. MONAT, *Lactance et la Bible, Une propédeutique latine à la lecture de la Bible dans l'Occident constantinien*, t. 1-2, Paris 1982.

PERRIN, « Arnobe » = M. PERRIN, « Lactance, lecteur d'Arnobe dans l'*Épitomé* des *Institutions* ? », *REAug* 30, 1984, p. 36-41.

PERRIN, « Ch. 24 » = M. PERRIN, « A propos du chapitre 24 de l'*Épitomé* des *Institutions* de Lactance », *REAug* 27, 1981, p. 24-37.

PERRIN, *L'homme* = M. PERRIN, *L'homme antique et chrétien. L'anthropologie de Lactance – 250-325* (*Théologie historique* 59), Paris 1981.

PERRIN, « Platon » = M. PERRIN, « Le Platon de Lactance », *Lactance et son temps*, p. 203-231.

PICHON = R. PICHON, *Lactance*, Paris 1901.

RAC = *Reallexikon für Antike und Christentum*, Stuttgart.

REAug = *Revue des Études Augustiniennes*, Paris.

REL = *Revue des Études Latines*, Paris.

RHR = *Revue de l'Histoire des Religions*, Paris.

ROSCHER = W.H. ROSCHER, *Lexikon der griechischen und römischen Mythologie*, t. 1-7, Leipzig 1884-1893.

STANGL = T. STANGL, « Lactantiana », *Rheinisches Museum* 70, 1915, p. 224-252 ; 441-471.

SC = *Sources Chrétiennes,* Paris.

TLL = *Thesaurus Linguae Latinae,* Munich.

TU = *Texte und Untersuchungen zur Geschichte der altchristlichen Literatur, Leipzig.*

VChr = *Vigiliae Christianae,* Amsterdam.

WLOSOK = A. WLOSOK, *Laktanz und die philosophische Gnosis. Untersuchungen zu Geschichte und Terminologie der gnostischen Erlösungsvorstellung*, Heidelberg 1960.

TABLE DES MATIÈRES

SOURCES CHRÉTIENNES
(1-335)

Fondateurs : H. de Lubac, s.j.
† J. Daniélou, s.j.
C. Mondésert, s.j.
Directeur : D. Bertrand, s.j.
Directeur-adjoint : J.-N. Guinot

Dans la liste qui suit, dite « liste alphabétique », tous les ouvrages sont rangés par nom d'auteur ancien, les numéros précisant pour chacun l'ordre de parution depuis le début de la collection. Pour une information plus complète, on peut se procurer deux autres listes au secrétariat de « Sources Chrétiennes » – 29, rue du Plat, 69002 Lyon (France) – Tél. : 78.37.27.08 :

1. la « liste numérique », qui présente les volumes et leurs auteurs actuels d'après les dates de publication ; elle indique les réimpressions et les ouvrages momentanément épuisés ou dont la réédition est préparée.
2. la « liste thématique », qui présente les volumes d'après les centres d'intérêt et les genres littéraires : exégèse, dogme, histoire, correspondance, apologétique, etc.

ACTES DE LA CONFÉRENCE DE.
CARTHAGE : *194, 195, 224.*
ADAM DE PERSEIGNE.
Lettres, I : *66.*
AELRED DE RIEVAULX.
Quand Jésus eut douze ans : *60.*
La vie de recluse : *76.*
AMBROISE DE MILAN.
Apologie de David : *239.*
Des sacrements : *25 bis.*
Des mystères : *25 bis.*
Explication du Symbole : *25 bis.*
La Pénitence : *179.*
Sur saint Luc : *45 et 52.*
AMÉDÉE DE LAUSANNE.
Huit homélies mariales : *72.*
ANSELME DE CANTORBÉRY.
Pourquoi Dieu s'est fait homme : *91.*
ANSELME DE HAVELBERG.
Dialogues, I : *118.*
APOCALYPSE DE BARUCH : *144 et 145.*
ARISTÉE (LETTRE D') : *89.*
ATHANASE D'ALEXANDRIE.
Deux apologies : *56 bis.*
Discours contre les païens : *18 bis.*
Voir « Histoire acéphale » : *317.*

Lettres à Sérapion : *15.*
Sur l'Incarnation du Verbe : *199.*
ATHÉNAGORE.
Supplique au sujet des chrétiens : *3.*
AUGUSTIN.
Commentaire de la première Épître de saint Jean : *75.*
Sermons pour la Pâque : *116.*
BARNABÉ (ÉPÎTRE DE) : *172.*
BASILE DE CÉSARÉE.
Contre Eunome : *299 et 305.*
Homélies sur l'Hexaéméron : *26 bis.*
Sur l'origine de l'homme : *160.*
Traité du Saint-Esprit : *17 bis.*
BASILE DE SÉLEUCIE.
Homélie pascale : *187.*
BAUDOUIN DE FORD.
Le sacrement de l'autel : *93 et 94.*
BENOÎT (RÈGLE DE S.) : *181-186.*
CALLINICOS.
Vie d'Hypatios : *177.*
CASSIEN, voir Jean Cassien.
CÉSAIRE D'ARLES.
Sermons au peuple : *175, 243 et 330.*

SOUS PRESSE

Les Constitutions apostoliques, tome III. M. Metzger.
EUSÈBE DE CÉSARÉE : **Préparation évangélique,** livres XIV-XV. É. des Places.
GRÉGOIRE DE NAZIANZE : **Discours 38-41.** P. Gallay et C. Moreschini.
LACTANCE : **Institutions divines.** Tome II. P. Monat.
ISAAC DE L'ÉTOILE : **Sermons.** Tome III. G. Raciti.
PALLADIOS : **Vie de S. Jean Chrysostome,** 2 tomes. A.-M. Malingrey.
JEAN CHRYSOSTOME : **Commentaire sur Job.** Tome I. H. Sorlin.

Également aux Éditions du Cerf

LES ŒUVRES DE PHILON D'ALEXANDRIE
publiées sous la direction de
R. ARNALDEZ, C. MONDÉSERT, J. POUILLOUX.
Texte original et traduction française.

ACHEVÉ D'IMPRIMER
SUR LES PRESSES DE
L'IMPRIMERIE CHIRAT
42540 ST-JUST-LA-PENDUE
EN JUIN 1987
DÉPÔT LÉGAL 1987 N° 3069
N° D'ÉDITEUR 8457

IMPRIMÉ EN FRANCE